D0296989

VANL

KOUDVUUR

De weg naar de politieke top is bezaaid met goede voornemens, maar eerzucht is een brandstof waarvan de as vaak corruptie is.

PIET VAN AKEN

En démocratie, la politique est l'art de faire croire au peuple qu'il gouverne.

(Democratische politiek is de kunst om het volk wijs te maken dat het regeert.)

LOUIS LATZARUS

Het verschil tussen een land dat politiek gezond en één dat ongezond heet, is het verschil tussen een beerput met een behoorlijk deksel erop en een open beerput waarin geroerd wordt.

EDDY DU PERRON

Van Stefaan van Laere verscheen in dezelfde reeks:

Tango mortale

Botero

STEFAAN VAN LAERE

KOUDVUUR

Davidsfonds/Literair

Laere, Stefaan van
Koudvuur

Blijde-Inkomststraat 79-81, 3000 Leuven
Omslagfoto: Johan Martens
Omslagontwerp: B2

D/2005/0201/11
ISBN 90-6306-515-9
NUR: 305

www.stefaanvanlaere.be

Proloog

Zaterdagnacht 14 mei, 23.59 u.

Buiten sloeg de gebarsten klok van de kathedraal traag en statig één minuut te vroeg twaalf keer, al was de laatste slag nauwelijks te horen. Het uur van de spoken, dacht de barman terwijl hij afwezig de glazen spoelde. Het zou weer een lange nacht worden en hij dreigde nu al in slaap te vallen. Hij stak een sigaret op en liet de as achteloos in het afwaswater neerdwarrelen. De Michelinster zou ook wel niet voor dit jaar zijn.

Waarom had hij ook voor deze rotbaan gekozen? Als je wist dat andere mensen nu thuis voor de televisie indommelden terwijl Hannibal Lecter zijn zoveelste slachtoffer te grazen nam...

Op het plein waren twee snotapen zich aan het vermaken met pas geplakte affiches.

Zorgen voor meer jobs.

De toekomst begint vandaag.

Eén volk, één stem.

De bengels tekenden grijnzend snorretjes op de bijgewerkte koppen van de politici. Een vriendje zat op de leuning van een bank. Hij nam foto's om later bij de andere leden van de jeugdbende te kunnen opscheppen. Hij waagde zich te ver en sloeg achterover in een plas water. Zijn makkers konden hun pret niet op maar hielpen hem toch proestend overeind. Hij deed alsof er niets aan de hand was en trekkebeende naar zijn glimmende mountainbike.

Een verschrikte duif, wakker gemaakt door het kabaal, landde aarzelend bij de fontein. Het beest had een flink gat in een van zijn vleugels, het resultaat van een bijna faliekant afgelopen ontmoeting met een hongerige straatkat. Snel pikte de duif de resten van een beschimmeld vegetarisch broodje op en fladderde weg, een beetje zwalpend en duidelijk nog niet aan zijn handicap gewend.

In De Gouden Kruik zat de sfeer er goed in. Het gezelschap had net een copieuze maaltijd, op kosten van de partij, afgerond. De uitbater was er zeker van dat niemand van de aanwezigen achteraf zou kunnen zeggen wat hij gegeten had. Parels voor de zwijnen, schudde hij meewarig het hoofd. Maar de vette rekening zou een zoete wraak zijn. De klanten hadden vooral stevig gedronken en op wijn zat nog altijd de grootste winstmarge. En ze waren nog niet eens aan de pousse-café. Hij had de bende al meermaals over de vloer gehad en telkens was het op een braspartij uitgelopen. Doorgaans werd het feestje in beperkte kring elders nog voortgezet, had hij van horen zeggen. En van de morele standaard die de politici in het openbaar hoog in het vaandel voerden, was dan naar verluidt niet veel meer te merken.

Raymond Deweert knipoogde onopvallend naar zijn assistent om diens aandacht te trekken. Maar voor één keer in zijn leven leek Paul Slootmans zich tijdens het werk te amuseren. Hij kletste honderduit en probeerde vooral de dames met een bestudeerde pepsodentglimlach te charmeren.

Deweert kon het niet helpen, hij werd zowaar een beetje jaloers. Belachelijk, oordeelde hij uiteindelijk. Er is hier geen vrouw aanwezig met wie ik nog niet geslapen heb, of die dat niet wil.

Vanavond had hij zijn zinnen gezet op Irène. Een stoot van een wijf, verlekkerde hij zich al bij voorbaat. Hij viel zowel op jonge meisjes als op vrouwen van de wereld. Liefst nog diegenen die *hard to get* speelden of zich gewoon niet bewust waren van het feit dat hij ze begeerde. Hij besefte dat hij zijn broek zou moeten leren dichthouden als hij Bill Clinton niet achterna wou gaan. Maar het vlees was zwak en al die vrouwen zo aanlokkelijk.

Paul Slootmans kuchte bescheiden. Niemand leek het op te merken en hij deed het nog eens, nu wat vastberadener. Hij zag er netjes uit, afgeborsteld. Maar zijn haar was niet gelijkgeknipt. Een foutje dat Deweert genadeloos registreerde, want het zou hem misschien nog van pas komen. Zeker nu Slootmans ambitie had om bij de volgende verkiezingen zelf goed te scoren. En dergelijke details konden het verschil maken.

'Mag ik even uw aandacht?'

Het geroezemoes verstomde. Alleen Irène bleef voortkletsen. Ze hing giechelend aan de arm van een oudere, grijzende kerel die Deweert maar al te goed kende. Maar hij verkoos te doen alsof het heerschap lucht voor hem was, want hij had aan de man geen te beste herinneringen. Al zou hij strikt genomen wellicht dankbaar moeten zijn voor alles wat deze kranige grijsaard voor hem gedaan had.

Slootmans schraapte nogmaals de keel. Toen dat nog niet hielp, tikte hij met zijn mes tegen zijn wijnglas.

Eindelijk hield Irène op met lachen. Ze zette een ernstig gezicht op, maar het was duidelijk dat ze dat niet lang zou volhouden.

'Mag ik nogmaals om uw aandacht verzoeken?' Slootmans keek nadrukkelijk in haar richting. 'Graag had ik het woord verleend aan senator Raymond Deweert, voor wie we hier vanavond tenslotte samengekomen zijn.'

Het obligate applaus klonk maar lauwtjes, maar Deweert maakte zichzelf wijs dat het door het eten en de drank kwam. Hij moest overigens de kok toch eens aanspreken. De lamskroontjes waren lang niet zo succulent geweest als hij ze gewoon was en ook de roomsaus bij de kreeft kon beter. Hij zou een opmerking gemaakt hebben als zijn echtgenote Lydia niet aanwezig was geweest. Laatst had ze hem nog in de Comme Chez Soi laten zitten omdat hij de ober publiekelijk had gewezen op een nauwelijks te onderscheiden vlek op diens hemd. De volgende keer koos hij in ieder geval een ander restaurant uit.

Deweert stond traag en met kaarsrechte rug op, een trucje dat hij van zijn mentor, minister van Justitie René de Ceuleer, had geleerd. Ook de rabiate tegenstanders van de minister moesten toegeven dat hij erin slaagde om elke kamer waar hij binnenkwam met zijn aanwezigheid te 'vullen'. Alleen al met zijn présence en zelfbewuste blik, op het randje van het hautaine, liet hij een onuitwisbare indruk na. Niet zozeer zijn woorden, veeleer zijn entree bleef in het geheugen hangen. Zijn lijfspreuk was niet voor niets *veni, vidi, vici.*

Zo ver was Raymond Deweert nog niet, maar hij werkte er hard aan. De attitudetraining die hij enige tijd geleden in het grootste geheim had gevolgd, zou hem bij de komende verkiezingen ongetwijfeld van pas komen.

Hij zag dat Irène hem met open mond zat aan te kijken. Lydia werkte aandachtig in haar handspiegeltje haar mascara bij en hij waagde een discreet knipoogje dat Irène koket beantwoordde.

De aanwezigen hadden lang genoeg gesudderd. Het ontgoochelde Deweert een beetje dat ze niet echt applaudisseerden, maar dat kwam natuurlijk door de drank, troostte hij zichzelf. Met zijn wijsvinger maakte hij zijn das wat losser en haalde diep adem. Nog een kunstje van de minister, die elke dag minstens een kwartier relaxatieoefeningen deed en er prat op ging dat hij drie nachten zonder slaap kon. Wat bij de vele nachtelijke vergaderingen die de premier zo graag hield, uiteraard goed van pas kwam. Aan het einde van die vergaderingen haalde de minister weleens een Douro boven of een andere Portugese wijn waar hij zo verzot op was. Dat hielp om de laatste lastige dossiers er toch door te krijgen en ingewijden wisten dat hij nu al vijf van de slechts duizend flessen Touriga Nacional uit 2002 klaar had staan om bij een herverkiezing in een select gezelschap te ontkurken.

'Vrienden! Vrienden!'

Nu steeg er dan toch een applaus op. Eerst aarzelend. Deweert merkte dat zijn assistent de aanstoker was. Irène nam het handgeklap over en uiteindelijk deed iedereen mee. Lydia als laatste. Deweert stelde vast dat ze nog maar één oog met haar dure mascara onder handen had genomen. Zoete wraak.

'We zijn hier vandaag bijeengekomen om het nuttige aan het aangename te paren. Zoals u weet scheiden slechts vier weken ons van de verkiezingen. En zoals u ook weet, is de laatste maand van cruciaal belang. Vandaag werden de allereerste affiches geplakt en die zien er – al zeg ik het zelf – oogverblindend uit. We hebben dan ook kosten noch moeite gespaard. De foto's werden genomen door niemand minder dan Johan Martens en dat zegt genoeg, dacht ik. Het boek dat hij vorig jaar over de eenheidspolitie maakte[1], kreeg zopas in New York de prijs *Best Photo Book of the Year*.'

Deweert rolde eigenhandig een affiche open waarop hij zelf van top tot teen stond afgebeeld. Prompt begonnen de aanwezigen bewonderend te fluiten, een reactie die de zelfgenoegzame politicus deed glimmen van trots.

'Vanaf het einde van deze week verschijnen in de media de advertenties van de campagne waarbij ik eh, door de partij nogal prominent naar voren word geschoven.'

'En terecht', merkte Slootmans op, zogezegd langs zijn neus weg. Het deed hem deugd te zien dat het publiek instemmend knikte.

'Onze aanwezigheid hier vanavond is uiteraard geen toeval. In het verleden mocht ik al op uw gewaardeerde steun en medewerking rekenen en ik hoop dat dit ook bij deze campagne het geval zal zijn.'

Taxerend ging de blik van Deweert het rijtje af. Tot zijn genoegen bemerkte hij dat Irène hem in beate bewondering aangaapte en geen aandacht meer had voor haar oudere aanbidder.

Deweert keek met nauwelijks verholen jaloerse blikken naar de chaperon van Irène. Jean-Marc Glorieux was de laatste tijd merkbaar ouder geworden maar werkte duidelijk aan zijn conditie. Hij had geen grammetje vet te veel en leek recht van onder de zonnebank te komen. Glorieux was een industrieel van de oude generatie, die destijds geld in zijn vader had gepompt. En met succes, want Michel Deweert had het tot minister van Financiën geschopt. Het was intussen een publiek geheim dat Raymond Deweert bijzonder ambitieus was en in de volgende regering geen genoegen zou nemen met minder dan de functie van staatssecretaris. Misschien, zo hoopte hij, bracht hij het zelfs tot minister. Wellicht nog niet bij deze, maar wie weet, toch bij de volgende verkiezingen.

'Met uw goedvinden zou ik graag in primeur de speech voorlezen die ik morgen in onze provinciale werkgroep zal brengen. In *avant-première*, als het ware.'

'Jeezes', zuchtte Lydia, die weer aan haar schilderwerk begon.

Deweert haalde een bundel papier boven en tastte in zijn binnenzak naar zijn bril. Een keurig, gouden montuur met glazen tegen nachtblindheid, hij was er speciaal voor naar Zürich geweest. Concreter had hij een snoepreisje met zijn 'secretaresse' geboekt in het kader van een congres en was er wegens die bril een dag extra langer gebleven.

'De begroeting sla ik maar over, geachte bla bla bla', lachte Deweert zijn vakkundig gebleekte, witte tanden bloot.

Verbaasd keek hij op van zijn papieren. Iemand was binnengekomen. Een snelle, donkere gestalte die nauwelijks geluid maakte. Vervelend toch, dacht Deweert terwijl hij voortlas. De mensen hebben geen respect meer. Hij hield even op om zijn blad te draaien. Intussen maakte hij snuivend zijn neus vrij zodat hij bij het lezen niet zonder adem zou vallen.

Het gebeurde allemaal veel te rap om te kunnen navertellen. Een zoevend geluid snelde door de lucht en eindigde met een plompe smak.

Deweert greep naar zijn keel en wankelde. Hij viel achterover, met zijn hoofd tegen het aquarium. Het glas scheurde en vijf kreeften plensden met hun scharen in een stortbui van water, planten en kiezelstenen naar beneden. Dikke bloeddruppels spatten op de affiche van de politicus uiteen.

Pas toen, met enige vertraging, begon Irène hysterisch te gillen.

1.

Zondag 15 mei, 0.49 u.

De lange, witte gang glom onder het schijnsel van de lampen. Uit kamer 331 van de afdeling geriatrie steeg het gereutel op van een moedeloze, klagende stem in nood, maar niemand leek er aandacht aan te besteden. Buiten was de stad in slaap gesukkeld. Een hardnekkige mist, zeldzaam voor de tijd van het jaar, zorgde voor een dik gordijn.

Twee kamers verder zat George Bracke te knikkebollen, de kin bijna op de borst. Hij zweefde tussen wakker zijn en slapen, en werd bezocht door flarden van onheilspellende beelden, die het begin van een bewogen droom aankondigden. Hij zag Annemie kopje-onder gaan in drijfzand en kon niet bewegen. Zijn kinderen stonden tot aan hun borst in het zuigende zand.

'Meneer Bracke? George?'

Bracke schrok verdwaasd op en moest even om zich heen kijken om te weten waar hij zich bevond.

De hoofdverpleegster stond geduldig te wachten tot hij reageerde. Hij kende haar nog van zijn ziekenhuisopname na zijn spectaculaire duik op de binnenplaats van danscentrum Polariteit[2]. Maanden had hij moeten revalideren en pas nu kreeg hij het gevoel dat hij weer min of meer de oude werd. Al had de dokter hem voldoende duidelijk gemaakt dat hij wel enige blijvende hinder zou ondervinden. De eerste keer dat hij zonder krukken had kunnen lopen, had hij gehuild als een kind dat na twee jaar sparen en eindeloos zeuren onverwachts toch zijn felbegeerde playstation kreeg.

'Ik was even ingedut eh, Martine', zei Bracke, na aarzelend eerst naar haar borstplaatje gekeken te hebben. Ze had hem vorig jaar verzorgd en was nu gepromoveerd tot hoofdverpleegster van de afdeling geriatrie. Het stoorde hem dat hij haar naam vergeten was.

Stilzwijgend keken ze naar het bed waarin Gerard Bracke voor zijn leven lag te vechten. Hij ademde zwaar en steeds moeizamer, als een oude stoomtrein die in het station uitbolde. Zonder de machine redde hij het niet. Het ging al een hele tijd niet goed met hem, maar nu was het einde toch echt in zicht.

'Ga maar naar huis, George', zei de verpleegster zacht. 'We doen wat we kunnen.'

'Ik zou het mezelf nooit vergeven dat ik er niet bij was als hij eh...'

Bracke maakte de zin niet af omdat zijn mond ineens droog werd.

De hoofdverpleegster knikte. Ze had prachtige, meelevende ogen, merkte Bracke voor het eerst. Even had hij zin haar te omhelzen, alleen omdat hij daar behoefte aan had. Zijn hoofd op haar uitnodigende boezem leggen en de tranen eindelijk de vrije loop laten. Eventjes aan niets meer hoeven te denken.

'De dokter is langs geweest, toen je net was ingedommeld. Je vaders toestand is voorlopig stabiel, al is dat natuurlijk relatief. Luister nu voor één keer naar mij en ga thuis wat slapen. Je zit hier al twee nachten en het enige wat je bereikt, is dat je jezelf uitput.'

'Je hebt gelijk', gaf Bracke toe. 'Maar je waarschuwt me meteen als er iets verandert, goed?'

'Beloofd. Doe Annemie de groeten van me.'

Hij wachtte even tot de verpleegster de kamer verlaten had. Met zijn duim gaf hij zijn vader een kruisje op het voorhoofd. Een beetje belachelijk, vond hijzelf. Hij was helemaal niet kerkelijk, maar het deed hem denken aan zijn kinderjaren toen zijn moeder het bedritueel altijd met een kruisje afrondde. Hij kon de warmte van haar duim nog altijd op zijn huid voelen.

'Hou je goed, pa.'

Het was een zinnetje dat hij in de jaren na de dood van zijn moeder altijd bij het afscheid had gebruikt, een soort bezwering om alle onheil af te wenden. Nu klonk het een beetje wrang, maar hij zei het zonder het zelf te beseffen.

Bracke slofte gelaten door de gang. Het was hooguit nog een kwestie van dagen, wist hij. En dat riep alleen maar tegenstrijdige gevoelens op. Het voorbije jaar had Gerard Bracke voornamelijk in het ziekenhuis doorgebracht, nauwelijks nog bij bewustzijn. Hij was tot op de draad versleten, had de dokter gezegd. De dood zou dus een verlossing zijn, maar het bleef natuurlijk nog altijd wel zijn vader.

Voor kamer 331 hield Bracke even halt. Binnen was het stil. Hij loerde door de halfopen deur en zag dat het bed was leeggemaakt in afwachting van een nieuwe, ten dode opgeschreven patiënt. In gedachten verzonken wandelde hij straal voorbij de lift en merkte het pas toen hij al aan het einde van de gang was.

*

Zondag 15 mei, 1.12 u.

George Bracke stapte met een hoofd vol watten de duistere nacht in. Achter het stuur zat hij eindeloos te geeuwen, zodanig hard dat hij kramp in zijn kaakspieren kreeg. Hij kwam er voorlopig niet toe de wagen te starten. De nachten van slaapgebrek eisten hun tol.

Vlug even naar Annemie bellen, flitste het door zijn hoofd. Ze was ongetwijfeld nog wakker en lag in bed thrillers te lezen, haar meest recente *coup de foudre*. Hij moest zoeken naar zijn gsm, die hij in het handschoenenkastje had verstopt. En natuurlijk was de batterij weer leeg. Hij plugde het kabeltje in de oplader van de sigarettenaansteker en draaide de contactsleutel om.

Annemie had twee berichten nagelaten. Bezorgd informeerde ze naar de toestand van haar schoonvader en de tweede maal wilde ze weten of hij al gegeten had.

Lieve schat, dacht hij. Ook al kan ze niet koken, toch wil ze nog iets voor mij klaarmaken omdat ik zelf te moe ben.

Bracke wou net starten toen iemand tegen zijn raam tikte. Tot zijn grote verwondering zag hij dat het zijn chef Van Aken was. Hij draaide het raam open.

'Jij hier, chef? Wat een verrassing!'

Bracke probeerde luchtig te klinken, maar besefte dat er iets ergs gebeurd moest zijn. De politiechef kwam niet na middernacht in hoogsteigen persoon naar het Universitair Ziekenhuis om er zijn commissaris te laten schrikken.

Van Aken opende zelf het portier.

'Ik vrees dat je nog niet naar huis kunt, George. We zitten met een eh, situatie.'

Bracke was meteen klaarwakker. Hij stapte uit en keek zijn baas vragend aan.

'Ongeveer een uur geleden is in het restaurant De Gouden Kruik politicus Raymond Deweert door een onbekende neergeschoten. Hij vecht nu op de operatietafel voor zijn leven.'

Van Aken was beginnen stappen en zette er stevig de pas in. Bracke had moeite om hem bij te benen. Zijn spieren leken dienst te weigeren.

'Een aanslag', floot hij tussen de tanden. 'En dat met de verkiezingen in het vooruitzicht. Dat zal stof doen opwaaien.'

'Zeker de manier waarop. Deweert werd beschoten met een kruisboog. De pijl belandde in zijn keel.'

Bracke hield onwillekeurig halt, als moest hij het nieuws even tot zich laten doordringen. Wellicht kwam het door het slaapgebrek, maar hij kon zich het tafereel moeilijk voorstellen.

'Deweert, dat is toch dat ministerszoontje? Die kerel die altijd in een streepjespak rondloopt en die sommige bladen als de *golden boy* van de liberalen bestempelen? O jee.'

Van Aken vond het blijkbaar niet de moeite waard om te antwoorden. Hij versnelde zijn pas en Bracke kon hem horen hijgen. Begrijpelijk, dacht hij. Bij de laatste fysieke proeven was Van Aken op één na als laatste van het hele korps geëindigd. Een uitslag die de politiechef wegens 'niet relevant' had achtergehouden, maar Bracke wist wel beter. Sindsdien was Van Aken al een paar keer in het krachthonk gesignaleerd. Zonder succes, voorlopig.

Bij de afdeling spoedgevallen heerste een drukte van je welste. Een paar combi's stonden met het zwaailicht op volle toeren geparkeerd. Bracke herkende al van ver Annemies Mercedes A, het wagentje dat hij haar met een groot gebaar voor haar verjaardag had geschonken, omdat hij het niet langer kon aanzien dat ze met haar ingedeukte tweedehandswagen bleef rondrijden.

Van Aken had haar dus al opgevorderd. Het was menens en ondanks de knagende vermoeidheid voelde hij de adrenaline door zijn lijf jagen.

Ook de Volkswagen van Cornelis was nogal artistiek bij de ingang achtergelaten, naast de blitse Yamaha van Abdel Hassim. Na zijn promotie was Abdel zo mogelijk nog plichtsgetrouwer, vond Bracke. Zijn dienst zat er eigenlijk al op, maar de ambitieuze jongeman zou dit buitenkansje niet laten voorbijgaan.

Bij de ingang hielden twee inspecteurs een oogje in het zeil. Ze hadden duidelijke richtlijnen gekregen om de identiteit van iedereen die naar binnen wilde, te controleren.

Het dreigde even uit de hand te lopen toen een man in paniek met zijn bezwete dochter in de armen probeerde te passeren. Bracke zag van ver dat inspecteur Verhamme de directieven die hem waren opgelegd, weer al te letterlijk zou nemen. Met een lomp gebaar hield Verhamme de man tegen en vroeg hem doodleuk naar zijn identiteitskaart.

Van Aken glipte naar binnen zonder zich iets van het schouwspel aan te trekken. Hij had het wellicht niet eens gezien.

Bracke greep Verhamme hoofdschuddend bij de arm. *Befehl ist Befehl*, dacht de inspecteur waarschijnlijk. Voor zover van nadenken sprake kon zijn.

'Laat maar, Gilbert. Dat meisje is doodziek, zie je dat niet!'

Hij moest hollen om Van Aken weer bij te benen. Die stond in de lift ongeduldig op Bracke te wachten.

'Schiet wat op, man', zei de politiechef humeurig. 'We hebben geen tijd te verliezen.'

Krakend sleepte de lift zich naar de vierde verdieping. Bracke vertikte het om verdere gegevens te vragen, ook al brandde hij van nieuwsgierigheid. Maar het opperhoofd zou het straks ongetwijfeld allemaal in het lang en in het breed uitleggen.

Ook in de gang waren twee inspecteurs geposteerd: met hun hand op hun dienstwapen, op alles voorbereid. Deweert was hier veilig, dacht Bracke. Als hij nog leefde.

Annemie kwam op Bracke toegelopen. Hij zag aan haar ogen dat ze had geslapen toen Van Aken haar opgetrommeld had. Zo spannend was de thriller dus ook weer niet geweest. Maar ze had hooguit een kop sterke koffie nodig om snel weer alert te zijn. Ze liepen mee met Van Aken, die zich heer en meester van de situatie voelde.

'Toestanden', zuchtte Bracke.

'En pa?'

Hij haalde de schouders op.

'Nog altijd hetzelfde. De hoofdverpleegster had me net naar huis gestuurd toen eh, Werner mij het nieuws van die aanslag meldde.'

Helemaal aan het einde van de gang zagen ze Cornelis, druk in gesprek met een dokter.

'O.k., bedankt, Kurt.'

'Kurt? André kent werkelijk iedereen', fluisterde Bracke. 'Zeker als het een knappe kerel is.'

'Maar bij die Kurt maakt hij toch geen kans', fluisterde Annemie terug. 'Niet gezien hoe de dokter naar die verpleegster lonkte? En het is blijkbaar wederzijds.'

Van Aken klapte in de handen, als een schoolhoofd dat op de speelplaats zijn rumoerige leerlingen tot de orde riep.

'Over vijf minuten conclaaf in de vergaderzaal op de vijfde verdieping! Ik neem eerst even polshoogte bij de dokter.'

Cornelis schudde zuchtend het hoofd. Alsof Kurt Vergote de chef iets meer zou vertellen. Maar het stak Van Aken natuurlijk dat hij zich had laten inhalen. De politieoverste deed erg uit de hoogte toen hij met hoofddokter Vergote, die nachtdienst had, naar diens kantoor ging om er zich van de stand van zaken in de operatiekamer op de hoogte te laten brengen.

'Eigenlijk kunnen ze weinig meer zeggen dan dat Deweert op slag morsdood moest zijn, maar het is blijkbaar een taaie rakker', zei Cornelis. De kauwgum in diens mond stoorde Bracke omdat dat niet bij het doorgaans gedistingeerde voorkomen van zijn collega paste.

'Onkruid vergaat niet', wist Annemie. Ze nam in haar boekje alvast enkele notities. Van Aken had voorlopig nog een mediastop afgekondigd, maar lang zouden ze het nieuws niet geheim kunnen houden.

Bracke voelde zich verrassend wakker. Die eigenschap had hij overgehouden aan zijn jaren als wijkagent. Hij had vaak genoeg bij nacht en ontij moeten uitrukken en tegen de slaap moeten vechten. Maar als het op actie aankwam, was hij altijd bij de pinken geweest. Al wou dat verdomde been na de langdurige revalidatie nog altijd niet mee.

Annemie zag dat hij pijn had, maar zei niets. Ze liet haar hand even langs zijn rug glijden. Hij kreeg er koude rillingen en warme gedachten van.

Eén ogenblik had hij zin om de operatiekamer binnen te stappen en daar met eigen ogen vast te stellen hoe het met het slachtoffer ging. Hij kende hier voldoende artsen om binnengelaten te worden, maar het zou niets opleveren. En het zou zeker geen prettig gezicht zijn. Om de een of andere reden kon hij blijkbaar steeds minder tegen bloed.

Snel bracht Cornelis hem op de hoogte van de schaarse gegevens die ze voorlopig hadden. In De Gouden Kruik was intussen een hele ploeg bezig met de ondervraging van de getuigen en het uitkammen van de *crime scene*.

'Dat is een kolfje naar de hand van Hassim', vond Bracke. Hij wenkte Abdel en gaf hem de opdracht het team in het restaurant te vervoegen.

Hassim straalde toen hij zich naar beneden haastte. De geur van het ziekenhuis bracht zijn maag van streek, maar hij hield van actie. Het duurde even voor hij zijn Yahama aan de praat kreeg. Een vuiltje in de carburator, vermoedde hij. Dat werd weer nachtelijk gesleutel in de garage.

'Ziekenhuizen maken me altijd depressief', zei Cornelis. 'Zeker als mijn vent thuis ongeduldig naar me hunkert.'

Op de vijfde verdieping zaten ze geeuwend te wachten op de komst van chef Van Aken. Bracke kauwde op een muntje, Cornelis wreef zijn ogen uit. Alleen Annemie was klaarwakker. Ze maakte van de gelegenheid gebruik om haar oogschaduw in orde te maken, al was dat niet echt nodig.

Bracke zat haar vanuit zijn ooghoeken trots te bekijken. Ze zag er goed uit. Om door een ringetje te halen, ook al werd ze brutaal uit haar slaap gehaald.

De kinderen, schoot het door zijn hoofd. Maar daar had zij natuurlijk alweer voor gezorgd. Ze had ongetwijfeld haar moeder gevraagd om een oogje in het zeil te houden, of de buurvrouw. Want ook al was Jorg, de oudste, bijna zeventien, ze liet ze toch liever niet alleen in huis.

Van Aken kwam binnengestormd. Voor dit uur van de nacht veel te enthousiast. Maar Bracke wist wel beter. De baas zat nu al vol adrenaline, omdat hij besefte dat de volgende dag de hel zou losbreken. Een aanslag op een van de opkomende politieke sterren, zo kort voor de verkiezingen, dat beloofde weinig goeds. Bracke hoopte vurig dat de artsen Deweert zouden kunnen redden, want anders waren de gevolgen niet te overzien.

'De medische details sla ik voorlopig over. Het enige waar we zeker van zijn, is dat iemand ongemerkt het zaaltje boven in De Gouden Kruik binnenkwam en Deweert, die net een speech wou geven, een pijl door de keel schoot. Dat voor nota bene drieëntwintig getuigen, die hun dessert nog niet hadden gekregen.'

Van Aken bestudeerde zijn notities, speurend of hij niets over het hoofd had gezien. Hij keek over de rand van zijn bril naar Bracke, die zich daar onwennig bij voelde.

'Daar is hij eindelijk', zei Van Aken opgelucht toen dokter Vergote binnenkwam.

'Ze zijn nog steeds bezig. De heer Deweert is het slachtoffer van een frontale perforatie van de larynx.'

'In mensentaal, graag?' vroeg Cornelis.

'Zijn strottenhoofd werd doorboord en dat belooft weinig goeds. Het strottenhoofd vormt de kraakbenige verbinding tussen de keelholte en de luchtpijp. In het strottenhoofd worden de stembanden uitgespannen en die spelen een rol bij de stemvorming', leek Vergote wel te doceren.

‘Zal hij het overleven?’ stelde Van Aken de vraag die op ieders lippen brandde.

‘Ik zal eerlijk zijn. Veel hoop is er niet. We houden hem met een kunstmatig beademingstoestel in leven. Het is weinig waarschijnlijk dat hij de ochtend haalt.’

Bracke kon niet helemaal helder denken. Het slaaptekort speelde hem parten, maar hij wilde zich groot houden.

‘Je zou beter naar huis gaan, George. Je kunt hier toch niets doen’, klonk Van Aken verrassend vaderlijk. Die toon had Bracke nog nooit bij de chef gehoord. Hij voelde zich verplicht, al was het maar voor de vorm, om zich te verzetten.

‘Het gaat best. En ze hebben mij in dat restaurant nodig’, stribbelde hij tegen. Hij wist zelf niet waarom.

Annemie rolde met haar ogen. Waarom moest hij altijd zo koppig zijn?

‘Voorwaarts mars, naar huis. Dit is een bevel’, zei Van Aken, een beetje lacherig maar daarom niet minder gemeend. ‘En straks fris weer op. We zullen je nodig hebben. Annemie moet ik nog even hier houden. We hebben heel wat te bespreken.’

Bracke kreeg de neiging om te salueren, maar dat zou al te kinderachtig zijn. Hij gaf Annemie een snelle zoen op de wang en slofte naar de lift.

In de auto voelde Bracke pas goed hoe moe hij was. Hij merkte de eerste verkiezingsborden in het straatbeeld niet eens op.

Joerie Claeyssens. Uw weg naar het positief alternatief. Lijst 7.

Trees Vanhecke. U verdient meer respect. Vierde opvolger Europese Lijst. www.treesvanhecke.be

Geneviève de Vis. Minder belastingen. Meer Vlaanderen. Vlaams geld in Vlaamse handen. Stem Lijst 10.

Met Johan wordt het anders. Zonder Groen is ’t niet te doen!

Eerste opvolger Lijst 6. www.johananders.be

Iedereen aan de slag. De vernieuwing voortzetten. Lijstduwer Jean-Luc Welckenraeth, premier. Lijst 1.

Omdat mensen belangrijk zijn. Raymond Deweert.

Het enige waar hij onderweg naar huis aan dacht, was het gereutel in de gang waar zijn vader met zijn laatste krachten tegen de dood lag te vechten.

2.

Zondag 15 mei, 3.29 u.

Er was inderdaad maar één woord voor: toestanden. Van Aken die Annemie in het holst van de nacht even onder vier ogen wou spreken om haar mening te horen. Ze schrok zich een hoedje. De chef die zowaar met haar opinie rekening hield, de wonderen waren de wereld nog niet uit.

'De politieman in mij zegt dat we het nieuws nog tot de ochtend moeten achterhouden, om het onderzoek niet te hinderen. Maar de bevolking heeft recht op deze toch wel belangrijke informatie. En ik vrees dat we het niet kunnen stilhouden.'

Annemie keek haar chef schattend aan. Ze kreeg steeds meer het gevoel dat hij niet echt wou weten wat zij dacht, maar veeleer de behoefte had aan een klankbord. Eigenlijk luisterde hij vooral naar zichzelf.

'We moeten ernstig rekening houden met een politieke aanslag', zuchtte hij. 'En dan is Deweert niet de enige die gevaar loopt. Daarom hebben we contact opgenomen met de leiding van de verschillende partijen en concreet ook bescherming aangeboden. Het zal je wellicht interesseren dat ondanks het nachtelijke uur iedereen meteen klaarwakker was en niemand onze hulp geweigerd heeft. Die bruine jongens van extreem rechts voorop.'

Ze moest het Van Aken nageven: hij liet er geen gras over groeien. Ze was er zeker van dat hij allerlei noodscenario's voor zaken als deze in zijn lade had liggen en die kwamen nu goed van pas.

'Ik heb de pro's en de contra's tegen elkaar afgewogen en ik ben tot de slotsom gekomen dat we de aanslag vannacht nog aan de media moeten melden. Het zou allicht niet lang duren voor de zoekactie in de binnenstad de aandacht van een of andere persjongen zou trekken. Er kan geen kat in of uit het centrum en dat valt zelfs 's nachts op.'

Meteen wist Annemie waar het op stond. Vannacht zou van slapen niet veel meer in huis komen.

‘We beginnen met de radio’s en je weet hoe die zijn. Inbreken in de uitzending, zoals dat heet, ook al is het intussen een stuk in de nacht. Veel hoeven we ze niet te vertellen, enkel de feiten zoals we ze momenteel kennen. Eens het nieuws bekend, is de lawine niet meer te stoppen.’

Van Aken pauzeerde even, als probeerde hij in te schatten hoe de reactie zou zijn. Hij masseerde zachtjes zijn schedel.

‘Vannacht gebeurt de officiële communicatie uitsluitend via jou. Ik hou je op de hoogte van eventuele nieuwe ontwikkelingen en je geeft dat nieuws sec door. Senator tijdens diner met sympathisanten neergeschoten, je weet wel. Morgenvroeg houden we een eerste persconferentie. Laat ons zeggen rond tien uur, maar dat moeten we verder nog fijn tunen. Geluk ermee.’

Ze keek hem verbaasd na terwijl hij door de gang sjeesde. Hij draaide zich nog één keer om.

‘Annemie?’

‘Ja, chef?’

‘Bedankt.’

Zeker, toestanden.

*

Zondag 15 mei, 4.02 u.

Bij zijn aankomst in de historische kuip van de stad kon George Bracke een gevoel van moedeloosheid niet onderdrukken. Het zag er ook zo troosteloos uit, de politiewagens met hun zwaailichten en de linten waarmee de misdaadscène was afgespannen. En dat terwijl de stad in een diepe slaap lag. Hij had het net iets te vaak gezien om er achteloos over te kunnen doen. Elke keer leek het erger te worden.

Van Aken had hem dan wel de opdracht gegeven om naar huis te gaan, maar hij kon toch niet meer slapen. Na twee koppen koffie in de stationsbuurt was hij naar de plaats van de misdaad gereden.

Hij haalde diep adem voor hij naar binnen ging. Inspecteur Eddy d'Haese, die bij de ingang de wacht hield, knikte hem vrolijk toe. Bracke kende hem uit de periode dat hij zelf wijkagent op Meulestede was en d'Haese als kleine snotneus af en toe op straat met de buurjongens had geknokt.

In het restaurant was de technische ploeg snel en methodisch aan het werk. Bracke had nooit gedacht dat hij het van zijn chef zou zeggen maar sinds Van Aken aan het hoofd van de politie stond, had hij de methodiek van het onderzoek grondig geprofessionaliseerd en verfijnd. De opleiding voor de officieren was danig gemoderniseerd en op korte tijd had de eenheidspolitie behoorlijk spectaculaire resultaten geboekt. Al dacht een deel van de pers daar anders over, een kaart die bij de komende verkiezingen ongetwijfeld zou worden uitgespeeld.

Cornelis zat in een hoekje geeuwend aan een tafeltje in zijn notitieboekje te lezen. Hij zag er onopvallend genoeg uit om voor een inspecteur van de Michelingids te kunnen doorgaan.

'Nog verder nieuws?'

Cornelis haalde de schouders op.

'Ik laat de jongens eventjes hun werk doen. Het is me daarbinnen overigens wel een zootje ongeregeld. Ik heb hier de namen van de aanwezigen op eh, het feestje. Want dat mogen we toch veronderstellen dat het was. Met die politici weet je natuurlijk nooit. Feit is dat ze allemaal behoorlijk boven hun theewater waren. En dat maakt het natuurlijk minder vanzelfsprekend om er nog iets zinnigs uit te krijgen. Trouwens, moest jij niet in je bed liggen?'

Op een moment als dit snakte Bracke naar een sigaret. Jarenlang was hij als kettingroker door het leven gegaan en daar hoorde weleens stiekem een stevige neut bij. Maar daar dacht hij liever niet aan terug. Dat was zijn vorige leven, toen hij Annemie nog niet kende.

'Heb je al getuigenverhoren?'

Cornelis haalde zijn neus op. De nacht was niet bepaald zijn meest favoriete tijdstip.

'Er zouden met Deweert inbegrepen 24 mensen aanwezig zijn geweest. Tel daar nog het personeel van het restaurant bij en we komen wellicht aan een dertigtal personen. Wanneer we die allemaal een eerste keer aan de tand gevoeld hebben, is het al ochtend, vrees ik. Maar ze zijn er mee bezig. Hoop doet leven.'

Bracke had op dit tijdstip van de nacht geen behoefte aan clichés. Veeleer aan een warm bad, maar dat zou er wel niet meer inzitten. Hij had het gevoel dat hij hier hoorde te zijn.

'Je ziet er verschrikkelijk uit, George', zei Cornelis veel te eerlijk. 'Ga toch naar huis.'

'Straks', zei hij afwerend.

'Schuif dat misplaatste gevoel van trots nu eens opzij en kruip tussen de lakens. Je weet net zo goed als ik dat dit wellicht een zaakje is met een geurtje aan. En dat wij binnenkort tot aan onze enkels in de drek kunnen staan. Eens de pers hier lucht van gekregen heeft, zullen we geen ogenblik rust meer kennen.'

'O.k., je hebt gelijk, zoals altijd. Nog eventjes bij Abdel poolshoogte nemen.'

Cornelis knikte. Dat zou hij ook doen. Abdel Hassim was misschien niet de hoogste in graad van de ploeg die de getuigen verhoorde, maar vermoedelijk wel de bekwaamste. Na zijn inspanningen bij de opheldering van de moord op Geraldine Rijmenans[3] en zijn hoogste onderscheiding op de politieschool, had hij snel promotie gemaakt. Met als gevolg dat hij zich nog meer inspande en zowat al zijn vrije tijd aan vrijwillige bijscholing besteedde.

Hassim was oprecht blij toen hij Bracke opmerkte.

'Kort verslagje van de resultaten tot dusver, Hassim?' vroeg hij met een krakende stem, die de vermoeidheid niet langer kon verbergen.

Abdel keek in zijn notitieboekje, maar Bracke zag dat daar nog maar weinig in geschreven was.

'Ze zeggen tot nu toe allemaal zowat hetzelfde, namelijk dat iemand binnenkwam tijdens de speech van Raymond Deweert, een lange gestalte in een donkere mantel met een kap. Niemand heeft de persoon kunnen herkennen, het ging dan ook veel te vlug. Hij is na het schot met de kruisboog weer naar buiten gewandeld.'

'Een lefgozer, dus', zei Bracke. 'Graag jouw eerste indrukken, Abdel?'

Hassim glunderde. Het betekende veel voor hem dat de commissaris naar zijn mening vroeg. Ook al was het misschien puur uit beleefdheid.

'Wel,' zei hij en hij krabde langs zijn wang waar zijn baard alweer doorkwam, 'ik zou zeggen dat deze aanslag niet zomaar in een opwelling gebeurde. Het is me allemaal net iets te brutaal om toevallig te zijn. En inderdaad, de dader moet over stalen zenuwen beschikken. Ik heb zelf nooit met een kruisboog geschoten, maar een vriend van mij doet het geregeld en het lijkt een beetje op karabijnschieten. Ik weet niet of u al vaak op een mens geschoten heeft, commissaris. Ik in ieder geval niet en ik weet ook niet of ik het zou kunnen. Zeker niet met zoveel publiek. En dan nog gewoon wegwandelen, *il faut le faire*.'

Dat kon Bracke alleen maar beamen.

'Inderdaad, raak geobserveerd. Goed werk, Abdel. Maar ik denk dat ik nu toch even ga pitten.' Hij kon een al eerder opgekomen geeuw niet langer onderdrukken.

'Eh, slaapwel, commissaris', zei Hassim, twijfelend of dat niet net te intiem was.

'Ja, maf ze!' riep Cornelis ook, die het gesprek met een half oor had gevolgd. Intussen had hij sms-jes zitten sturen naar Bart, die hij aan iedereen die het horen wilde, trots als zijn echtgenoot voorstelde.

Bracke was nog net niet aan het einde van de gang toen het opgewonden geroep van Eddy d'Haese weerklonk.

'Commissaris! Kom snel!'

Hebben ze hem nu al, dacht Bracke. Hoopte Bracke. God, laat het alsjeblieft waar zijn.

D'haese wapperde triomfantelijk met een videocamera. 'Een van de aanwezigen heeft de speech opgenomen!' juichte hij.

Dat veranderde de zaak natuurlijk. Nu maar de vingers kruisen dat de filmer niet zo dronken was dat hij alleen zijn eigen voeten had gefilmd.

Cornelis was intussen de uitbater gaan vragen of die ergens een televisietoestel had. Ook belde hij snel naar Van Aken om hem van de vondst op de hoogte te brengen.

Wat later zaten ze in het salon en Bracke zuchtte toen hij de zachte sofa zag. Als hij maar niet in slaap viel. De patron was tot de slotsom gekomen dat zijn nachtrust wellicht toch om zeep was en liet de cognac aanrukken. Bracke vroeg beleefd of er geen koffie was en kon alleen maar het hoofd afwenden toen hij zag hoe Cornelis een royaal glas cognac in één teug door zijn keelgat liet glijden.

Het duurde even voor Cornelis de videocamera aan de praat kreeg. Hij stond met kabeltjes en aansluitingen te prutsen. Uiteindelijk was het Hassim die over een technische knobbel bleek te beschikken.

Bracke zat intussen te knikkebollen, maar werd gewekt door het geruis aan het begin van de band. En door Van Aken, die zich met een diepe zucht op de krakende sofa liet neerploffen.

Af en toe verdween het beeld en dat was niet van aard om Bracke vrolijk te stemmen. Wellicht was meermaals over dezelfde band opgenomen waardoor de kwaliteit bepaald belabberd was.

Het volgende kwartier keken ze aandachtig naar de tape. Bracke, die weinig van politiek afwist, herkende nauwelijks een van de aanwezigen, maar Cornelis kon ze zowat allemaal feilloos opsommen. En waar hij moest passen vulde Van Aken, en een zeldzame keer Hassim, verder aan. Hassim liet er geen gras over groeien en noteerde alvast zoveel mogelijk namen.

Fijn, dacht Bracke sarcastisch. Nu nog chips en nootjes erbij en het wordt een gezellig onderonsje.

Veel viel er voorlopig niet te zien en Van Aken gaf het bevel verder door te spoelen.

'We kunnen die band later nog grondig analyseren. Ga nu maar door naar het einde.'

Hassim duwde op de knop *fast forward*. Bracke nam intussen de tijd om het interieur wat beter te bekijken. Dit restaurant was niet bepaald een vetpot, te oordelen naar de tweedehandsmeubeltjes die duidelijk een betere tijd gekend hadden. Maar zeker kon je natuurlijk nooit zijn. Met het oog op de fiscus was dit wellicht het officiële domicilieadres van de chef, maar had hij elders een heel wat rianter optrekje. Zwart geld en de horeca, het zouden wel altijd twee handen op één buik blijven.

In de buffetkast had Bracke een fles Inchmurrin zien staan en als vanzelf dwaalden zijn gedachten af naar zijn meest recente vakantie in Dumbartonshire, op de grens tussen de Lowlands en de Highlands. Verdorie, die malt zou hem nu smaken. Zelfs Cornelis zou een Inchmurrin lusten, want die whisky had een jeneverachtig mondgevoel. 'Een lekkere kennismaking met de fruitigheid in de maltwhisky', herinnerde hij zich uit het boek *Mijn favoriete whisky's* van Bob Minnekeer, de whiskypaus van de Lage Landen.

Af en toe vroeg Van Aken om de band stop te zetten, maar het duurde nog een hele tijd voor ze aan het einde gekomen waren. Intussen passeerde een resem gerechten en nog meer drank de revue.

'Van een etentje gesproken', zuchtte Cornelis, die het met een meeneempizza had moeten stellen. Bart was voor de firma naar een belangrijke klant in de Ardennen en zou pas de volgende dag naar huis komen. Wat hen niet belet had de hele dag sms-berichtjes heen en weer te sturen. Cornelis, die tot voor kort had geweigerd aan dat 'vingerpeuterwerk' – zoals hij een sms-je noemde – mee te doen, was algauw een expert geworden in geheime afkortingen en smileys.

'Nu wordt het interessant', zei Bracke. Op het scherm zagen ze hoe assistent Paul Slootmans om stilte verzocht. De cameraman had weliswaar meer aandacht voor een opvallend goedkope blondine, die hij gebruikte om het beeld op scherp te zetten.

'Zet eens wat luider.'

'Het staat al op het maximum', zei Hassim.

'Dat heb je met die goedkope Koreaanse import', snoof Cornelis. Bracke wierp een blik op de camera en moest toegeven dat hij nog nooit van het merk gehoord had. Cornelis zou wel gelijk hebben. Hij ploos steevast *Test Aankoop* uit voor hij een aankoop deed, zelfs al ging het om iets onnozels als papieren zakdoekjes of toiletpapier.

Net toen het interessant werd, verdween het beeld ineens helemaal om plaats te maken voor grote, zwarte vlekken. Op de achtergrond was geschreeuw te horen en toen zagen ze ineens nog een glimp van een donkere gestalte.

De cameraman was duidelijk overdonderd en wist niet goed of hij moest helpen of voortfilmen. Hij nam nog een ogenblik de ineenzakkende Raymond Deweert in beeld en ging op zoek naar de aanvaller. Een echte close-up kregen ze niet te zien, hooguit de contouren van een gezicht onder een kap. De aanvaller wandelde mankend weer weg, de kruisboog in de lucht geheven.

Om de neergeschoten senator heerste totale chaos. Iedereen liep te gillen en enkele mensen schaarden zich in paniek rond Raymond Deweert. Een van de aanwezigen was blijkbaar dokter, want hij hield een vrouw tegen die probeerde de pijl uit de keel van de senator te trekken.

Toen focuste de camera op het hoofd van de politicus. Heel even maar, want toen zagen ze ineens nog enkel het plafond.

'Cameraman flauwgevallen', was het nuchtere oordeel van Cornelis. 'Tot zover de show, jongens.'

Van Aken klapte in de handen. '*Bon*, veel wijzer worden we er niet van, maar het is tenminste een begin. André, jij gaat naar het lab van Dierkens om daar de tape verder te bestuderen. Ik zal Lode bellen en zijn jongens zullen je een handje helpen. Hoe meer gegevens we over de dader uit de opname kunnen distilleren, hoe beter. Lengte, speciale kenmerken, ik weet niet wat. Om het even, als het maar bruikbaar is. En Abdel, ook voor jou heb ik een leuke taak.'

Hassims ogen begonnen te glinsteren. Hij zit hier zowaar te kwispelstaarten, lachte Bracke binnensmonds.

'Jij bent toch goed thuis in sportkringen?'

Hassim knikte, blij dat de chef van zijn sportieve achtergrond wist. Abdel had niet alleen een zwarte gordel, maar nam ook geregeld deel aan mountainbikewedstrijden en was een niet-onverdienstelijk worstelaar, Griekse stijl. Op de jaarlijkse sportdag was hij altijd enthousiast over de initiatielessen in voor hem nog onbekende sporttakken, al werd dat lijstje steeds kleiner.

'Snor dan iemand op die iets afweet van kruisbogen en voel hem aan de tand. Of haar, al zegt iets in mij dat weinig vrouwen met een kruisboog schieten.'

'Nu?' vroeg Hassim ongelovig. Hij keek op zijn horloge en zag dat het al ver voorbij vier uur was.

'Nu', zei Van Aken met een uitgestreken gezicht. De ijskoude toon maakte duidelijk dat hij geen tegenspraak duldde. 'Dit zal je wellicht van pas komen.'

Hij stopte Hassim een papier toe. 'Een voorlopig verslag van Dierkens wat de pijl betreft. De pijl zelf kan ik je helaas nog niet meegeven, want die wordt momenteel op vingerafdrukken geanalyseerd. Vooruit man, tempo!'

De chef had niet stilgezeten, moest Bracke toegeven. Hij keek door het raam Hassim na, die er zowaar een sprintje naar zijn motor uitperste.

'Meneer Bracke?'

Als Van Aken zo vormelijk tegen hem sprak, was er stront aan de knikker. Bracke verkoos niets te zeggen en de storm te laten overwaaien.

'Ik constateer dat je hier nog altijd rondloopt? Ik had nochtans een duidelijk bevel gegeven: naar huis! Doe niet zo dwaas, man! Je kunt elk ogenblik omvallen van de slaap. Ik zeg het nog één keer: je kruipt nu onmiddellijk in je bed en probeert nog enkele uren te slapen. Ik zal je straks nodig hebben. En vergeet je wekker niet te zetten. Briefing om acht uur, als er tenminste eerder geen nieuws is.'

Op weg naar huis was Bracke kwaad, vooral op zichzelf. Van Aken had natuurlijk gelijk: hij bewees er niemand een dienst mee wanneer hij als een slaapzieke zombie rondliep.

Hij moest vechten om zijn ogen open te houden. Aan het kruispunt van het Boerenhof reed hij zelfs door het rode licht, maar gelukkig was er niemand meer op straat. Hij geeuwde en merkte niet dat zijn kat aan de overkant liep, op weg naar poes Jena, die een veilig onderkomen had als huiskat van het buurschooltje, de Jenaplaneet.

3.

Zondag 15 mei, 4.32 u.

In het hoofdkwartier zat Annemie te dubben over de tekst die ze maar niet goed op het scherm kreeg, of toch niet zoals ze wou. Ze wist dat het er nu op aankwam om snel en accuraat te werken. Het was zaak om zo vlug mogelijk een korte mededeling op te maken en dan te wachten op wat komen zou. Op de redactie van de radio's en de persagentschappen zou ongetwijfeld iemand nog wakker genoeg zijn om in actie te schieten.

Ze had een kop koffie gemaakt waar je een lepel recht in kon zetten en zat nog een paar minuten te twijfelen hoe ze het bericht zou beginnen. Eerst had ze in haar archief nog wat algemene informatie over Raymond Deweert opgezocht, maar uiteindelijk volstond een korte beschrijving. Iedere journalist, die naam waardig, wist wie hij was en de volgende dag zouden de redacties een vette kluif aan hem hebben.

Persmededeling Eenheidspolitie, zondag 15 mei 4.33 u.

Rond 0.39 u. werd in restaurant De Gouden Kruik na afloop van een intiem diner met partijleden en sympathisanten, een aanslag gepleegd op senator Raymond Deweert. De senator werd in kritieke toestand naar het Universitair Ziekenhuis overgebracht, waar hij op de afdeling intensive care werd geopereerd. De politie startte meteen een grootscheepse zoekactie naar de dader.

Tweemaal 'werd' in dezelfde zin, dat druiste natuurlijk tegen de regels in en kon voor taalarmoede of nonchalance worden versleten. Maar ze was te suf om een andere omschrijving te vinden en met dit soort korte berichten zou ze toch nooit meedingen naar de Pulitzerprijs.

Annemie overlas het tekstje nog één keer om er zeker van te zijn dat er geen kemels instonden en klikte dan op *Verzenden.*

Nu was het enkel een kwestie van geduld. Ze zat te denken wie er als eerste zou bellen en gokte op die lieve knul van Belga, die blijkbaar altijd nachtdienst had.

Daar rinkelde de telefoon al.

'Met Annemie Vervloet.'

'Hier Steve Heymans van het agentschap Belga', klonk de stem nog zachter dan anders. De man had talent om een nachtprogramma op de radio te presenteren.

Bingo. Ze wist absoluut niet hoe Steve eruitzag, maar zijn aangename stem zorgde altijd voor een lichte kriebel in de buik.

'Dag Steve. Je bent er snel bij.'

'Dat is ons motto', lachte hij. 'Ik neem aan dat dit geen grap is? Gecheckt en gedubbelcheckt?'

'Je kent ons handelsmerk: betrouwbaar en ten dienste van de bevolking', kaatste ze de bal terug. Het was een leuk spelletje, op het randje van het flirten af en dat zo vroeg in de morgen. Het lichte kriebeltje werd een aangenaam golfje. 'Maar ik zal je helaas moeten teleurstellen. Ik weet zelf niet meer dan wat ik in het bericht geschreven heb.'

'Wat natuurlijk bitter weinig is. Maar goed, we kunnen het ermee doen', drong Steve niet verder aan. 'Wie nu nog niet slaapt, zal na dit nieuws ongetwijfeld wakker blijven. Dat wordt straks alle hens aan dek. Tot ziens, mevrouw Vervloet. Of beter, tot hoors.'

Annemie belde onmiddellijk na het gesprek naar Van Aken, die blijkbaar met zijn toestel in de hand klaar zat, want hij antwoordde meteen.

'Ja?'

'Het is zover', zei ze. 'Belga heeft al gereageerd. Geen verder nieuws?'

'In het lab zitten ze met vijf man de tape te analyseren.' De chef klonk gelaten. Toen besefte hij dat Annemie nog niets van de opname wist en hij bracht haar snel op de hoogte. 'Hou dat nieuws nog even voor jezelf. Ik hoop dat we tegen morgenvroeg meer kunnen zeggen. En stuur alvast de uitnodigingen voor de persbriefing rond, om halfelf in plaats van om tien uur, zoals eerst afgesproken. Dat geeft ons een halfuur extra en de zenders kunnen het toch nog gemakkelijk in het journaal van één uur kwijt.'

'Komt in orde.'

'Nog één ding: vergeet straks George niet even te bellen, *just in case*. Ik geloof anders nooit dat hij hier om acht uur staat, want hij zag eruit als een elfurenlijk. Hoe is het trouwens met eh, zijn pa?' vroeg Van Aken, met de welwillendheid van een keizer die zich de moeite getroostte naar de gezondheid van de familie van zijn voetvolk te informeren.

'Niet goed, vrees ik', zuchtte Annemie. Ze had daarnet even naar het ziekenhuis gebeld, maar de nachtverpleegster kon weinig meer vertellen dan dat de situatie stabiel was. Iedereen wist wat dat betekende.

Ze wou zeggen dat Bracke er erg onder leed, maar Van Aken had al ingehaakt.

Het volgende telefoontje was afkomstig van een journalist van de laatste overblijvende stadskrant, die naam waardig. Een jonge knul aan zijn stem te horen, ze kende in ieder geval zijn naam niet en dat kon alleen betekenen dat hij nog maar pas begonnen was. Ze had de gewoonte met nieuwelingen een glas te gaan drinken om het ijs te breken, een methode die al vaak haar nut had bewezen.

'Nee, nog geen verder nieuws', antwoordde ze geduldig op de nogal hardnekkige vragen. 'En ja, er volgt nog een persconferentie.'

Toen ze inhaakte, voelde Annemie de vermoeidheid als een loden mantel drukken, maar ze was vastbesloten er niet aan toe te geven. Als ex-ballerina kon ze trouwens wel wat hebben. Eén keer was ze met het Ballet van Vlaanderen op tournee door Rusland geweest en ze herinnerde zich vooral de eindeloze reizen met een gammele trein door een ruw landschap. Vier weken lang had ze elke nacht hooguit enkele uren geslapen en zoals de begeleiders hadden voorspeld, bleven aan het einde van de tournee enkel de sterksten overeind. Annemie dus en nog één ballerina, die weliswaar stiekem mysterieuze blauwe pilletjes had geslikt.

*

Zondag 15 mei, 5.20 u.

Hassim was doodop, maar wou niet gaan slapen voor hij het voorlopige verslag van de ondervragingen in het restaurant had afgewerkt. Hij las nog één keer de tekst door en verbeterde hier en daar een tikfout. Hij overwoog of hij niet even bij de technische ploeg zou binnenwippen. Hij wist dat Cornelis daar met de jongens van Dierkens de video-opname van naaldje tot draadje zat te analyseren.

Van Aken had hem intussen gebeld dat de zoektocht naar een kruisboogvereniging bij nader inzien toch tot 's ochtends kon wachten. Tot grote opluchting van Hassim, die net op dat ogenblik met de moed der wanhoop en een zorgelijk oog op de klok, naar de eerste persoon op het lijstje kruisboogschutters, dat hij via de interne politiezoekrobot gevonden had, wou bellen.

Thuis was Bracke al drie keer wakker geschrokken. Telkens had hij automatisch naar de lege plek in het bed getast. Op ogenblikken als deze moest hij zich bedwingen om niet op te staan en in de tuin een sigaret te roken. Hij sloop naar beneden en schonk zichzelf een Glenkinchie uit. Niet één ogenblik dacht hij aan Raymond Deweert, die in het ziekenhuis nog altijd voor zijn leven lag te vechten. Nog maar pas had de monitor alarm geslagen en had men het hart van de senator kunstmatig aan de gang moeten zetten.

Intussen waren in de stad sluikplakkers aan de gang. Ze kleefden overal affiches van de anarchisten over de lelijke koppen van de politici. Het Radicaal Actie Front kwam bij de verkiezingen weliswaar niet op, maar liet geen gelegenheid voorbijgaan om aandacht voor hun zaak te vragen. Desnoods met spuitbus en graffiti.

Van Aken had net besloten er voor vannacht de brui aan te geven, toen hij in zijn e-mails het verslag van Hassim zag. Met een zucht begon hij het te lezen en aantekeningen te maken.

Keurig werk, knikte hij. Hassim had de verschillende getuigenissen kort samengevat en Van Aken had het gevoel dat hij zo al een aardig beeld van de neergeschoten politicus kreeg. Zelf had hij Deweert hooguit een paar keer de hand geschud, zonder meer.

Opvallend was dat de aanwezigen zich, na enig aandringen, niet bepaald in lovende woorden over Deweert uitlieten. Vooral de verzuchting van zijn echtgenote dat de aanslag haar helemaal niet had verbaasd, zette hem aan het denken. Gevraagd naar een mogelijk motief had ze er meteen drie gegeven aan de jonge inspecteur die uit Brussel was overgekomen en wiens naam Hassim maar niet kon onthouden. Hij had in zijn samenvatting in verschillende kleuren de mogelijke motieven onder elkaar gezet met wat uitleg.

– Een jaloerse echtgenoot of minnaar. Ze somde prompt drie, vier namen op van mannen met wiens vrouw of vriendin Deweert, zoals ze het zelf noemde, 'te doen had'. Twee van die mannen waren trouwens aanwezig, wat hen natuurlijk een sluitend alibi gaf.

– Een politieke aanslag. De senator had zich de laatste tijd laten opmerken door rechtse uitspraken, die hem van een bepaald deel van de bevolking een zekere sympathie hadden opgeleverd. En, zo voegde ze er fijntjes aan toe, net voor de verkiezingen leek de liberale partij steeds meer op een vijver vol hongerige krokodillen.

Boontje komt om zijn loontje. Raymond was meermaals verwikkeld geweest in een schandaal, dat steevast in de doofpot was gestopt, beweerde zijn echtgenote. Ze gaf enkele voorbeelden die Van Aken niets zeiden. De zaak Umelco. De witwasaffaire van staalbedrijf Deconinck. De persoonlijke tussenkomst van de senator in het casino van Brussel om enkele topmensen vrij te pleiten van bedrog.

Allemaal pistes die onderzocht moesten worden. Van Aken wreef in zijn ogen, die behoorlijk rood begonnen te worden. Hij belde naar het ziekenhuis om te horen of er nog nieuws was, maar de dokter kon alleen maar zeggen dat de situatie kritiek bleef.

Van Aken trok zijn jas aan, toen er op de deur werd geklopt. Er was nauwelijks iemand op het politiebureau aanwezig en hij vroeg zich af wie het kon zijn.

'Stoor ik? Ik zag nog licht branden.'

Zonechef Omer Verlinden bleef in de deuropening dralen.

'Jij hier, Omer!' zei Van Aken, blij verrast. 'Kom er toch in, man!'

Na zijn ontvoering[4] was Verlinden nooit meer dezelfde geweest. Tot driemaal toe had hij geprobeerd om opnieuw te beginnen werken, maar telkens met een terugslag. Nu was hij voor onbepaalde tijd met verlof en kwatongen zeiden dat dit Van Aken niet eens zo slecht uitkwam. Het was een publiek geheim dat de chef van de politie niet gelukkig was geweest met de aanstelling van Verlinden tot nummer twee en zijn mogelijke opvolger. Er gingen geruchten dat Van Aken na de verkiezingen een baan zou krijgen in de vernieuwde Europolstructuur en dan lag de weg naar de absolute top voor Verlinden wijd open. Maar dat waren speculaties, die door de ontvoering voorlopig op de lange baan waren geschoven.

Van Aken monsterde zijn collega en moest toegeven dat Verlinden er voor het eerst sinds lang weer enigszins toonbaar uitzag. De wallen onder zijn ogen waren verdwenen en Omer had zich eindelijk nog eens geschoren.

'Ik hoorde het op de radio', zei hij monter. 'Ik slaap nog altijd slecht en dan zit ik wat naar muziek te luisteren. Hoe ver staat het onderzoek?'

'Wat denk je?' zuchtte Van Aken.

'Nergens dus.'

Van Aken wees zijn collega naar het computerscherm, waarop nog steeds de tekst van Hassim stond. 'Dat is alles wat we tot dusver weten.'

Ongeveer anderhalve A4, meer was het niet.

'Raymondje Deweert, hé.' Verlinden pulkte nadenkend aan zijn neus. 'Die heeft als snotaap nog meer dan eens op mijn knie paardje gereden.'

Van Aken keek verrast, maar toch ook weer niet té. Iedereen wist dat Verlinden zijn benoeming voor een groot deel aan zijn talrijke politieke connecties te danken had en dat over de partijgrenzen heen.

'Vader Deweert was lange tijd eh, een goede vriend', zei Verlinden aarzelend. Een eufemisme om niet te hoeven zeggen dat ze destijds twee handen op één buik waren. Van Aken wist er het fijne niet van, maar ergens in zijn achterhoofd deed het een belletje rinkelen. Hij knikte uitnodigend, in de hoop dat Verlinden uit eigen beweging verder zou vertellen.

'Wat ik nu zal zeggen, blijft strikt tussen ons', klonk Verlinden aarzelend.

Van Aken maakte een vage hoofdknik, die instemming noch ontkenning inhield, als wou hij zich niet compromitteren.

'Op een bepaald moment is er vanuit blauwe hoek een zekere eh, toenadering geweest', ging Verlinden verder. 'Men beloofde mij een mooie positie binnen de partij, met misschien wel een post van senator in het vooruitzicht.'

Van Aken keek beduusd op. Zelf was hij ooit ook benaderd door de socialisten, maar meer dan een baan als OCMW-raadslid hadden ze hem niet beloofd.

'Ik heb toen enige bedenktijd gevraagd om de situatie in overweging te nemen', wikte en woog Verlinden zorgvuldig zijn woorden. 'In die tijd kwam ik vaak over de vloer bij vader Deweert, die ik nog uit mijn jonge jaren kende. We behoorden tot de opkomende garde van de loge en we hoopten de wereld te verbeteren.'

Verlinden lachte, met de wijsheid van een man op jaren die tot het besef gekomen was dat van de dwaze gedachten uit zijn jeugd niet veel was overgebleven.

Intussen sloeg Van Aken aan het piekeren. Nu ook nog de loge, dacht hij mistroostig. Dit dreigde een smerig zaakje te worden.

'Ga verder, Omer', zei hij zo neutraal mogelijk.

'In die tijd leerde ik Raymond kennen, een knul van een jaar of tien. Gek op Winnetou en Old Shatterhand', zei Verlinden met enige weemoed. 'Terwijl zijn vader en ik discussieerden over de grote wereldproblemen die we zouden oplossen, gebruikte hij mijn knie als edel ros waarmee hij over de prairie holde.'

'Hoe zou je zijn persoonlijkheid omschrijven?'

Verlinden pulkte nadenkend aan zijn kin.

'Het was toen hij nog een kind was al duidelijk dat hij heel goed wist wat hij wou, tot wanhoop van zijn moeder. Als Raymond ergens zijn zinnen op had gezet, rustte hij niet voor hij het kreeg. Een nieuwe fiets, rolschaatsen, later een pony: zijn wil was wet ten huize Deweert. En er waren natuurlijk die amoureuze geschiedenissen.'

Verlinden pauzeerde even en nam zonder het zelf te beseffen een slok van Van Akens koffie. De chef van de politie keek oprecht geïrriteerd, maar gaf uiteindelijk toch maar geen vermanende opmerking.

'Raymond was nauwelijks achttien of negentien toen het gerucht liep dat hij het Spaanse dienstmeisje zwanger gemaakt had. Ik had toen al wat minder contact met de familie en weet niet of dit waar is, maar het zou best kunnen. Feit is dat het dienstmeisje met een som geld wandelen werd gestuurd en Raymond aan de universiteit rechten ging studeren. Opmerkelijk, want hij was allerminst een ijverige student. Ik had toen bij de rijkswacht de buurt van de universiteit onder mijn bevoegdheid en in die functie kon ik zijn academische loopbaan een beetje volgen.'

Verlinden werd ineens helemaal bleek. Hij tastte naar zijn binnenzak en slikte vlug een pilletje, dat hij met een slok koffie doorspoelde.

'Sorry, Werner. Maar ik zit nog aan de medicijnen tegen die verdomde hallucinaties. En dan moet ik weer een andere pil nemen. Zo blijven we bezig natuurlijk.'

Voor Van Aken was dit niets nieuws. Hij had nog maar enkele dagen geleden het medische dossier van Verlinden bekeken. Duidelijk aan de beterhand maar wellicht nog niet fit voor dienst, was de conclusie.

'Ik kende toen elke cafébaas in de buurt van de universiteit en ik weet dat Raymond flink zijn best deed bij de meisjes. Pronken met zijn dure auto en rondjes geven, hij had elke week wel een ander liefje. Op de schoolbanken liep het heel wat minder en ik geloof dat hij acht of negen jaar over zijn studie deed. Of hij al die tijd ooit één leerboek ter hand nam, betwijfel ik, want verschillende professoren behoorden tot dezelfde politieke strekking als papa. Raymond was ondertussen tot de partij toegetreden en toonde zich een overtuigd leider van de jongerenvleugel.'

Van Aken spitste zijn oren. Dit was nuttige informatie die hij best kon gebruiken.

'Kun je iets zeggen over de beschuldigingen van zijn vrouw? Een politieke aanslag? Een afrekening na een of ander schandaal?'

Verlinden dacht zichtbaar diep na. Er verschenen diepe groeven op zijn voorhoofd.

'Wie weet. Ik zou niets uitsluiten. Je weet hoe het eraan toegaat in die politieke kringen, Werner. Ze hebben daar allemaal wel wat te verbergen. Maar als het jeukt, krabben ze doorgaans elkaars rug. Ik zal morgen eens her en der mijn licht opsteken. Officieus natuurlijk, want ik ben zoals je weet nog altijd met ziekteverlof.'

'Bedankt, Omer', zei Van Aken en hij meende het. 'Wees discreet, als ik vragen mag.'

'Natuurlijk', knikte Verlinden en weg was hij.

'Als een schim in de nacht', prevelde Van Aken.

4.

Zondag 15 mei, 5.49 u.

Hoofdverpleegster Martine Dheedene stond al met de hoorn in de hand, maar besloot uiteindelijk niet te bellen. Ze had een halfuur geleden Gerard Bracke zijn zoveelste inspuiting gegeven en zijn ademhaling baarde haar zorgen.

Daar was de dokter gelukkig al. Routineus nam hij de pols van de patiënt, scheen met een lampje in zijn gezicht en bestudeerde de grafiek van het beademingstoestel. Intussen floot hij zachtjes een deuntje uit *La Traviata*.

'Dosis verhogen met vijf eenheden, Martine', zei hij tussen twee flarden muziek door.

'Alweer', antwoordde ze met een smekende blik. 'Dat is al de derde keer.'

Dokter Marnix van den Berghe stopte met fluiten en werd meteen ernstig. Zijn linkerwang was niet helemaal geschoren, zag Martine. Wellicht opgeroepen voor een noodgeval en het daarna gewoon vergeten.

'Ik weet het. Maar het is dat, of de patiënt verliezen. Hij heeft sowieso niet lang meer te gaan. Geef hem maar een extra injectie. Het is het enige wat we nog kunnen doen.'

Martine vulde een spuit met een urinekleurige vloeistof uit een ampule en lette er zorgvuldig op dat de dosis klopte. Ze tikte even tegen de spuit, liet de lucht ontsnappen en spoot Gerard Bracke de vloeistof in. Ze moest even zoeken naar een ader op zijn magere armen en naar een plek die nog niet eerder doorprikt was.

De dokter zette een paar zwierige, onleesbare krullen op de patiëntenfiche aan het voeteneinde van het bed en stopte een paar pepermuntjes in zijn mond.

'Jij ook eentje, Martine?'

Ze schudde het hoofd.

‘En wat dat afspraakje van vrijdag betreft, ik moet helaas afzeggen omdat er iets onvoorziens is tussengekomen. Wat dacht je van volgende week?’

Martine was allerminst verbaasd. Ze had hem wel zien flirten met die nieuwe van Radiologie. Een halfbloedje met benen waar geen einde aan leek te komen en een boezem uit gewapend beton, daar kon ze niet tegen op.

‘Geeft niets’, hoorde ze zichzelf op ogenschijnlijk luchtige toon zeggen. Maar hij was de deur nog niet uit of ze had al tranen in haar ogen. Snel veegde ze haar gezicht schoon en begon het laken van Gerard Bracke te schikken, ook al had hij geen vin verroerd. Maar ze moest iets doen, om niet te beginnen schreeuwen dat die verdomde klootzak de pot op kon.

Ze keek naar de grote klok in de gang en zuchtte. Bijna zes uur, dat was geen tijdstip om George Bracke uit zijn bed te bellen, want hij kon zijn slaap best gebruiken. Ze zou nog een uur wachten om hem van de slechtere toestand van zijn vader op de hoogte te brengen.

Door het raam zag ze dokter Van den Berghe van het parkeerterrein wegrijden. Fors accelererend met zijn nieuwe rode sportwagen, de kleur die zo goed bij haar paste.

*

Klokslag halfzeven werd George Bracke wakker, een paar minuten voor de wekkerradio zou aflopen. Het was weer eens bewezen dat hij een interne klok had en hij genoot van die enkele minuutjes extra. Heerlijk soezen, tussen slapen en waken in. Vaak zijn helderste momenten om onbezorgd na te denken.

Vandaag niets van dat alles. Hij kampte met een gemengd gevoel van vertwijfeling en vermoeidheid, alsof hij nauwelijks geslapen had.

Op blote voeten haastte hij zich naar beneden om koffie te zetten. Hij was thuis al enkele jaren op thee overgeschakeld, na een voornemen dat hij samen met Annemie op nieuwjaarsdag had gemaakt. Zijn koffieverbruik was namelijk tot ongekende hoogtes gestegen. Op kantoor liep het soms op tot drie kannen per dag, als je dat brouwsel koffie kon noemen. Nu dronk hij nog hoogstens af en toe een kopje tijdens het werk en natuurlijk als afsluiter na een heerlijke maaltijd, want daar kon hij eindeloos van genieten.

Maar vandaag stond zijn hoofd niet naar goede voornemens. Hij gooide een extra lepel koffie in het filterzakje en schoor zich intussen zorgvuldig met het draadloze apparaat dat hij voor vaderdag van Annemie gekregen had. Ze kon het niet langer aanzien dat hij zich elke dag opnieuw sneed met zijn barbiersmes, een cadeau van zijn opa, die generaal in het leger was geweest. Hij had samen met volkszanger Guido Belcanto geprotesteerd dat echte mannen zich niet elektrisch scheren, maar was nu wat blij met het apparaat, dat veel aangenamer voor zijn gevoelige huid was.

Hij had net een geroosterde boterham royaal met plattekaas besmeerd toen de telefoon rinkelde. Vader, schoot het door zijn hoofd.

'Al wakker, George?'

Hij haalde opgelucht adem.

'Goeiemorgen, schat. Een drukke nacht gehad?'

'Gaat wel', antwoordde Annemie opvallend monter. Ze had wellicht op de sofa in haar archiefkamertje een dutje gedaan en wie weet ook snel een douche genomen. 'Een beetje kunnen slapen?'

'Tja', pufte Bracke. 'Alleen in bed, ik kan er maar niet aan wennen.'

'Zo vaak gebeurt het ook weer niet', suste Annemie. 'Nu moet ik echt ophangen. Van Aken loopt hier al rond en hij zag er niet bepaald gelukkig uit.'

'*Just another day at the office*', citeerde Bracke een film, maar hij kon zich niet meer herinneren welke. Iets van Humphrey Bogart, gokte hij.

Bracke besloot het ontbijt nog even uit te stellen en trok zijn joggingpak aan. Het had iets gewijds, zo vroeg op straat lopen terwijl het dorp langzaam ontwaakte. Want je mocht Oostakker toch wel een dorp noemen?

Hij zette er stevig de pas in en liep in een recordtempo over de brug over de R4. Hij deed minder dan zeven minuten over de duizend zevenhonderd meter naar het Boerenhof, bijna een halve minuut beter dan zijn vorige beste tijd. De kunst bestond erin om in de nijdige klim op negentig procent te lopen en net voor de top alles te geven.

Onderweg passeerde hij zijn buurman, de bakker, die allang niet meer van de ochtendlijke jogger opkeek.

'Morgen, George.'

'Mohe', hijgde hij, net niet zijn longen uithoestend.

Aan het kruispunt besloot hij rechtsomkeert te maken, nu in een slentertempo. Het tochtje was voldoende om de batterijen even op te laden.

Bracke had nog maar net de voordeur achter zich dichtgetrokken, toen de telefoon rinkelde. Was dit het moment dat hij al die tijd gevreesd had?

Hij slikte en nam op. Ogenschijnlijk kalm, maar zijn hart ging wild tekeer.

'Met Bracke.'

'Het is hier Martine', zei de verpleegster. Ze klonk opvallend vrolijk. Dat was toch geen toon om slecht nieuws te melden?

'Alles goed daar?'

Wat stom, vond hij van zichzelf. Alsof een verpleegster van de afdeling hopeloze gevallen je even opbelt om wat over het weer te kletsen.

'Je vader gaat zienderogen achteruit. Ik heb net met de dokter gesproken', zei ze en ze tastte naar de *love bite* in haar nek. Die charmeur van een Marnix was stiekem teruggekeerd. Hij had haar zopas onverhoeds benaderd en met een snelle zuigzoen verrast. Wel prettig, moest ze toegeven. Het smaakte naar meer.

Bracke voelde zijn mond droog worden. Hij kon alleen maar slikken en zwijgen.

'We zitten al aan het maximum van de dosis. Dokter Van den Berghe kan eventueel op een zwaarder medicijn overschakelen, maar daar wou hij eerst met jou over praten. Kun je deze voormiddag even langskomen?'

'Dat moet lukken', zei Bracke schor. 'Tot straks.'

Het ontbijt smaakte niet. Toch at hij het keurig op, want het zou weleens een van die dagen kunnen worden dat alles in het honderd liep.

Halfacht. Nu kon hij wel al even naar zijn schoonmoeder bellen. Annemie had dat ongetwijfeld ook al gedaan, maar hij wou haar nog altijd bewijzen dat hij een goede vader was.

'George hier.'

'Hoe gaat het met je vader?' vroeg Thérèse meteen. De klokhen, altijd bezorgd om iedereen. Maar haar forse schouders konden het leed van de hele wereld niet dragen.

'Bergaf', zei hij en met dat ene woord begreep ze alles.

'De kinderen goed geslapen?

Bracke constateerde dat hij weer in telegramstijl met zijn schoonmoeder aan het praten was. Maar het kwam vanzelf en eenmaal begonnen, kon hij niet meer stoppen. Net zoals hij met zijn vader nog altijd dialect sprak. Dat was de enige met wie hij dat deed en het klonk steeds geforceerder.

Hij betrapte er zich op dat hij niet echt naar de uitleg van Thérèse aan het luisteren was. Ze had het over Julie, die weer het maximum op haar toets meetkunde had, Jorg, die gevallen was maar geen verzorging wilde en Jonas, die volgend weekend kampioen met de basketploeg kon spelen en daarom nog twee uur extra had getraind.

'Eh, ik moet nu ophangen. Doe ze de groeten. Het zou weleens laat kunnen worden.'

*

Zondag 15 mei, 7.47 u.

Hassim zat al langer dan een kwartier in het kantoor van chef Van Aken en voelde zich een hele piet. Thuis had hij afscheid genomen met de plechtige woorden dat de plicht riep, maar zijn echtgenote had zich gewoon op de andere zij gedraaid en rustig voortgeslapen. Ze droomde van een berg couscous met saffraan, die ze gelukzalig weglepelde.

'Alle ondervraagden hebben de vraag gekregen zich vandaag voor verder verhoor aan te melden. Hier heeft u de planning van die verhoren', zei hij en hij schoof zijn chef een keurig uitgetikte lijst onder de neus.

Van Aken keek eerst op zijn horloge en dan naar de namen. Drieëntwintig stuks, de verhoorkamers zouden op volle toeren draaien. Hij had vijf inspecteurs uitgetrokken die de klus voor het einde van de voormiddag moesten klaren.

'Als je timing nog klopt, hebben we er al twee gehad, zie ik', prees hij.

'Zeven uur leek me een mooi uur om te beginnen', zei Hassim minzaam. 'Nu de sporen nog warm zijn, hebben we geen tijd te verliezen.'

'Dan laat ik je maar, Abdel', knikte Van Aken goedkeurend. 'Ik verwacht je straks op de briefing. Laat we zeggen rond kwart over acht.'

Hassim knikte terug, maar dan wel bij wijze van eresaluut. Hij was na zijn legerdienst rechtstreeks bij de politie gegaan en kon maar niet wennen aan de informele wijze waarop de flikken met elkaar omgingen.

Een voor een druppelden de officieren die bij het onderzoek betrokken waren, de vergaderzaal binnen. Van Aken had zijn secretaris de opdracht gegeven voor koffie en ontbijtkoeken te zorgen en had een hoge dunk van zichzelf omdat hij daaraan gedacht had.

De politiechef haalde diep adem en keek naar zichzelf in de spiegel. Hij was niet helemaal tevreden met het resultaat. Vooral het begin van een dubbele kin stoorde hem. Maar het plezierde hem dat hij zonder veel problemen na amper een uurtje slapen uit bed was geraakt. Om zichzelf te harden had hij meteen een koude douche genomen en vervolgens spek en eieren klaargemaakt.

Tot Van Akens grote verbazing was Bracke op tijd en zag hij er behoorlijk fris uit. Bracke kreeg een handdruk en na enige aarzeling ook een schouderklopje. Bracke vroeg zich af waaraan hij dat te danken had.

Van Aken nam Bracke even apart.

'Nog iets van je vader gehoord?'

'Ik ben net even in het ziekenhuis binnengewipt. Ze zitten intussen aan de maximumdosis. We moeten de realiteit onder ogen zien. Ik vrees dat er nog maar weinig hoop is.'

Maar Van Aken luisterde al niet meer. Hij schikte zijn papieren keurig op een hoopje en nam een slok water om zijn keel te spoelen. André Cornelis deed net hetzelfde en even leek het alsof ze een ingestudeerd nummertje opvoerden. Tot Cornelis zich verslikte en Bracke hem met een verlossend tikje op de rug te hulp snelde.

'Iedereen heeft koffie? Dan kunnen we eraan beginnen', zei Van Aken. Hij wreef strijdlustig in de handen en opende een map die er al behoorlijk dik uitzag. 'George, jij coördineert de ondervragingen. Abdel brengt binnen welgeteld veertien minuten verslag uit over de vorderingen. Rond halfnegen verwacht ik Dierkens' eerste analyse van de tape. Intussen heb ik meer gegevens over de pijl waarmee de aanslag gepleegd werd. Jullie vinden foto's in de map.'

John Staelens deelde met een zuur gezicht de mappen uit. Staelens en vroeg opstaan, dat ging niet samen. Op dit uur van de dag deed hij allerminst zijn bijnaam Stormvogel eer aan. Hij leek veeleer op een aangespoelde, met olie overdekte albatros, die tevergeefs zijn vleugels probeerde uit te slaan.

'Een houten pijl van twintig centimeter met een stalen punt van zowat vijf centimeter', beschreef Van Aken. 'Volgens het lab is de pijl duidelijk bijgevijld. André, dat is iets voor jou om na te pluizen. Hoeveel kruisboogverenigingen zijn er trouwens in de stad?'

Het gezicht van Cornelis klaarde op.

'Ik ken er twee', zei hij, blij dat hij zijn kennis kon etaleren. Het was Hassim die hem de namen gegeven had, maar die zou het niet erg vinden dat hij met de eer ging lopen. 'Sint-Sebastiaan en Sint-Rochus. Ik onderzoek het meteen.'

En weg was hij. In de gang hoorden ze hem opnieuw hoesten.

'Die zien we voorlopig niet terug. Als het maar schiettuigen zijn', snoof Bracke, die een verkoudheid voelde opkomen. Hij kende de voorliefde van zijn collega voor wapens en kon het nog altijd niet begrijpen. In het korps was er wellicht niemand vredelievender dan Cornelis en toch kende hij geen groter plezier dan een wapen uit elkaar te halen om te zien hoe het mechanisme werkte. Hij lette dan helemaal niet op de tijd en rustte niet voor het wapen weer keurig geassembleerd was.

In de map zat ook de lijst van de aanwezigen op het fatale feestje in De Gouden Kruik. Van Aken had Staelens in het holst van de nacht de opdracht gegeven zoveel mogelijk informatie over deze mensen te verzamelen, een taak waar Stormvogel met het nodige gezeur aan begonnen was. Maar het had niet lang geduurd voor hij er, met een stevige pot gloeiend hete thee en een paar roomsoezen bij de hand, plezier in had gekregen. Zijn vrouw Anita had de laatste tijd weer voortdurend last van een hardnekkige migraine en ze werkte haar nukken uit op haar echtgenoot, die elke gelegenheid om niet thuis te hoeven zijn met beide handen aangreep.

Stipt op tijd klopte Hassim kordaat aan en kwam binnen zonder op het fiat van de chef te wachten. Hij las uit zijn notitieboekje de krachtlijnen van de eerste getuigenverklaringen voor, maar veel wijzer werden ze er niet van.

'De feiten zijn simpel: alle aanwezigen hadden een leuke avond, met veel spijs en drank, de senator was net aan zijn speech begonnen en toen heeft iemand met een kruisboog een pijl op hem afgeschoten. Voor ze iets konden doen, was de dader alweer verdwenen.'

'Dan maar hopen dat die band iets oplevert', zuchtte Bracke gelaten. 'Want van alle aanwezigen weten we één ding, namelijk dat zij het niet gedaan hebben.'

Van Aken draaide de tape voor de zoveelste keer af, maar ook daar werden ze niet veel wijzer van. De dader droeg een lange kapmantel en van zijn gezicht was niets te zien. De mantel was bovendien zo wijd dat niet kon worden vastgesteld of de geheimzinnige schutter dik of dun was.

Jean Vervaecke, de persoonlijke secretaris van Van Aken, bracht een dossier binnen. Hij legde het met een gewichtig gebaar op de tafel neer en ging weer weg zonder een woord. Bracke kreeg van die man maar geen hoogte. Vervaecke was een product van de politieschool en bewoog zich als een sfinx door de wandelgangen. Hij kon in zijn vrije tijd net zo goed een liefhebber van sadomasochisme als een Jehovagetuige zijn. Over zijn privéleven loste hij niets.

'Hier is een eerste analyse van de bewuste tape', zuchtte Van Aken opgelucht terwijl hij door de bundel papier bladerde, op zoek naar de bevindingen. 'Aha, hier heb ik het. Geen opvallende kenmerken en geen duidelijk beeld van het gezicht, maar dat wisten we al. Geschatte lengte van de dader: tussen 1m70 en 1m80. Dat hebben ze kunnen afleiden uit één helder *shot* waarop de dader door de deuropening naar buiten stapt. Vergelijkingspunt: de hoogte van het houtwerk. Haarkleur onbekend, zeker geen baard of snor. Ook geen spoor van ringen, want hij droeg handschoenen. Verdere gegevens over kleding en schoeisel ontbreken voorlopig.'

'Met andere woorden, een spook in de nacht, dat snel en onvervaard te werk ging. Eén enkel schot en weg was hij', zei Bracke. 'Met die tape schieten we dus niets op.'

'Niet zo snel met je conclusies', klonk Van Aken opgeruimd. 'We hebben wel iets. Volgens Dierkens mankt de dader duidelijk. Dat ene *shot* in de deuropening geeft ons toch wel enige nuttige informatie.'

'Fantastisch', lachte Staelens groen. 'We moeten dus enkel iemand vinden tussen 1m70 en 1m80, die trekkebeent, een zwart gewaad in de kast heeft hangen en met een kruisboog kan schieten. En om de een of andere reden Raymond Deweert voldoende haat om hem een houten pijl van twintig centimeter met een venijnige stalen punt door het strottenhoofd te jagen. Fijn is dat.'

Van Aken schraapte de keel, alsof hij iets belangrijks te zeggen had. In feite was hij vooral aan het nadenken, want hij wist niet goed hoe hij datgene wat hij zeggen wou, moest formuleren.

'Over het persoonlijke leven van Raymond Deweert hebben we intussen wat meer gegevens, die een wraakactie niet uitsluiten. Zo zijn we er zeker van dat de man het niet bepaald ernstig neemt met de huwelijkstrouw. Ik stel voor dat jij die piste verder onderzoekt, George. Hoofdcommissaris Verlinden zal in dat verband trouwens straks contact met je opnemen.'

Staelens keek verbaasd op.

'Verlinden? Is die weer aan de slag?'

'Nog niet echt, maar in deze zaak kan hij nuttige informatie verstrekken', zei Van Aken met een uitgestreken gezicht. 'En dan blijft er natuurlijk die andere optie, namelijk een afrekening binnen het politieke milieu.'

'Dat is een ander paar mouwen', zuchtte Bracke. Hij keek zijn collega's schattend aan en zag dat ze allemaal hetzelfde dachten. Laat dit alsjeblieft niet waar zijn.

'Op dit ogenblik worden de voornaamste politieke kopstukken verhoord', zei Van Aken. 'In dat verband heb ik voor jou nog een taak, George. Het zou onze minister van Justitie passen dat je hem rond elf uur opzoekt om eh...'

'... hem aan de tand te voelen', grinnikte Bracke. Voor één keer vond hij een ontmoeting met de minister niet erg, want het betekende dat hij aan de persconferentie ontsnapte. Maar Van Aken stak de pluimen natuurlijk weer liever op zijn eigen hoed.

'Om te horen of hij ons kan helpen. Hij heeft bereidwillig zijn medewerking aangeboden', zei Van Aken, alsof hij de opmerking van Bracke niet gehoord had. 'En nu allemaal aan de slag.'

*

Zondag 15 mei, 9.51 u.

Wellustig keek André Cornelis de kamer rond. Hij slurpte van zijn kopje overheerlijke Javaanse koffie en stak van wal.

'Nog eens bedankt omdat u mij zo snel heeft willen ontvangen, meneer Lentz.'

Christian Lentz knikte welwillend, met de wijsheid van een man die intussen wist wat er in het leven te koop was en de dag nam zoals hij kwam.

'Als ik de politie kan helpen, graag', lachte hij. 'En ik moet toegeven dat ik wel nieuwsgierig ben. Ik krijg niet elke dag een, wat was het, "commissaris", over de vloer?'

'Inderdaad.'

'Wat verschaft me de eer van uw bezoek?'

'Ik weet niet of u al naar het radionieuws geluisterd heeft?' zei Cornelis, loerend naar de koekjes die uitnodigend op tafel stonden. Hij kon niet aan de verleiding weerstaan en nam er eentje, dat verrukkelijk naar amandelen smaakte. En dan nog eentje. Als Bart het zou zien, zou hij wat te horen krijgen. Er moesten dringend enkele kilootjes af, vond hij, telkens als hij na het douchen in de spiegel keek. De atleet van twintig jaar geleden had zich intussen onder een stevige speklaag verstopt. En hij hield niet van de wat treiterige omschrijving 'liefdeshandvatjes'.

'Ik probeer dat in de mate van het mogelijke te doen, maar ik lag eerlijk gezegd nog te slapen toen u belde.'

'Waarvoor nogmaals mijn excuses.'

'Hoefde niet, hoor', wuifde Lentz de verontschuldigingen weg. 'Zo was ik tenminste wakker. Maar u zei iets over het nieuws. Heb ik iets bijzonders gemist?'

'Vannacht werd een aanslag gepleegd op Raymond Deweert. Doet die naam een belletje rinkelen?'

Cornelis lette scherp op de reactie van zijn gesprekspartner, maar meer dan oprechte verbazing was er niet te zien.

'De politicus', knikte Lentz na enig nadenken. 'Een liberaal, geloof ik?'

'U bent op de hoogte', zei Cornelis.

'Nee, dat heb ik dus nog niet gehoord. Vergeef me dat ik het zeg, ik vind dat natuurlijk heel erg, maar wat heb ik ermee te maken?'

'Niets, mag ik denken. Maar misschien kunt u me enige informatie geven. Er werd namelijk op Deweert geschoten met een kruisboog, ziet u.'

Het gezicht van Lentz drukte niets dan opperste verwondering uit. Hij liet zijn kopje koffie bijna uit zijn handen vallen.

'Ik hoop toch niet dat u...' stamelde hij.

'O nee, begrijpt u me niet verkeerd. U staat helemaal niet onder verdenking', haastte Cornelis zich de rood aangelopen Lentz gerust te stellen. 'Ik zocht alleen naar iemand die me wat meer over kruisbogen kon vertellen. En Sint-Rochus staat nu eenmaal hoog bij ons aangeschreven.'

'We hebben inderdaad een paar agenten in ons midden', glunderde Lentz, blij om de erkenning.

'Inspecteurs', verbeterde Cornelis automatisch. 'De agenten hebben we afgeschaft.'

'Wat wilt u weten? Ik kan u dagenlang over kruisbogen onderhouden als u dat zou willen.'

Het aanbod was aanlokkelijk. Van dit soort van wapens wist Cornelis weinig af en hij wou wat graag deze lacune in zijn kennis opvullen.

'Een andere keer graag. We hebben nu geen tijd te verliezen. Ik zou u zeer erkentelijk zijn als u hier eens naar wilde kijken.'

Cornelis haalde uit zijn binnenzak een plastic zak met de pijl. Lentz kneep zijn ogen tot spleetjes en bestudeerde het projectiel met gewijde aandacht.

'Ik zou zeggen, een standaardpijl', zei hij. 'Maar wel met een veel te scherpe punt. Ik bedoel, op wedstrijden zou deze pijl nooit worden toegelaten.'

'De punt is inderdaad bijgevijld, heeft het lab ontdekt. Waar kan men dit soort pijlen krijgen?'

'Overal, vrees ik', snoof Lentz. 'In de stad alleen al ken ik twee zaken waar ze te koop zijn. En als je op het internet zoekt, heb je meteen prijs. Doorgewinterde kruisboogschutters maken ze trouwens zelf. Veel heb je immers niet nodig. Een stuk hout, een ijzeren punt en drie veren. Wie een beetje handig is, draait dit vlotweg zelf in elkaar.'

Cornelis trok een zuinig gezicht. Maar hij gaf de moed nog niet op.

Hij tastte in zijn tas en gooide een set foto's op tafel.

'Als u hier ook eens naar wilt kijken? Ze zijn niet van de beste kwaliteit, maar ik hoop dat u er wat van kunt maken.'

Lentz bestudeerde aandachtig een drietal wazige foto's van de dader met de kruisboog.

‘Ik weet het, de foto’s zijn niet bepaald scherp. Maar als dit u kan helpen?’

Cornelis schoof Lentz een vergrootglas toe.

‘Merkwaardig’, zei hij. ‘Dit is zeker geen gewoon wedstrijdwapen waarmee we doorgaans schieten. Helemaal zeker ben ik er niet van omdat die foto’s niet duidelijk zijn, maar ik zou toch durven denken dat het om een Barnett-kruisboog gaat.’

Cornelis keek hem vol verwachting aan.

‘En dat betekent?’

‘Ik zal het eenvoudig proberen uit te leggen. Je hebt verschillende types kruisbogen. Een Barnett is een jachtkruisboog.’

‘Zijn deze wapens gemakkelijk te vinden?’

‘In de club ken ik een paar leden die er eentje hebben. Ik zal eens navragen.’

‘Over welke prijs spreken we dan?’ vroeg Cornelis, veeleer uit persoonlijke interesse.

‘Toch gemakkelijk 1250 euro’, wist Lentz. ‘Kruisbogen kosten geld, maar het zijn dan ook juweeltjes. Je moet rekenen dat de meeste wapens eigendom van de schutters zijn. Een wapen kun je trouwens niet erven. Bij het overlijden van een schutter worden zijn wapens door de club gekocht.’

Cornelis voelde zich in zijn nopjes. Hij was verzot op erecodes, mannen onder elkaar.

‘Is het waar dat karabijnschutters ook goed met een kruisboog overweg kunnen?’

‘Inderdaad’, zei Lentz, blij verrast. ‘We hebben in de club verschillende leden die in eerste instantie met een karabijn schieten, maar af en toe toch ook graag de kruisboog ter hand nemen. Als u soms ook interesse zou hebben: we komen elke maandagavond op het Sint-Pietersplein samen.’

‘Bedankt. Ik zal u wellicht binnenkort al aan die uitnodiging houden’, zei Cornelis welgemeend.

*

Zondag 15 mei, 9.59 u.

Politiechef Werner van Aken stormde door de ziekenhuisgang met de elegantie van een op hol geslagen nijlpaard, nietsontziend en recht op zijn doel af. Hij had ook niet veel tijd, want over een halfuur werd hij op de persconferentie verwacht.

Inspecteur Verhaevert, die in de gang een roddelblaadje zat te lezen, veerde overeind en ging kaarsrecht in de houding staan, vrezend dat hij een standje zou krijgen. Maar Van Aken had geen oog voor hem en haastte zich de kamer binnen.

Bij het bed van Raymond Deweert stond dokter Vergote notities te nemen.

'Dat is snel', zei hij, amper opkijkend.

'Heeft hij iets gezegd?' hijgde Van Aken.

Vergote schudde het hoofd.

'Dat is weinig waarschijnlijk met een dergelijke ernstige perforatie van het strottenhoofd. Maar hij is in ieder geval even bij bewustzijn geweest.'

Van Aken bekeek het slachtoffer beter. De ogen van Deweert waren inderdaad halfopen en hij leek in de verte te staren.

'Meneer Deweert?' vroeg Van Aken en dan op familiaire toon: 'Raymond? Kun je me horen?'

Even lichtten de ogen op, maar Deweert gaf verder geen teken van herkenning.

'Raymond? Weet je wat er gebeurd is? Heb je de dader gezien?' drong Van Aken aan.

'Argh', was het enige geluid dat Deweert voortbracht. 'Argh.' Zijn ogen gingen weer dicht en hij ademde zwaar.

'Het is beter dat u nu de kamer verlaat', zei Vergote. 'U ziet zelf dat het geen zin heeft.'

Hij volgde Van Aken naar de gang. Inspecteur Verhaevert had gegokt dat het binnen een tijdje zou duren en was beneden een kop koffie halen. Fluitend kwam hij uit de lift gestapt en liet, toen hij Van Aken kwaad zag kijken, zijn kop koffie bijna op de grond vallen.

'Uilskuiken!' knorde Van Aken en hij gunde Verhaevert geen blik meer waardig.

'Zijn toestand gaat er steeds verder op achteruit', wist Vergote. 'In feite kunnen we niets meer voor hem doen. Een chirurgische ingreep op die plek is te delicaat en kan meer kwaad dan goed uitrichten.'

'Wat zijn z'n overlevingskansen?'

'Eerlijk? Vijf procent, niet meer. Het is een wonder dat hij het nog zo lang volhoudt.'

'En zijn echtgenote? Hoe neemt die het op?'

Vergote hief de handen weifelend ter hemel.

'Die hebben we nog niet gezien of gehoord. Misschien verkeert ze nog in shock. Ik zou het echt niet weten.'

'Bedankt, dokter. Hou me op de hoogte als er iets in zijn toestand verandert.'

'Zonder mankeren', knikte Vergote en hij was alweer op weg naar een volgende patiënt. Na de laatste besparingsronde van de directie was de druk op het personeel alweer opgevoerd en werd ook van de medische staf verwacht dat ze meer uren voor minder geld klopten.

Van Aken moest echt terug. De persjongens vonden het niet leuk als hij te laat kwam. Of het zou natuurlijk met spectaculair nieuws moeten zijn, zoals de identiteit van de dader.

Onderweg negeerde Van Aken de snelheidslimiet, die op de ring rond de stad op vijftig kilometer per uur lag. Maar, zo bedacht hij hoofdschuddend, controleren deden ze toch niet. Een discrete richtlijn van de minister van Justitie, nu de verkiezingen in aantocht waren.

5.

Zondag 15 mei, 11 u.

George Bracke zat nagelbijtend van ingehouden woede op een harde houten bank in het gerechtsgebouw te wachten, waarop eigenlijk? Zijn rug begon pijn te doen en hij voerde vruchteloos enkele strekoefeningen uit.

Volgens het slaafje met gelakte schoentjes, dat hem geringschattend had bekeken, was zijn excellentie de minister inderdaad binnen in bespreking, maar mocht hij vooral niet worden gestoord. Ja, ook niet als de commissaris een afspraak had en midden in een moordonderzoek zat.

'Maar u begrijpt, het is behoorlijk druk', zei de kleurloze lakei, voor wie de zaak afgehandeld was. Hij boog zich opnieuw over zijn kruiswoordraadsel en bleef steken bij acht diagonaal, een ander woord voor zwaardvis. Hij kwam uit op urk, maar had het gevoel dat er iets niet klopte.

Nu kan ik twee dingen doen, dacht Bracke. Ofwel maak ik een scène en jaag ik Van Aken helemaal de gordijnen in, ofwel wacht ik hier braafjes mijn beurt af. Hij had binnenpretjes omdat sinds kort op het Justitiepaleis door een aantal diensten ook op zondag gewerkt werd, wat de bediende, aan zijn zure gezicht te zien, duidelijk absoluut niet kon pruimen. Kwatongen beweerden dat de liberale minister met deze zondagsdienst, die enkele weken terug met veel lawaai in de pers was aangekondigd, enkel tot doel had te scoren.

Heel eventjes kwam Bracke in de verleiding om zonder te kloppen de vergaderzaal binnen te stappen. Hij kende minister van Justitie De Ceuleer intussen voldoende om te weten dat die razend zou zijn en dat hij ongetwijfeld Van Aken op het matje zou roepen. In de gedachtegang van De Ceuleer was de justitieminister baas over de politie, wat Van Akens bloed alleen maar liet koken. Maar hoe dan ook zou de politiechef genoodzaakt zijn om Bracke officieel een standje te geven en dat kwam ongetwijfeld in zijn dossier.

Braafjes afwachten dus. Bracke had niets om handen en observeerde dan maar de passanten. Een activiteit waar hij zich wel een tijdje mee kon bezighouden.

Hij kreeg zin om even bij de procureur des Konings binnen te wippen, die nu volop bezig was met de voorbereiding van het proces tegen kindermoordenaar Juan Botero[5] dat in de loop van de week zou starten. Het was goed mogelijk dat hij de eerstvolgende dagen werd opgeroepen om voor de zoveelste keer het verhaal van de zoektocht naar en de arrestatie van Botero te vertellen en daar keek hij niet bepaald naar uit. Die afschuwelijke periode uit zijn leven wou hij het liefst zo ver mogelijk naar de duistere krochten van zijn geheugen verbannen, al viel het moeilijk om te ontkomen aan wat nu al 'het proces van het jaar' genoemd werd.

Zo had een van de kranten vorige week een speciale editie uitgebracht met, naast een uitvoerig verslag over de dode kinderen, het klassieke geleuter zoals een 'analyse' van de angstgevoelens die een moordenaar bij kinderen oproept. Voor de zoveelste keer lieten ze kinderpsychiater Peter Adriaenssens opdraven, die opvallend welwillend de kwalijke invloeden van alle heisa rond Botero op de nachtrust van de kinderen uiteenzette. Bracke had de psychiater ooit op een congres ontmoet en was diep onder de indruk gekomen van diens sereniteit en respect voor de kwetsbare kinderziel.

Een deel van de pers had aangeklaagd dat nu ineens ook tijdens het weekend gewerkt werd en werd hierin bijgetreden door de extreem rechtse Nationaal Vlaamse Partij (NVP). Hun gezamenlijke klacht luidde dat dit enkel een stunt was met het oog op de verkiezingen, al bleef de minister van Justitie volhouden dat hij op die manier komaf wou maken met de enorme achterstand die zijn departement de voorbije jaren had opgelopen. Het was nooit goed voor die bruine rakkers.

'Meneer Bracke? De minister kan u over vijf minuten ontvangen.'

Bracke schrok op uit zijn overpeinzingen. Hij zag dat er al een halfuur voorbij was en belde snel naar het kantoor, om te horen of er geen nieuwe verwikkelingen waren.

'Ik kan niet lang praten. We staan net klaar om met de persconferentie te beginnen. Later dan gepland omdat een aantal journalisten vastzat door twee ongevallen op de Ring', zei Annemie. 'Maar we weten nog niets meer. Van Aken verwacht André elk ogenblik terug, hopelijk nog op tijd om de persjongens iets meer over het wapen te vertellen.'

'Zo naïef zal hij toch niet zijn', grinnikte Bracke. 'Alsof Cornelis zich zal uitsloven omdat de pers op hem zit te wachten. Als Van Aken daarop speculeert, dan zal hij van een kale kermis thuiskomen.'

'Hoe is het daar bij de minister geweest?'

'Geweest? Ik mag pas over exact drie minuten bij zijne excellentie op audiëntie komen', zei Bracke gelaten. 'Maar wat doe je eraan? Ik zit hier keurig op een bankje, tot het zijne heiligheid belieft mij te ontvangen.'

De deur ging open en het behoorlijk kalende hoofd van de minister kwam te voorschijn. Fijne zweetdruppeltjes parelden op zijn voorhoofd.

'Ik moet nu gaan', fluisterde Bracke, alsof hij een verboden gesprek voerde.

'Kusje', zei Annemie nog, maar haar echtgenoot had de verbinding al verbroken.

De minister wenkte Bracke. De reusachtige tafel lag vol dossiers en klasseermappen.

'Sorry dat ik je heb laten wachten, maar het is voor mij een erg drukke dag. Weekend of niet, dat telt niet in onze baan. Maar dat hoef ik jou natuurlijk niet te zeggen.'

Smalltalk om mij op mijn gemak te stellen, dacht Bracke. Die gladjanus denkt natuurlijk dat hij iedereen kan inpakken.

'Ik heb net vergaderd in verband met het nieuwe gerechtsgebouw en daar zitten een paar kinken in de kabel. Nu ja, laat ik jou daar maar niet mee vervelen. De reden waarom ik je heb opgeroepen ligt gevoelig, Bracke.'

Commissaris Bracke keek verrast op. Hij opgeroepen? Dat was nieuw. Hij dacht dat de minister een verklaring wou afleggen.

'Die hele heisa rond de aanslag op Raymond Deweert kon op geen slechter ogenblik komen', zei de minister behoedzaam, zijn woorden wikkend. 'We zouden morgen net van start gaan met de volgende fase van onze verkiezingscampagne en we kunnen dergelijke gevallen missen als kiespijn.'

Een 'geval', zo had Bracke Deweert nog niet horen beschrijven.

Er lag De Ceuleer duidelijk iets op de lever, maar hij wist blijkbaar niet hoe hij van wal moest steken. Bracke zweeg, in de hoop dat de minister zou loskomen.

'Laat me beginnen met de positie van Raymond Deweert binnen de partij wat beter te situeren. Iedereen zal je vertellen dat hij een briljant politicus is. Daarmee bedoel ik niet alleen zijn intelligentie. Die stijgt zeker boven het gemiddelde uit, maar hij onderscheidt zich door zijn capaciteiten om met mensen om te gaan. En dat zowel met de gewone man in de straat als de *big shots* uit de samenleving. Politici, professoren, kaderleden en zakenlui, allemaal moeten ze toegeven dat Deweert hen het gevoel geeft dat hij ze begrijpt.'

'Om van de vrouwen maar te zwijgen', zei Bracke droog. Het was alsof De Ceuleer een voltreffer te verwerken kreeg. Hij keek Bracke schattend aan, alsof hij wou peilen hoeveel die precies wist.

'Ik zie dat je al je huiswerk gedaan hebt, Bracke', zei de minister zuur. 'Ik had het kunnen denken. Je bent niet voor niets een van mijn beste speurders.'

Die opmerking zat Bracke hoog, maar hij zei niets. Zelfs de insinuatie dat hij onder het gezag van de minister van Justitie zou vallen, lag hem zwaar op de maag, ook al was het helemaal niet zo.

Bracke koos voor de frontale aanval.

'Hoe staat u persoonlijk tegenover Raymond Deweert, meneer de minister?'

Die vraag had De Ceuleer niet verwacht. Hij plaatste zijn vingertoppen tegen elkaar en wreef ermee langs zijn lippen. Hij likte zijn lippen.

'Je overvalt me', lachte hij zwakjes. 'Maar goed, ik zal je een eerlijk antwoord geven. Persoonlijk liggen Deweert en ik elkaar niet zo.

Begrijp me niet verkeerd, we hebben geen ruzie, maar onze levensstijl verschilt dag en nacht. Hij zit graag in de betere restaurants en verzamelt dure wijnen, ik steek mijn tijd en energie liever in de politiek. En ik verheel niet dat ik vind dat zijn voortdurende gerommel met vrouwen slecht voor de partij is. Iedereen doet in zijn vrije tijd met anderen wat hij wil, op voorwaarde dat het met wederzijdse toestemming is. Maar Deweert kent op dat vlak geen grenzen. Meer kan ik niet vertellen omdat ik hem niet wil compromitteren.'

'Ik begrijp het.' Bracke drong niet verder aan. 'En op politiek vlak?'

'Er is een periode geweest dat ik dacht dat hij me verafgoodde. Hij volgde me op de voet en leek aan mijn lippen te hangen. Ik heb hem toen gesteund en waar ik kon, geholpen om in de partij vooruit te komen. Tot ik doorhad dat hij me alleen maar bestudeerde, om me te overvleugelen. Wat trouwens niet eens onmogelijk is. Zijn vader heeft binnen de partij nog altijd een goede naam en hij kan op heel wat financiële en morele steun van bedrijven en gezagsdragers rekenen.'

'Met andere woorden, onze Raymond heeft achter de schermen flink zijn best gedaan om de poten onder uw stoel weg te zagen', dacht Bracke hardop.

'Dat is ietwat scherp geformuleerd, maar inderdaad. Hij stuurde aan op een openlijke confrontatie bij de komende verkiezingen. Hij was ervan overtuigd dat hij heel wat stemmen zou halen en het was zijn grote ambitie om minister te worden.'

'Vergeef me dat ik u de vraag stel, maar waar was u vannacht?' vroeg Bracke, *out of the blue*.

De Ceuleer grijnsde.

'Die vraag had ik wel verwacht. Ik had in Salon Napoleon in Brussel een meeting. Naar schatting vijfduizend sympathisanten zullen graag getuigen dat ik daar tot de vroege ochtend aanwezig was. Ik ben zelfs rechtstreeks naar hier doorgereden.'

De Ceuleer keek Bracke triomfantelijk aan. Bracke had ook niet anders verwacht dan dat de minister een perfect alibi zou hebben, maar het gaf hem toch heimelijk binnenpretjes dat hij de klassieke vraag gesteld had. Al zou het natuurlijk een ongelooflijke stunt zijn als een minister in ware guerrillastijl een opkomende concurrent uit zijn naaste omgeving eigenhandig zou liquideren en dat hier zomaar zou bekennen.

'Nog een vraag: denkt u zelf aan iemand die het gedaan kan hebben? Want tussen politieke naijver en een moordaanslag ligt toch nog een wereld van verschil.'

'Nu stel je me toch teleur, Bracke', zei de minister. 'Zulke clichévragen!'

Bracke was niet onder de indruk.

'Ik moet ergens beginnen. Maar u heeft nog niet op mijn vraag geantwoord.'

'Ik heb niet het flauwste idee. Het kan om het even wie geweest zijn. Een bedrogen echtgenoot, iemand die Deweert in zijn rush naar de roem gepasseerd heeft.'

'Of van een of ander bedrijf? Umelco? Deconinck?' vroeg Bracke op kousenvoeten.

De minister keek de commissaris aan.

'Jij weet duidelijk meer dan je laat uitschijnen. Nu begin ik je tactiek door te hebben, ouwe vos die je bent!' grijnsde hij. 'Je van den domme houden, maar op het juiste moment toeslaan. Ik zou niet graag door jou op de rooster gelegd worden, Bracke!'

De minister dacht wellicht dat de commissaris het als een complimentje zou opvatten en leunde welwillend achterover.

'Daar is voorlopig nog geen reden toe', lachte Bracke schijnheilig terug. Net iets te vriendelijk en de minister voelde dat feilloos aan. Maar hij liet niet in zijn kaarten kijken. Ze hadden beiden steeds meer het gevoel dat ze een spelletje poker aan het spelen waren.

'Er is nog een andere reden waarom ik je heb gevraagd mij even op te zoeken, Bracke', zei de minister na enige aarzeling.

Nu komt de aap uit de mouw, dacht de commissaris. Het gaat dus niet om die aanslag. Hij vindt dat misschien wel erg, maar uiteindelijk komt het hem niet eens zo slecht uit. Niets zo gevaarlijk als iemand uit je eigen nest die probeert je eruit te gooien. Toch maar even dat alibi van hem checken.

Een spontane glimlach sierde Brackes lippen. Hij kon zich De Ceuleer met de beste wil van de wereld niet voorstellen als een ninja in het zwart, die met een kruisboog zijn gelijk kwam halen. Maar de gedachte was aanlokkelijk.

'Mag ik nog even je aandacht, Bracke?' kuchte de minister. Zijn vingers roffelden ongeduldig op de oude mahoniehouten tafel die betere tijden gekend had. Bracke kende niet veel van juwelen, maar de ringen aan de vingers van De Ceuleer moesten een fortuin gekost hebben.

'Ik ben geheel en al oor.' Bracke zette zijn meest verleidelijke glimlach op. Dat was althans de bedoeling, want hij merkte dat de lach snel tot een onhandige grijns verwaterde.

'Het gaat om een zaak van persoonlijk belang. Ik vraag je dit niet in je functie als commissaris, George.'

Hij buigt zich voorover, dacht Bracke. Nu wordt het pas link. Ik wist niet eens dat hij mijn voornaam kende.

'Iemand in mijn positie moet dubbel opletten voor zijn imago, zeker met de verkiezingen in het vooruitzicht. Niet alleen de media, maar ook de politieke vijanden liggen op de loer om met modder te gooien.'

'Om sommige leden van de eigen partij niet te vergeten', merkte Bracke fijntjes op. 'Ik kan me voorstellen dat de functies schaars zijn en dat sommigen bereid zijn ver te gaan.'

De minister nam zijn bril af en wreef in zijn ogen. Het was duidelijk dat ook hij de laatste tijd slecht geslapen had.

'Je slaat de spijker op de kop, Bracke. Mag ik dan ook op je discretie rekenen?'

Bracke maakte een aarzelend hoofdgebaar, dat wellicht een knikje moest voorstellen.

'Het gaat om deze dame.'

De Ceuleer schoof hem een foto toe. Bracke bekeek de afbeelding en floot tussen de tanden. De vrouw was ergens tussen de vijfendertig en veertig en bezat wat hij tijdloze klasse zou noemen. Ze was nauwelijks opgemaakt, maar haar gelaatsuitdrukking straalde warmte uit. Of ze een natuurlijke blondine was, viel te betwijfelen, al zei dat niets over haar persoonlijkheid. Wellicht de meerderheid van de vrouwen liet zich geregeld een ander kleurtje aanmeten.

'Inderdaad, een knappe verschijning. Dit is Sandra Breulet. Enkele jaren geleden was ze mijn poetsvrouw, ik denk tot beider tevredenheid. Toen nam ze ontslag, ik weet eerlijk gezegd niet meer waarom. Ik was haar vergeten, tot ze kort geleden opnieuw contact opnam.'

Bracke probeerde een geeuw te onderdrukken. Dit verhaal ging voorlopig nergens heen.

'Ze kwam op een dag zomaar mijn kantoor binnengestormd met de mededeling dat ze enkele maanden geleden bevallen was. Van ons kind.'

Dat was andere koek. Bracke donderde bijna van zijn stoel.

'Met de hand op het hart, George, dat is onmogelijk. Ik durf je op het hoofd van mijn kinderen te zweren dat ik nooit met juffrouw Breulet naar bed ben geweest. Ik heb haar zelfs niet eens aangeraakt.'

Hij keek Bracke recht in de ogen.

'Je moet me helpen, George. Ik heb geen flauw idee van haar bedoelingen. Probeert ze me te chanteren? Of is er iemand die me wil zwartmaken en die haar heeft omgekocht? Ik heb er echt het raden naar. Maar één ding is zeker: dit mag niet naar de buitenwereld uitlekken. Je weet hoe de mensen zullen redeneren.'

'Waar rook is, is vuur', zuchtte Bracke.

'Precies. Waren er geen verkiezingen geweest, dan had ik haar graag in het openbaar ontmaskerd. Maar nu zou de aandacht ongetwijfeld van onze campagne worden afgeleid. Stel je de koppen in de krant eens voor, zeker met die toestanden rond Deweert! Ik hoop dat je me gelooft, George. Ik kán gewoon de vader van dat kind niet zijn.'

Intussen zat Bracke koortsachtig na te denken. Ook al was de minister niet zijn meest favoriete persoon, hij geloofde hem. Maar aan de andere kant kon hij niet vatten wat die vrouw mocht bezielen.

'Heeft ze iets geëist? Geld, of een baan?'

De minister schudde het hoofd. Hij zag er ineens veel ouder uit.

'Helemaal niets. Ik wil dat je haar vindt, George. En haar voor eens en altijd van dat waanbeeld afhelpt dat ik de vader van haar kind ben. Als er een kind is, tenminste. Ik ben onmiddellijk bereid een DNA-test te ondergaan. Dat zal meteen alle twijfel uit de wereld helpen.'

Voor zover Bracke nog aan de woorden van de minister mocht twijfelen was hij nu helemaal overtuigd.

'Waar kan ik die vrouw vinden?'

De minister sloeg de handen pathetisch ten hemel.

'Weet ik het! Dat is net het probleem! Ik heb haar na haar ontslag nooit meer gezien en heb geen flauw idee waar ze ergens woont. Maar haar opsporen kan voor een commissaris toch niet moeilijk zijn?'

Bracke frutselde aan zijn oorlel. Enkel Annemie wist dat hij dat alleen maar deed als hij een gevoel van opstandigheid probeerde te onderdrukken.

'Het is natuurlijk wel zo dat we een moordaanslag te onderzoeken hebben', zei hij fijntjes.

'Wat uiteraard voorgaat', klonk de minister ogenschijnlijk grootmoedig. 'Ik bedoel alleen maar, je hebt tussendoor toch weleens vijf minuutjes tijd...'

Intussen zat Bracke te noteren. Hij constateerde dat hij zijn eigen handschrift amper kon lezen en keek sip. Sinds hij zijn rapporten met de computer maakte, schreef hij nog nauwelijks met de hand.

'Sandra Breulet, zei u. En ze werkte dus, hoe lang geleden, voor u?'

'Dat moet vier jaar geleden zijn, in de periode voor de vorige verkiezingen. Ongeveer tien maanden, schat ik. Hooguit een jaar.'

'Ik zal kijken wat ik kan doen.'

'Wil jij haar aan de tand voelen als je haar vindt, George? Je krijgt mijn zegen om deze zaak naar eigen goeddunken te regelen. Ik hoef die vrouw niet meer terug te zien.'

Ze wisselden een vage handdruk uit en Bracke stond in de gang. De lucht werd hem binnen wat te benauwd en dat kwam niet alleen door de stoffige omgeving.

*

Zondag 15 mei, 11.03 u.

Daar heb je het gedonder in de glazen, dacht suppoost Dolf Leneeuw. Hij zat rustig in *De Zondag* het artikel van Jean Buyle met het recept van bakker Aernout te lezen toen de meute politici binnenviel, eerste minister Jean-Luc Welckenraeth voorop. Het was in de aanloop naar de verkiezingen drukker dan anders, maar het gebeurde zelden dat de partijtop op zondagvoormiddag in de geliefkoosde vergaderruimte in conclaaf bijeen was. Meestal zaten ze dan in *De Zevende Dag* of, als het kon, gewoon thuis bij de familie.

De suppoost had niet naar het nieuws geluisterd en wist niets af van de aanslag op Deweert, voor zover het hem zou geïnteresseerd hebben. Als hij wat nauwkeuriger had gekeken, had hij wellicht gemerkt dat de senator in het gezelschap ontbrak, maar hij boog zich opnieuw over het recept. Amandelkoek met pindanootjes, dat kon alleen maar lekker zijn.

Binnen was het zenuwachtige geluid van schuivende stoelen en krakende schoenen te horen. Er was niet eens koffie. De premier verhief zijn stem. Krassend en scherp en iedereen luisterde. Buiten vloog een spreeuw over, krijsend omdat haar jong door een tram was overreden.

*

Zondag 15 mei, 11.14 u.

Van Aken maakte met zijn wijsvinger zijn das wat losser en slaakte een zucht van opluchting omdat de persconferentie bijna achter de rug was. De journalisten waren in groten getale komen opdagen voor wat ongetwijfeld het begin van een sappige zaak zou worden. Met de opkomende verkiezingskoorts was dit natuurlijk nieuws dat er bij het publiek zou ingaan als zoete koek. Alle zenders, kranten en tijdschriften draaiden achter de schermen op volle toeren om een grootscheeps mediaoffensief voor te bereiden.

De journalisten hadden dan ook heel wat vragen gesteld, maar snel ondervonden dat er nog nauwelijks of geen antwoorden voorhanden waren.

'Ik heb u alles verteld wat we op dit ogenblik weten', zei Van Aken welwillend. Zich bewust van de camera's lette hij erop dat hij steeds lachte, maar niet te nadrukkelijk. Hij had dit met een gedragspsycholoog keer op keer geoefend, tot hij het onder de knie had.

De persbijeenkomst liep ten einde en de journalisten haastten zich naar het broodjesbuffet. Van Aken had kort na zijn aanstelling besloten dat de pers weliswaar in de watten moest worden gelegd, maar ook weer niet té. Rijkelijke banketten scoorden goed bij een deel van de journalisten. Zij die hun werk op een professionele manier deden, namen er veeleer aanstoot aan. Een ruime keuze aan broodjes en niet langer stapels langoustines, gebraad en royale plakken ganzenlever, daar moesten ze het voortaan mee doen.

Net toen Van Aken zelf in een broodje kip met curry wou bijten, kwam Staelens buiten adem binnen. Stormvogel had blijkbaar gelopen en voor zoiets gebeurde, moest er al bijna een aardbeving plaatsvinden.

Staelens maakte een weinig subtiele hoofdknik in de hoop dat Van Aken hem naar buiten zou volgen. De politiechef legde het broodje terug en ging met Staelens mee de gang in. Uit zijn ooghoek zag hij dat enkel Sigiswald Steyaert, de sterreporter van de openbare omroep, het gemerkt had. Zijn collega Donald Mertens van de commerciële zender stond met zijn rug naar de deur en had voorlopig alleen aandacht voor de broodjes, die hij duidelijk een voor een allemaal wou uitproberen.

Van Aken volgde Staelens naar het dichtstbijzijnde vrije kantoor. Stormvogel stak nahijgend meteen van wal.

'Stront aan de knikker, chef. Er is net een ontploffing geweest in het hoofdkwartier van de Nationaal Vlaamse Partij op het Fratersplein.'

Van Aken, voor de buitenwereld altijd de kalmte in eigen persoon, kon een vloek niet onderdrukken.

'Hoe erg is het? Ik bedoel, zijn er slachtoffers?'

Staelens stak de handen op, alsof hij wou aangeven dat hij er verder niets mee te maken had.

'Volgens de eerste berichten gaat het om een lichte explosie met alleen wat materiële schade. De jas van voorzitter Frans Vandenbegin is blijkbaar beschadigd: het suède pronkstuk mag naar de prullenmand. Hij diende meteen klacht tegen onbekenden in. Hassim is met een patrouille op onderzoek gegaan.'

Zelfs droogstoppel Van Aken zag er de humor van in. De enige allochtoon onder de officieren die naar het hoofdkwartier van de NVP trok, dat was zoiets als Daniël op bezoek in de leeuwenkuil. Maar Hassim deinsde er niet voor terug om zijn hoofd in de muil van de leeuw te steken.

De gsm van de politiechef rinkelde. De standaardbeltoon irriteerde hem allang, maar hij wist niet hoe hij die kon veranderen. En hij was te koppig om hulp in te roepen.

'Ja, Cornelis?'

'Nog meer heibel in de stad', zei de commissaris op de hem kenschetsende lijzige, klaarblijkelijk wat ongeïnteresseerde toon, waarmee hij Van Aken het bloed onder de nagels vandaan kon halen. 'Enkele minuten geleden werd bij het hoofdkwartier van de socialisten een rookbom naar binnen gegooid. Het ambulancepersoneel is intussen ter plaatse en twee bedienden werden voor alle zekerheid naar het ziekenhuis gebracht.'

Van Aken sloeg vertwijfeld de handen voor het hoofd. Maar het duurde amper een paar seconden voor hij zichzelf weer onder controle had. Prompt belde hij naar Annemie, die in de conferentiezaal met de journalisten stond na te praten.

'Annemie? Onmiddellijk naar mijn kantoor komen. En o ja, vraag de journalisten om nog vijf minuten te wachten. Zeg dat ik groot nieuws voor ze heb.'

Daar hadden de persjongens wel oren naar. Ze keken Annemie nieuwsgierig na toen ze de zaal verliet en het geroezemoes nam meteen hallucinante vormen aan. Intussen gingen de broodjes goed van de hand.

In korte, zakelijke bewoordingen vertelde Van Aken Annemie over de twee aanslagen. Op zulke momenten was hij op zijn best. Geen overbodige franjes, recht op het doel af en zeggen waar het op stond. Hij was een man met weinig verbeeldingskracht en zocht dan ook niet naar omfloerste woorden om een situatie te omschrijven.

'Laat mij het woord voeren', zei hij en hij snelde terug naar de conferentiezaal. Annemie moest bijna hollen om hem te kunnen bijbenen.

'Vrienden van de pers, excuseer me dat ik jullie even heb laten wachten, maar er is nieuws. Of het iets met de zaak-Deweert te maken heeft, kan ik op dit ogenblik nog niet vertellen, maar het voorbije halfuur zijn er aanslagen geweest op zowel het hoofdkwartier van de NVP als van de socialistische partij.'

Meteen begonnen de journalisten door elkaar heen vragen te roepen. Van Aken hief zijn hand op om iedereen het zwijgen op te leggen.

'Momenteel is een ploeg ter plaatse beide aanslagen aan het onderzoeken. Het spreekt vanzelf dat we u onmiddellijk op de hoogte brengen als er verder nieuws is. Mag ik u allemaal danken voor uw aanwezigheid?'

Annemie merkte dat Steyaert niet meer te zien was. Ze wist dat de openbare omroep over een uitgebreid net van betrouwbare informanten beschikte en wellicht waren de feiten van de ontploffing en de rookbom hem intussen al bekend.

De journalisten konden de zaal niet snel genoeg verlaten. De meeste reporters hingen intussen aan de lijn om met hun redacties te overleggen. Annemie wou hetzelfde doen met haar chef, maar die had haast.

'Ik bel je zodra er nieuwe ontwikkelingen zijn.'

Algauw bleef Annemie als enige in de zaal over. Ze vocht even tegen de neiging om op te ruimen maar kwam dan tot de conclusie dat ze haar tijd nuttiger kon gebruiken.

*

Zondag 15 mei, 11.30 u.

Met enige weemoed dacht Hassim eraan dat zijn familie nu bijna rond de dis zat. Samen eten was heilig ten huize Hassim en op zondag kwamen zijn ouders meestal langs. Maar ze begrepen dat zijn werk voorging en hun openlijke trots betekende heel veel voor hem.

Routineus controleerde hij de werkzaamheden op het Fratersplein. Drie strategisch geplaatste combi's zorgden ervoor dat niemand nog door kon. De inspecteurs hadden net met twee ziekenbroeders op de hielen het gebouw doorzocht, blijkbaar zonder veel resultaat want ze stonden nu op de stoep met elkaar te kletsen. De voordeur was met een breekijzer geforceerd en een van de kantoren had duidelijk een paar stevige klappen gekregen.

Al bij al viel de materiële schade mee en volgens voorzitter Vandenbegin was er op het ogenblik van de ontploffing niemand aanwezig geweest. Toch drong hij erop aan om zo snel mogelijk een inventaris van de schade op te maken. Zelf zat hij nog het meeste in met zijn lederen jas, die in het kantoor hing.

'Een geschenk van mijn vrouw', jammerde hij en Hassim zuchtte. Hij wist dat mevrouw Vandenbegin vorig jaar aan botkanker overleden was en dat wenste hij zelfs zijn ergste vijanden niet toe. Ook al had ze zich in het verleden meermaals op ronduit racistische uitspraken laten betrappen en was ze ooit door de rechtbank tot een voorwaardelijke gevangenisstraf veroordeeld.

'Dat is een kwestie voor de verzekering', zei Hassim met een uitgestreken gezicht. Hij herinnerde zich Vandenbegin maar al te goed uit zijn eigen jeugdjaren, toen hij met een migrantenbende in de buurt een aantal kruimeldiefstallen had gepleegd. Vandenbegin had geen gelegenheid laten voorbijgaan om klacht tegen onbekenden in te dienen, maar Hassim was nooit gesnapt.

Vandenbegin keek Hassim schattend aan. Hij merkte uiteraard dat de inspecteur van allochtone afkomst was, maar besloot daar niet op in te gaan. Als advocaat en parlementslid moest hij de schijn ophouden, zeker nu de partij besloten had om met het oog op alweer een goede verkiezingsuitslag de scherpe kantjes wat af te vijlen.

'U zei, inspecteur?'

'Gewoon, dat dit een zaak voor de verzekering is. Onze taak hier bestaat erin te kijken of er geen slachtoffers zijn en een eerste onderzoek naar de oorzaak van de ontploffing uit te voeren. De technische ploeg komt over enkele minuten ter plaatse voor een grondige analyse. Wij kunnen voorlopig niet meer doen dan nieuwsgierigen op een afstand houden.'

Vandenbegin knikte. Hij moest toegeven dat de inspecteur niets te verwijten viel.

'Dank u voor uw medewerking, inspecteur...'

Abdel rechtte de rug en keek Vandenbegin recht in de ogen. In de blik van de advocaat was enige twijfel te lezen.

'Hassim. Abdel Hassim.'

Hij tastte in zijn zak en overhandigde Vandenbegin een naamkaartje. Deze keek er met duidelijke interesse naar, als wou hij de gegevens meteen in zijn geheugen prenten.

Hij begint te twijfelen, dacht Hassim geamuseerd. Hij vermoedt dat hij me ergens van kent, maar hij kan het niet nader thuisbrengen.

Het was dan ook allang geleden en Hassim zag er toen nog behoorlijk mollig uit. Nu zag hij er precies het tegenovergestelde uit. Vandenbegin woog minstens 120 kg en toch kon Hassim, als hij dat werkelijk wou, hem met één goedgemikte vuistslag tegen de grond laten gaan.

Zijn gsm rinkelde. Een oproep van thuis, zag hij. Vandenbegin stond intussen ook al met zijn woordvoerder te bellen.

'Met Hassim', zei de inspecteur, die er een erezaak van maakte in het openbaar Nederlands te spreken, al was het met zijn eigen vrouw. Zeker in het bijzijn van Vandenbegin. Die was in staat een rel te ontketenen wanneer Hassim tijdens de uitoefening van zijn ambt een andere taal zou gebruiken. Het Arabisch reserveerde Hassim dan ook voor de slaapkamer en gaandeweg had die taal voor hem een erotische klank gekregen. Hij citeerde graag uit oude Oosterse sprookjes en dan haalde zijn vrouw haar sluier boven.

'Alles goed? Ik wou alleen even je stem horen', zei Aisha. Haar stem klonk fris als een nachtegaal. Hij sloot even zijn ogen en kon haar zo voor de geest halen. Ruikend naar lavendel en rozenwater, stevig van gebeente maar toch niet gezet.

'Dat is fijn', lachte hij. 'Hier is alles onder controle. Ik kom naar huis zodra ik kan.'

Vandenbegin was bezig met een heel wat minder lieflijk gesprek. Hij foeterde in zijn mobieltje op zijn persmedewerker die blijkbaar traag van begrip was.

'Dat communiqué moet zo snel mogelijk buiten! Nu onmiddellijk, Jaak!' Met een verbeten trek om de mond verbrak hij de verbinding en keek Hassim grimmig aan.

'Nog iets, inspecteur?'

Langzaam ontspande de politicus zich. Zijn gelaatstrekken werden zachter en er kon zowaar het begin van een glimlach af. Dezelfde glimlach waarmee hij tijdens talloze buurtvergaderingen de plaatselijke bevolking voor zich had weten te winnen. Een wolf in schaapskleren, wist Hassim. Maar hij moest Vandenbegin nageven dat hij zich al die jaren tenminste tussen de mensen had gemengd om naar hun grieven te luisteren, terwijl de traditionele partijen door afwezigheid uitblonken. Inspanningen die vruchten afwierpen, want de voorbije jaren was de extreem rechtse partij electoraal slapend rijk geworden.

Hassim haalde opgelucht adem. Hij herkende de wagen van Johan Dullemond, de explosie-expert van de technische ploeg. Dullemond kwam met uitgestrekte hand op hem af en kreeg meteen een eerste verslag van de gebeurtenissen. Hij keurde Vandenbegin nauwelijks een blik waardig. De advocaat deed alsof hij het niet gemerkt had en stak een havanna op.

Dullemond was hooguit vijf minuten binnen. Hij had snel zijn conclusie klaar.

'Het werk van een amateur. Ik vond scherven van een zelfgemaakte bom, maar hij heeft minderwaardige springstof gebruikt. En het moest waarschijnlijk snel gaan. Volgens mij is de bom lukraak naar binnen gegooid en de ijzeren archiefkasten hebben de klap grotendeels opgevangen. En nog iets: ik kan je wellicht het exacte tijdstip van de ontploffing geven. Ik heb een klok gevonden die door de klap is blijven stilstaan op 11.01 u.'

'Ook de inbraak gebeurde niet bepaald professioneel.' Hassim wees naar de gekraakte deur. 'Al moet je natuurlijk wel lef hebben om dat op klaarlichte dag te doen.'

'U zou uw sloten beter door degelijk materiaal laten vervangen, meneer Vandenbegin', zei Dullemond droog, zonder de advocaat aan te kijken. Hassim wist waarom. De expert was met een Tunesische getrouwd en had het niet zo voor de NVP. Zeker niet nadat hij op een avond door aanhangers van de partij was lastig gevallen, terwijl hij alleen maar met zijn vrouw aan het wandelen was.

'Ik zal er zeker aan denken', knikte Vandenbegin waarderend. 'Bedankt voor de tip.'

'Ik analyseer de bom verder in het lab en geef je zo snel mogelijk mijn bevindingen door', zei hij tegen Hassim. De inspecteur kreeg een schouderklopje en weg was Dullemond.

Ook Hassim nam sec afscheid van de extreem rechtse politicus, zonder Vandenbegin reden tot ergernis te geven. In de wagen hoorde hij een extra nieuwsflash waarin de woordvoerder van de NVP, Jaak Kint, met overslaande stem sprak over de enorme schade die de ontploffing in het hoofdkwartier had aangericht. Hij eiste meteen een grondig onderzoek van het parket en beloofde dat zijn partij de zaak op de voet zou volgen.

'We zullen zelf een expert aanstellen die een bijkomend onderzoek zal uitvoeren', liet de woordvoerder dreigend weten.

Hassim reed naar de Savaanstraat, waar het provinciale zenuwcentrum van de socialistische partij zich bevond. Blijkbaar viel ook daar de schade nogal mee, want de technische ploeg was net aan het afsluiten.

Inspecteur Filip Dumont bracht Hassim snel op de hoogte.

'Een klein rookbommetje, meer niet. Het zal hier nog wel enkele dagen stinken', glimlachte hij minzaam. 'Er waren drie personen aanwezig en twee zijn voor alle zekerheid met de ziekenwagen mee. Ha, daar hebben we nummer drie.'

Een man in een verfomfaaid pak kwam duidelijk aangeslagen op de inspecteurs af.

'Robert Detaeye', stelde hij zichzelf voor. 'Staatssecretaris van Economische Zaken.' Overbodig, want Hassim kende zijn politici, ook al had hij er geen hoge dunk van.

'Kunt u me zeggen wat er precies gebeurd is?'

Detaeye haalde de schouders op.

'Het ging allemaal erg snel. We zaten in de vergaderzaal te werken aan de teksten voor ons ledentijdschrift, toen we het geluid van brekend glas hoorden. Een paar ogenblikken later was het hele gebouw met rook gevuld. Ik kan u het precieze tijdstip geven: 11.14 u. Ik weet dat omdat ik de reflex had op mijn horloge te kijken.'

Hassim beëindigde zijn notities en stak zijn boekje op zak.

'Bedankt voor uw verklaring, meneer Detaeye. Wilt u me nu excuseren, want ik moet dringend terug naar het hoofdkwartier', zei Hassim gehaast. Hij zag op het schermpje van zijn gsm dat Van Aken geprobeerd had hem te bellen, hongerig naar verder nieuws.

Op het bureau heerste een drukke bedrijvigheid. Hassim passeerde Annemie, die hem in gedachten verzonken voorbijliep. Haar telefoon rinkelde en ze antwoordde in het Frans. Hij bleef even staan om stiekem haar keurig taalgebruik te bewonderen.

Staelens stond in de deuropening en lachte toen hij merkte dat Hassim Annemie aanstaarde.

'Droom er maar niet van...'

Hassim wist zichzelf geen houding te geven en liep dan maar met grote passen voort door de gang.

*

Zondag 15 mei, 13.45 u.

De ploeg die de zaak-Deweert onderzocht, deed zich te goed aan de broodjes die na de persconferentie overgebleven waren. Van Aken glunderde terwijl hij zijn troepen overschouwde. Hij voelde zich als een vis in het water. Om zichzelf een houding te geven, poetste hij zijn brillenglazen op, maar intussen dacht hij diep na. Blijkbaar had hij een ingeving, want hij begon in zijn papieren te zoeken.

'Ga zitten, Cornelis', zei hij tot de commissaris die eindelijk zijn opwachting maakte. 'Waar zat je al die tijd?'

Cornelis verkoos niet te antwoorden. Hij hield er niet van achter de vodden gezeten te worden. Hij had Van Aken per telefoon al op de hoogte gebracht van het feit dat Lentz het wapen op de foto als een Barnett-kruisboog herkend had en dat had hij eerst allemaal keurig uitgetikt. Van Aken kreeg een dossier in de handen gestopt waarin alle details vermeld stonden.

'Voor mij geen broodjes meer, ik heb mijn lunchpauze al gehad. En nuttig gebruikt', voegde Cornelis er geheimzinnig aan toe. Hij wachtte tot hij de aandacht had van iedereen, maar dat leek niet echt te lukken. Bracke was aan het kletsen met Geert Vernaeve, een van de veelbelovende jonge inspecteurs die van het Brusselse korps was overgekomen en die een goede malt wist te appreciëren. Ze hadden alvast een afspraak gemaakt om tijdens het weekend met de echtgenotes in Bobs club op het Sint-Baafsplein op verdere exploratie te gaan.

Alleen Van Aken toonde zich nieuwsgierig.

'Wat bedoel je, André?'

Cornelis glunderde. Dan toch iemand die belangstelling voor zijn werk had.

'Ik heb een slaatje genuttigd in De Avonden, dat eethuisje op de Ham waar het personeel van de liberalen vaak een hapje komt eten. Best interessante mensen moet ik zeggen, vooral de vrouwen.'

Nu toonden de aanwezige inspecteurs zich wel geïnteresseerd. Cornelis deed alsof hij het niet merkte en wachtte geduldig tot het helemaal stil werd.

'Die Deweert doet flink zijn best bij de dames. Een van de juffrouwen had blijkbaar nog maar recent iets met hem gehad, al was ze niet bepaald onder de indruk van wat hem overkomen is. Uit de gesprekken kon ik afleiden dat Deweert weleens vaker avontuurtjes met zijn vrouwelijk personeel beleefde. Maar zoals een van de meisjes bij een ijsje lachend zei, veel had het allemaal niet om het lijf.'

Van Aken zag er ineens erg treurig uit. Hij had geen flauw idee waar het in deze zaak om ging. Hij besloot het dan maar over een andere boeg te gooien.

'Abdel, graag jouw verslag van de aanslagen bij de socialisten en de NVP.'

Bracke merkte tot zijn genoegen dat Hassim zijn terughoudendheid om voor een publiek te spreken overwonnen had. De inspecteur zou wellicht nooit een tafelspringer worden, maar trok zich al aardig uit de slag. Hij schetste kort zijn indrukken en de bevindingen van de technische ploeg.

'Het is nog even wachten op alle details van het lab, maar het gaat dus om twee aanslagen zonder grote gevolgen', vatte Van Aken overbodig nog eens het betoog van Hassim samen. 'Meteen komen bij mij spontaan twee vragen op. Primo, werden de aanslagen door dezelfde persoon of personen uitgevoerd? En secundo, hebben deze aanslagen iets te maken met de zaak-Deweert?'

'Vraag één is allicht het snelst te beantwoorden', dacht Cornelis hardop na. 'Even kijken naar het tijdsverloop... De rookbom werd bij de bruine jongens om 11.01 u. binnengegooid en het bommetje bij de socialisten ontplofte dertien minuten later. Beide lokaties liggen enkele honderden meters uit elkaar. Het is krap, maar best haalbaar voor een sportief iemand. En als je me nu wilt excuseren, ik heb nog een dringende afspraak.'

'O ja, jij had vandaag eigenlijk vrij', realiseerde Van Aken zich. 'Die vrije dag moet dan maar een andere keer.'

Stormvogel keek Cornelis met een ijzige blik aan. Dat de commissaris de voorbije weken samen met Europol had meegewerkt aan een grootscheeps internationaal onderzoek naar drugssmokkel en dus heel wat overuren had, leek hij gemakshalve te vergeten.

'Wat denk jij, George?' wilde Van Aken weten.

Bracke had nog niets gezegd. Hij wist ook niet meteen iets zinnigs te bedenken. Hij krabde nadenkend aan zijn kin en haalde uiteindelijk de schouders op.

'Sorry, chef. Ik moet voorlopig passen.'

Van Aken luisterde al niet meer. Hij was druk aan het overleggen met de vier inspecteurs die hij de opdracht had gegeven om de piste van de politieke afrekening verder uit te spitten. Hij gaf korte bevelen die niets aan duidelijkheid overlieten en de inspecteurs verlieten strijdlustig de vergaderzaal.

'Niemand heeft hier nog iets aan toe te voegen? Vooruit dan maar, iedereen weet wat hem te doen staat.'

*

Zondag 15 mei, 14.41 u.

Een plezierbootje van rederij Gandia tufte in een gezapig tempo over de Gentse binnenwateren. Aan het stuur zat eigenaar Roger Swerts maar wat voor zich uit te geeuwen. Op deze winderige dag werden niet veel eendagstoeristen verwacht om de stad vanuit een ander gezichtspunt te bekijken. In zijn boot bevond zich een handvol Duitsers, die na een bezoek aan De Dulle Griet al bezopen waren. Dat beloofde voor het verdere verloop van de dag. De dikste, een kerel die tijdens de zatte conversatie zichzelf '*der Willy*' noemde, had de mond vol over het zwaarste bier dat hij ooit had gedronken. Drie glazen zelfs en hij werd het niet eens gewaar, lalde hij. Al kon hij zich de naam niet meer herinneren.

Een klein beetje schommelen in een bocht en die dikkerd gaat overboord, dacht Swerts met een heimelijk binnenpretje. Maar zijn mond bleef automatisch voortpraten. Voor de grap zei hij dat het Gravensteen uit de zeventiende eeuw dateerde en tijdens de Tweede Wereldoorlog een luxebordeel was geweest, maar niet een van zijn passagiers keek vreemd op.

Swerts blikte op zijn horloge. Nog niet eens drie uur en hij verveelde zich nu al stierlijk.

Een passagier stelde hem tweemaal dezelfde vraag en gaf het uiteindelijk op, murw van het bier. Ze werden om 18 uur verwacht in restaurant Basile en hadden het bootje alleen maar genomen om de tijd te doden.

Niemand had ook maar enige belangstelling en dat was jammer. Hadden ze wel opgelet, dan hadden ze wellicht het topje van het zwarte plastic pak gezien dat in een duister hoekje onder de brug van de Ketelvest net boven het water uitstak. In de zak zat, samen met enkele stenen, een kruisboog, die de speurders op dat ogenblik bijzonder interesseerde. Het geheel zakte langzaam verder weg in de modder van de binnenwateren.

'Hier eindigt onze tocht', onderdrukte Swerts nog net de zoveelste geeuw. 'Vergeet de gids niet.'

Automatisch tikte hij bij elke passagier die afstapte, even tegen zijn pet, een gebaar dat wellicht ooit op respect had geduid maar nu totaal inhoudsloos was geworden.

Der Willy kon amper nog op zijn benen staan. Hij zette zwalpend zijn voet voor zich uit om weer op vaste grond te staan en ging boerend door zijn knieën. Zijn linkerbeen belandde tot aan de enkel in het water en het was aan een snelle reactie van Swerts te danken dat hij niet helemaal kopje-onder ging. Het gezelschap had niets van het tafereel gemerkt en stond voor de etalage van een kantwinkeltje te tateren.

'*Danke schön*', stamelde Willy, die lijkbleek geworden was. Hij tastte bevend in zijn zak en haalde er een bankbiljet uit dat hij Swerts toestopte. Vervolgens zwalpte hij achter zijn landgenoten aan.

Tot zijn verbazing zag Swerts dat hij honderd euro had gekregen.

6.

Zondag 15 mei, 15.16 u.

In de zaal hing het gebruikelijke geroezemoes van een opeengepakte menigte die te lang had moeten zitten wachten om nog enthousiast te kunnen zijn. Blijkbaar scheelde er wat met de airco, want de temperatuur leek met de minuut te stijgen.

Nog vijf minuten en dan begon het langverwachte colloquium 'Mensenrechten, democratie en culturele verscheidenheid'. Op elke stoel had een programma gelegen, dat nu voornamelijk door de aanwezigen werd gebruikt om zichzelf in de veel te benauwde ruimte koelte toe te wuiven.

Commissaris André Cornelis keek verveeld op zijn horloge, een geschenk van Bart voor hun vijfjarig samenzijn. Hij kende de bijeenkomsten van de loge en wist dat ze altijd stipt begonnen, een ingesteldheid die hij alleen maar kon waarderen. Zweet lekte langs zijn voorhoofd en hij voelde zijn hemd aan zijn rug kleven.

De timing van de verschillende toespraken werd strak aangehouden. Wat gezegd werd, was op ethisch vlak weliswaar belangrijk maar de aanwezigen kwamen vooral voor de babbel en het drankje achteraf.

Toen was het de beurt aan Godfried Danneels. De kardinaal had de uitdaging om te spreken in dit bolwerk van de vrijmetselaars met beide handen aangenomen en Cornelis was benieuwd wat de man, die als kandidaat-paus werd getipt, over dit thema te vertellen had. De commissaris wist van de Grootmeester Nationaal Jacky Goris dat het eigenlijke thema de rol van de islam zou zijn en hij wilde graag het standpunt van zijn logegenoten kennen.

Kardinaal Danneels sprak sereen en doordacht, zoals Cornelis had verwacht. Er steeg dan ook een terecht applaus op toen de kardinaal zichtbaar tevreden over het aandachtige publiek het spreekgestoelte verliet. Verscheidene sprekers wezen vervolgens op de nood aan een meer Europees geïnspireerde islam, die openstond voor de ideeën van de Verlichting.

De grootmeester kwam de eer toe het slotwoord te plaatsen. Cornelis luisterde graag naar hem, want hij verwoordde op elegante wijze wat zovelen dachten.

'Naar mijn aanvoelen is de multiculturele samenleving als maatschappelijk project een stadium dat zijn doel gemist heeft. De realiteit is anders: verschillende fracties van onze samenleving leven naast en niet met elkaar, wat bijna neerkomt op een geïnstitutionaliseerde vorm van apartheid. We moeten naar een interculturele samenleving, waarbij de verschillende culturen met elkaar vervlochten raken en elkaar blijvend bevruchten. Dat bereik je niet door één keer per jaar de traditionele couscousavond te organiseren.'

Wijze woorden, dacht Cornelis. Hij merkte het maar al te goed binnen het korps. Waarschijnlijk vond je gemiddeld het grootste aantal racisten bij de flikken. En de couscous van Abdels echtgenote was nochtans overheerlijk, dat had ze op de laatste opendeurdag nog gedemonstreerd. Zelfs Daeninck, wellicht de grootste xenofoob van het korps, had zijn intussen behoorlijk ontzagwekkende pens danig volgevreten.

'Deze maatschappelijke uitdaging is zodanig groot dat we ze niet uit de weg kunnen en mogen gaan', vervolgde de Grootmeester. 'We moeten dringend opnieuw naar elkaar leren luisteren. Het onderwijs is hierbij van primordiaal belang. We moeten komaf maken met het systeem van de concentratiescholen, dat de maatschappelijke integratie tegenwerkt. Hoe we dat kunnen doen, is mij momenteel eerlijk gezegd ook nog niet duidelijk. Kunnen we zogenaamde witte scholen verplichten een bepaald aantal migrantenkinderen toe te laten? Of komt de vrijheid van onderwijs dan in het gedrang?'

Cornelis volgde aandachtig de redenering van de Grootmeester. Grootmeester Nationaal van het Grootoosten van België, zoals de functie officieel heette. Een mondvol en hij kon zich niet voorstellen dat de Grootmeester dat ook zo op zijn visitekaartje liet zetten.

Kwatongen beweerden dat hij lid van de loge was geworden omdat vrouwen daar niet welkom waren. Al was dat de laatste tijd wel enigszins veranderd. Vrouwen waren voortaan welkom in maçonnieke kringen, al konden ze nog altijd niet worden ingewijd[6]. Hij was destijds voorgedragen door een goede vriend van zijn vader, een rijke industrieel uit de Brusselse bourgeoisie die hem als leerling had geïntroduceerd. Als jonge inspecteur had hij moeten dulden dat zijn doopceel werd gelicht. Even had hij gevreesd dat zijn geaardheid roet in het eten zou gooien, maar hij leerde snel dat de loge bestond uit een bont allegaartje uit alle milieus en overtuigingen.

'Meneer Cornelis? André?'

Cornelis schrok uit zijn gedachten op en voelde zich betrapt omdat hij de redevoering van Jacky Goris niet verder had gevolgd. Hij keek recht in het blozende gezicht van Joris Denul, een leraar zedenleer die hij ooit in een *gay* sauna had ontmoet toen zijn relatie met Bart in een dalletje zat. Een avond waaraan hij liever niet werd herinnerd, want hij was behoorlijk dronken geweest en had onderweg een verkeersbord geramd. En telkens als hij Denul terugzag, voelde hij zich schuldig tegenover Bart, ook al was er niets gebeurd. Hij had het Bart nooit verteld. Wat niet weet, niet deert.

De commissaris overwoog de leraar te negeren, maar dat was onmogelijk omdat ze zo dicht bij elkaar zaten. Hij kon proberen om meteen na de rede van de Grootmeester weg te glippen, maar veel aanwezigen hadden al te kennen gegeven even met hem te willen praten. En aan de zenuwachtige blikken van Denul te oordelen, was hij een van hen.

De laatste woorden van Jacky Goris gingen verloren in een steeds aanzwellend applaus, niet in het minst van de kardinaal, die goedkeurend knikte dat hij het grotendeels met de redevoering eens was. De Grootmeester hief bescheiden één hand ten hemel, als wou hij aangeven dat al die bijval toch wel overdreven was.

'Ik hoop dat we met zijn allen nog kunnen nakaarten over dit boeiende thema dat ieder van ons ongetwijfeld beroert. Mag ik u dan ook vragen om samen het glas te heffen en verder te verbroederen?'

Dat werd onderhand tijd, vond Cornelis. Van al dat ingespannen luisteren had hij dorst gekregen. Hij was de eerste aan de bar en bestelde in een opwelling een Duvel, die hij in één teug naar binnen goot. Kwestie van het eens te proberen, want hij dronk niet graag bier. De koppige drank steeg naar zijn hoofd en hij begreep niet wat mensen daar nu zo lekker aan vonden. Had hij maar een jenever besteld, liefst een korenwijn van Braeckman. Onder impuls van de manie van Bracke voor maltwhisky was hij zelf het jeneverpad gaan verkennen en had al heel wat aangename ontdekkingen gedaan.

Zoals hij gevreesd had, kwam Joris Denul hem meteen opzoeken. Cornelis probeerde nog te doen alsof hij in een interessant gesprek met een van de aanwezigen gewikkeld was, maar Denul stapte lachend op hem af.

'Dag commissaris!' knipoogde hij, alsof hij wilde zeggen dat hun kleine geheimpje bij hem veilig was.

Cornelis wachtte gelaten op wat zou komen. Hij kon niet geloven dat de leraar het in het publiek over hun ontmoeting in de *dark room* wou hebben. De loge mocht dan nog een vrijgevochten plek zijn, dat was er net iets over. En voor zover hij zich kon herinneren was de leraar zedenleer keurig getrouwd met een oud-leerlinge, die hij tijdens een uit de hand gelopen retraiteweekend bezwangerd had.

'Dag meneer Denul. Wat kan ik voor u doen?' antwoordde hij met een al even brede, gemaakte glimlach. Om zichzelf een houding te geven nam hij nog een Duvel van het volle dienblad waar een van de obers mee rondliep en verslikte zich in de bittere schuimkraag.

'Dan nog liever een van die malts van Bracke', bromde hij binnensmonds. Hij had zijn maag al vol van de eerste en besefte dat hij dit glas nooit leeg zou krijgen.

'Ik weet dat u hier niet in functie bent, maar ik wou u toch even spreken over een zaak die u aanbelangt', zei Denul cryptisch. 'Als u even tijd voor me heeft tenminste.'

Die woorden maakten de flik in Cornelis wakker. Hij wenkte Denul discreet hem te volgen naar een van de zijvertrekken, waar ze rustig zouden kunnen praten. Denul volgde hem op de voet en Cornelis kon zijn blik voelen branden.

'Zeg het eens, Joris', zei hij op beredeneerd amicale toon. Hoezeer hij de leraar ook verafschuwde, het was nergens voor nodig hem tegen zich in het harnas te jagen.

Ook Denul liet de beleefdheidsvorm vallen en schakelde over op een joviaal toontje. Net iets te snel om gemeend te zijn en Cornelis was op zijn hoede.

'Ik veronderstel dat jij bezig bent met die aanslag op Raymond Deweert? Dan kan ik je misschien helpen.'

Cornelis kon niet ontkennen dat zijn aandacht gewekt was. Ook al klotste die anderhalve Duvel verraderlijk rond in zijn maag. Hij kreeg er een zure smaak van in de mond.

'In welke zin, Joris?'

Cornelis klonk nu poeslief. Het stadium waarin hij het gevaarlijkst was. Joris Denul keek voor alle zekerheid nog eens de gang in of niemand hen afluisterde.

'Deweert behoort ook tot de loge', fluisterde hij.

Daar keek Cornelis niet van op. Het Grootoosten van België telde ongeveer negenduizend mannelijke vrijmetselaars, verdeeld over honderd en zes loges, verspreid over het hele land en hij kon ze niet allemaal kennen. Zelf maakte hij deel uit van *l'Age d'Or*, een Brusselse loge die elke tweede en vierde donderdag van de maand samenkwam. Maar het was intussen alweer bijna een jaar geleden dat hij nog een zitting had bijgewoond.

'Deweert is lid van de Gentse loge *Tradition et Solidarité*', vertelde Denul op een gewichtige toon, alsof hij een groot geheim meedeelde.

Cornelis haalde de schouders op. Hij wist dat hoofdcommissaris Verlinden ook tot die loge behoorde.

'Nou en? Dat is toch niet wettelijk verboden?'

Denul keek de commissaris verbaasd aan. Hij had gedacht dat zijn woorden meer weerklank zouden vinden.

'Wellicht heb je weinig contact met de leden van die orde. Er maken heel wat politici en zakenlui deel van uit. Om er maar één te noemen, Jean-Marc Glorieux zwaait daar al sinds lang de scepter. En het is een publiek geheim dat het tussen die twee de laatste tijd niet bepaald goed botert.'

Tegen wil en dank moest Cornelis toegeven dat dit niet oninteressant klonk.

'Je hebt mijn aandacht. Ga verder.'

'In tegenstelling tot jou heb ik blijkbaar wél af en toe contact met andere loges', klonk Denul bepaald treiterig. Hij merkte dat hij een gevoelige snaar geraakt had en besloot het over een andere boeg te gooien. 'Maar jij hebt het natuurlijk druk met je baan', zei hij welwillend.

Cornelis wachtte geduldig tot de aap uit de mouw kwam. Uiteindelijk gunde hij Denul zijn moment van glorie wel.

'Gisteren nog praatte ik toevallig met enkele gezellen uit die loge, die ook in het onderwijs zitten. We hadden ons jaarlijkse congres van leerkrachten zedenleer en die bijeenkomsten dreigen in opperste verveling te vervallen. Maar wij hebben intussen een harde kern gevormd, die na de obligate openingsrede van de inspecteur vakkundig wegsluipen en het in een café in de buurt op een zuipen zetten.'

Dat kon Cornelis best geloven. Denul kon er aardig mee om. Hij dronk speciaalbieren alsof het water was.

'Van het ene woord komt het andere en een van de leerkrachten vroeg me of ik Deweert kende. De eerlijkheid gebood mij te zeggen van ja. Ik heb enkele jaren geleden via Deweert geprobeerd mijn vaste benoeming af te dwingen, maar die rotzak lachte me in mijn gezicht uit. Uiteindelijk ben ik via een politicus van de socialistische partij wel benoemd geraakt, dus veel kon het me eigenlijk niet schelen.'

'Ter zake graag', kuchte Cornelis. Hij haatte het op zondag te moeten werken, zeker omdat hij een uitstapje met Bart had gepland. De afdaling van de Lesse zou voor een andere keer zijn.

Denul was duidelijk van plan er zijn tijd voor te nemen. Hij rekte zich eens heerlijk uit en begon tergend langzaam te geeuwen. De trappist begon zijn werk te doen.

'Rustig maar, André. Het is vandaag zondag, nietwaar.'

Cornelis drukte zijn nagels in zijn handpalmen. Hij had veel zin dat stukje leraar eens flink door elkaar te schudden.

'Ik weet niet of je al eens een troepje leraars bij elkaar gezien hebt, maar die zijn nog erger dan een stelletje viswijven', grinnikte Denul.

'Eens de naam Deweert was gevallen, was er geen houden meer aan. Allemaal kenden ze wel een of ander straf verhaal, het ene al waanzinniger dan het andere. Ik besteedde daar dan ook weinig aandacht aan, maar er was toch één leraar die volgens mij niet zomaar wat uit zijn nek kletste.'

Het bleef opnieuw stil. Cornelis kende Denul als een tweederangsacteur bij een plaatselijk kluchtgezelschap en begreep dat hij probeerde de spanning op te bouwen. Wat de commissaris nu vooral niet mocht doen was ongeduldig reageren, want daar zou Denul alleen maar op kicken.

'Het was een leraar uit Kermt, als ik me niet vergis. Dat ligt vlak bij Hasselt', zei Denul overbodig. Wat de aardrijkskunde van België betrof, was Cornelis een wandelende encyclopedie. In zijn jonge jaren had hij als vennoot in de meubelfabriek van zijn vader het land doorreisd om het vak te leren, tot hij radicaal met zijn familie had gebroken.

Denul dacht theatraal diep na.

'Ene Cretskens, geloof ik, Willy of zo. Ja, dat geheugen van me is nog best o.k.'

Hij keek Cornelis triomfantelijk aan, als verwachtte hij nu een open doekje. Maar dat genoegen gunde de commissaris hem niet. Denul haalde ostentatief zijn neus op.

'Het nichtje van Cretskens werkte een paar jaar als secretaresse op het kabinet van Deweert en is uiteindelijk zelf weggegaan. Het schijnt dat ze het daar bij de liberalen behoorlijk bruin bakken. Dat nichtje kreeg een blik op de interne keuken en die was niet bepaald fraai. Christine heet ze, geloof ik. Goed voorzien van poten en oren, als je begrijpt wat ik bedoel. Andere vrouwen willen ze daar bij de liberalen trouwens niet.'

De aandacht van Cornelis verslapte weer. Wat Denul hem zei, was niet bepaald nieuw en ging allicht voor elke partij op. Hij had een giftige opmerking op de tong, maar hield zich tijdig in.

'Als je op het kabinet werkt, moet je het spel meespelen. Er is geen tussenweg. Christine was van het ambitieuze type en ze wou best het een en ander door de vingers zien. En waarom niet, het heeft weinig zin om heiliger dan de paus te willen zijn.'

Als hij nog lang rond de pot blijft draaien ga ik gillen, dacht Cornelis. Maar aan zijn ogenschijnlijk kalme uiterlijk viel niets te merken.

'Christine raakte langzaam in de netten van de partij verstrikt. Zo legde de partijtop steeds meer beslag op haar tijd. Overuren waren normaal en akkoord, ze kreeg een aardige wedde voor iemand met haar beperkte kwalificaties. Maar die politici hebben blijkbaar ook allemaal losse handjes. Niet dat Christine er vies van was. Deweert stak zijn belangstelling voor haar niet onder stoelen of banken en zij zei niet bepaald nee. Dacht ze zo haar carrière te helpen of is het gewoon een geile sloerie, wie zal het zeggen. Maar aan alles zijn er grenzen.'

Nu kon Cornelis zich niet langer bedwingen.

'Als je het me niet kwalijk neemt, Denul, ik heb niet de hele dag de tijd. *Cut the crap*. Graag over naar de essentie graag.'

Daar schrok Denul toch wel even van. Het leek zelfs alsof hij zou beginnen huilen.

'Hé, bijt mijn neus niet af!'

'Sorry', zei Cornelis, weer enigszins gekalmeerd. 'Ga vooral verder, Joris.'

Denul vermande zich. Hij snoot zijn neus en zocht naar de juiste woorden.

'Van het een kwam het ander. Deweert vertrouwde haar intussen blijkbaar, want hij probeerde zijn vuile zaakjes niet langer voor Christine te verbergen. Dat hoefde ook niet, want ze was nu in zekere zin zijn medeplichtige geworden. Ze moest mee toen hij in duistere achterafkamertjes zijn geheime afspraken met allerlei louche figuren had. Volgens Cretskens ook met gangsters, maar die probeert zichzelf altijd interessant te maken.'

En jij niet zeker, flitste het door het hoofd van Cornelis. Die opgeblazen kerel begon hem steeds meer op de zenuwen te werken en hij zou het niet lang meer verborgen kunnen houden.

'Ik kan zijn adres voor je opzoeken als je dat wilt. Christine beschouwt haar oom zo een beetje als haar biechtvader en heeft hem het een en ander over allerlei onfrisse affaires verteld. Toen het al te gortig werd, kwam ze blijkbaar tot inkeer en oomlief bood bereidwillig zijn schouder aan om op uit te huilen.'

De commissaris moest toegeven dat het op zijn minst het proberen waard was om die juffrouw eens aan de tand te voelen.

'Wat voor Christine de doorslag gaf, was uiteindelijk de al te losse levensstijl van Deweert, als je begrijpt wat ik bedoel. Zelf is ze niet bepaald vies van een losse scharrel, maar naar het schijnt doen ze het daar bij de liberalen graag met elkaars partner. Deweert heeft haar volgens Cretskens op een keer naar een parenclub willen meenemen en daar is ze op afgeknapt. Nog een Duvel voor jou, André?'

Cornelis maakte een afwerend gebaar. Zijn zo al zwakke maag was helemaal van slag. Snel bedankte hij de leraar.

'Ik waardeer je medewerking. We maken er werk van. En dat drankje houd ik je nog wel te goed.'

'Ik zal je er op tijd aan herinneren', grinnikte Denul.

Ondanks het klotsende bier in zijn maag slaagde Cornelis erin in een recordtempo de afstand naar zijn wagen te overbruggen. Hij nam snel een paar Rennies en spoelde ze met een half blikje lauwe Fanta uit zijn kofferbak door.

Al bij al een aardige buit voor een zondagnamiddag, meende hij. Vooral de gedachte dat hij de volgende dag met deze getuigenis kon uitpakken, stemde hem vrolijk. Niet dat de chef een lage dunk van hem had, maar het was altijd leuk om te kunnen aantonen dat hij ook in zijn schaarse vrije tijd met zijn werk bezig was. Dat het een toevalstreffer was, zou hij zedig in het midden laten en hij genoot nu al van het figuurlijke schouderklopje.

Zijn gsm rinkelde.

'Zin om vanavond een hapje te komen eten? Het ziet er toch niet naar uit dat we vandaag veel zullen opschieten.'

'Vanavond niet, schat', zei hij droog. 'Ik kan echt niet, George. Etentje met Bart, weet je wel', loog hij. 'Een andere keer misschien. O ja, die Deweert is er me wel eentje.'

Cornelis bracht zijn collega op de hoogte van wat Denul verteld had.

'Inderdaad, een fraai heerschap. Dan zal ik maar weer aan de slag gaan', zuchtte Bracke. 'Wat zit ik anders thuis te doen?'

'Ik hou er voor vandaag mee op', zei Cornelis.

'Wijs zijn vanavond en niets doen wat ik niet zou doen.'

'Dat kan ik niet beloven', grinnikte Cornelis.

*

Zondag 15 mei, 15.20 u.

De zorgvuldig gemanicuurde vingers roffelden vrolijk mee met het wijsje op de radio, een wals van Strauss die in het programma *Funiculi Funicula* van Marc Brillouet al tot vervelens toe was gedraaid. Hij had alle uitzendingen van de laatste tien jaar opgenomen en luisterde geregeld naar de bandjes.

Danny de Laet kreeg er de tranen in de ogen van. Hij dacht vol weemoed terug aan zijn moeder en haar onvergetelijke lamsbout.

Dan oordeelde hij dat het tijd werd om verder te gaan met het werk. Met de tong uit de mond knipte hij een hoop letters uit de krant. Lekker voorspelbaar, grinnikte hij. Maar hij deed zijn werk goed. Zo had hij verschillende kranten gekocht, om de speurders in verwarring te brengen. Want ze zouden de brief natuurlijk grondig analyseren in de hoop een daderprofiel samen te stellen.

Hij maakte er een erezaak van nooit tweemaal hetzelfde lettertype te gebruiken. Het was behoorlijk zoeken, maar de kranten hanteerden gelukkig voor de verschillende rubrieken ook andere lettertypes of -groottes.

Uiteraard droeg hij handschoenen, want hij was geen beginner. Met toegewijde aandacht begon hij de letters op de achterkant van een in de brievenbus gestopte aankondiging voor een mosselsouper te kleven. Een souper ten voordele van de kas van de liberalen, hij grinnikte er zelf om. Daar zouden die speurhonden ongetwijfeld een vette kluif aan hebben. Voor de lol kleefde hij er nog enkele foto's van politici bij, lukraak uit verschillende kranten geknipt en door lottrekking beslist wie wel en wie niet. Maar dat zouden ze natuurlijk nooit geloven. De kans was groot dat die politici voortaan extra bewaakt zouden worden.

Hij fronste de wenkbrauwen en beet bijna op zijn tong. Verdomme, hoe schreef je dat woord ook weer? Hij besloot het zich niet aan te trekken.

Zijn ogen knepen zich samen in een net van rimpels toen hij de laatste zin las. Het werd echt tijd dat hij een bril kocht, maar daar was geld voor nodig.

HET IS HOOG TIJD DAT DIE ROTZAK DOOR DYNAMITE WORD OPGEBLAZEN.

Dat zou ze pas in verwarring brengen. Welke rotzak, hij kon zo de paniek al ruiken. Hij was van mening dat er minstens één fout in de zin stond, maar kon niet vinden waar.

Zorgvuldig maakte hij de tafel schoon, want dat had zijn moeder hem zo geleerd. Hij hoefde de ogen maar te sluiten om haar lamsbout weer te ruiken.

Met een hijgende adem sloop hij de gang in en trok de deur van zijn eenkamerflat achter zich dicht. Eenkamerflat, zo had het in de advertentie gestaan, maar over het toilet op de binnenplaats én de afwezigheid van warm water werd met geen woord gerept.

Hij haastte zich voorbij de kamer van mevrouw Deblaere. Op zijn gang waren er nog twee andere kamers, links mevrouw Deblaere, die er al sinds mensenheugnis woonde en rechts een jong gezin met een kind van een jaar of twee. Van de bewoners van de kamers op de eerste verdieping en het gelijkvloers kende hij niemand; het was er ook een komen en gaan van je welste met almaar andere jongeren, die waarschijnlijk aan elkaar doorverhuurden, ofschoon dat volgens het huisreglement uitdrukkelijk verboden was.

De benepen rijhuisjes waren lelijk, maar daar lette hij allang niet meer op. Hij merkte niet dat bij juffrouw Van Poucke, een oude vrijster die soms op de stoep zat te breien, de rolluiken vijf dagen lang naar beneden bleven. Hij zag evenmin de ziekenwagen, die met loeiende sirene de straat kwam ingereden en het lijk dat op een berrie onder een bijna smetteloos wit laken (enkel rechtsonder waren er enkele schroeivlekken te bespeuren) werd ingeladen. Hij merkte enkel dat de dagen in een ergerlijke monotonie voorbijgingen. En zoals elk jaar werd hij een beetje neerslachtig, niet voldoende om zich met slepende voeten naar de Schelde te begeven en met de blik op oneindig in het verlossende zwarte sop te springen. Zo iemand was hij niet, de man met zijn saaie, groene pull.

Elke avond at hij een bord karnemelkpap. Met havervlokken. Soms morste hij wat en dan kwam er weleens een vlieg mee-eten. Om heel eerlijk te zijn, soms morste hij opzettelijk en keek dan naar de vlieg die hem gezelschap hield. Een vlieg heeft honderd ogen, zachte kriebelende pootjes die je huid liefkozen.

Maar eerst moest die stomme brief op de bus, voor hij het vergat. Hij betrapte er zich op dat hij zowaar aan het hollen was en dat iedereen naar hem keek.

'Rustig maar', hijgde hij tegen zijn spiegelbeeld in de etalage van een speelgoedwinkel. 'Bewaar je kalmte, of geen pap vanavond.' Dat hielp altijd. Ook nu weer.

De mensen op de stoep hadden allang weer hun aandacht verloren. Hij zag er dan ook onbenullig uit, zelfs met die scheur in zijn broek.

Op straat mompelde hij zijn naam. 'Danny Thomas de Laet. De naam van een edelman, wat zeg ik, een gigant', maakte hij zichzelf wijs.

Inkopen deed Danny bij voorkeur niet in het warenhuis waar hij werkte. Hij vond het er gewoon te duur en de prijs van de producten was volgens *Test Aankoop* niet in verhouding met de kwaliteit. Hij ging liever naar een van die kleine, Turkse winkeltjes. Het rook er lekker, je kon er allerlei exotische dingen krijgen en niemand stond op je vingers te kijken omdat je niet snel genoeg bestelde. Hij kon zelfs al tellen in het Turks. *Bir, iki, üç, dört, bes.* De winkeliers spraken hem met de voornaam aan.

Na de Russische schrijvers was Danny nu aan de Duitse klassiekers begonnen. Böll en Goethe: zware kost, maar je stak er zoveel bij op. De tabak deed zijn pijpenkop gezellig gloeien en in de ketel stond water voor de koffie te pruttelen. Als dat niet genieten was!

Op de radio hoorde hij iets over een nieuwe ontwikkeling in het dossier Deweert. Maar de ketel begon te fluiten en hij miste het grootste deel van het bericht.

Eigenlijk had hij niet zoveel zin in lezen, ontdekte hij na twee bladzijden. Hij moest de straat weer op. Die innerlijke drang vond hij zelf onverklaarbaar. Maar hij was zoals hij was.

*

Zondag 15 mei, 15.29 u.

Ongetwijfeld waren nu overal reporters op zoek naar verdere informatie over de sappige zaak-Deweert. Van Aken hield in alle ernst rekening met het feit dat de journalisten interessant materiaal konden opdiepen en hij had Annemie de opdracht gegeven ze nog meer dan anders te vriend te houden. Journalisten en politici hadden elkaar nodig en vaak wisten de reporters dingen die niet meteen voor publicatie vatbaar waren.

'Zeg, Annemie, zou je die vriend van George niet eens kunnen bellen?' vroeg Van Aken. 'Die Steyaert van de openbare omroep? Die schijnt nogal dik te zijn met de kopstukken van de verschillende partijen?'

Annemie knikte. Hoe langer ze onder Van Aken werkte, hoe meer ze tot het besef kwam dat hij eigenlijk niet eens ongeschikt was voor zijn baan. Aanvankelijk had ze daar anders over gedacht, maar ze was best bereid haar ongelijk toe te geven.

'Dat is geen slecht idee. Ik zou hem inderdaad kunnen bellen, maar het is wellicht beter dat George het doet. Ze kennen elkaar tenslotte al sinds de lagere school.'

'Waar zit George eigenlijk?' vroeg Van Aken geïrriteerd.

Bracke kwam net binnen. Hij knipoogde naar Annemie, die er ondanks de korte nacht uitzag om te stelen. Maar ze zat geconcentreerd met haar neus over het dossier-Deweert gebogen en had amper zijn aanwezigheid gemerkt. Nu mocht hij een bom laten vallen, niets zou haar uit haar concentratie halen.

'George, ik stel voor dat jij je vriend Steyaert even aan de mouw trekt. Wie weet kan hij je wat achtergrondinformatie over Deweert geven. Allemaal *off the record* uiteraard.'

'Had ik ook al aan gedacht', knikte Bracke. 'Was hij op de persconferentie?'

'Weet jij één belangrijke persconferentie waarop Sigiswald Steyaert niet aanwezig was?'

Daar had Van Aken gelijk in. Steyaert kon het gewoon niet verdragen iets te missen.

'Ik ben er zeker van dat hij in de stad rondhangt om overal mensen te ondervragen over Deweert en zo alweer de beste reportage te hebben', zei Bracke. 'Ik bel hem meteen met de vraag samen een kop koffie te drinken. Want daar ben ik wel aan toe.'

Bracke sloeg net op tijd de hand voor de mond. Hij begon te geeuwen en had het gevoel dat hij niet meer kon stoppen. Met zijn andere hand toetste hij de naam van Steyaert in en had hem meteen aan de lijn.

'Sigiswald? George hier. Heb je even tijd voor me? Fijn. Ja, nu meteen als het kan. O.k., over een kwartier in 't Miditje. Ja, tot straks.'

*

Zondag 15 mei, 15.36 u.

Hassim keek tevreden naar de lijst van de getuigen die voor verder onderzoek waren geselecteerd. De tweede ronde ondervragingen verliep vlot en zou een heel stuk vroeger dan verwacht klaar zijn. Hij voelde zich vereerd met de coördinatieopdracht die Van Aken hem gegeven had, al vermoedde hij dat er weinig bruikbaars uit zou voortkomen. Of het zou moeten zijn wat ze allang wisten, namelijk dat die liberalen er een handje van hadden schandalen in de doofpot te stoppen. En dat het een echte hoerenboel was natuurlijk, zoals zijn vrouwtje dat met duidelijke afkeur danig plastisch wist te omschrijven.

Er stond nog één naam op de lijst en hij besloot die zelf aan de tand te voelen. Karel Vindevogel, industrieel, twaalfde op de lijst van de liberalen voor de Kamer bij de volgende verkiezingen en volgens de computer een van de rijkste mannen van de stad.

'Dag meneer Vindevogel', zei hij opgeruimd toen hij de verhoorruimte binnenging.

Karel Vindevogel zat met bloeddoorlopen ogen voor zich uit te staren. Hij reageerde amper op de groet en liet de as van zijn sigaret op zijn schoot vallen.

'Graag had ik dat u nog eens in uw eigen woorden vertelde wat er vannacht gebeurd is', zei Hassim. 'Ik wil benadrukken dat dit geen formeel verhoor maar een getuigenis is. Dat betekent dat er geen opname gemaakt wordt en u achteraf gevraagd wordt om een verklaring te ondertekenen. We zouden u erkentelijk zijn voor uw hulp.'

Vindevogel bleef met zijn blik een ondefinieerbaar punt in de verte fixeren. De askegel van zijn sigaret dreigde alweer op zijn dure broek te vallen, want daar zaten al enkele vieze, zwarte vlekken op.

'Meneer Vindevogel? Heeft u mij begrepen?' Hassim aarzelde om aan te dringen.

Pas toen bewoog Karel Vindevogel voor het eerst. Hij barstte in een hoestbui uit en leek niet meer te kunnen stoppen. Behulpzaam klopte Hassim op zijn rug, maar dat maakte de zaak alleen erger. De boomlange industrieel plooide dubbel en hoestte bijna zijn longen op.

'Wilt u een glas water?'

Nog steeds hoestend maakte Vindevogel een afwerend gebaar. Zijn ogen zagen helemaal rood.

'Laat maar,' proestte hij, 'ik kom er wel weer door. Laat me gewoon even op mijn positieven komen.'

En inderdaad, langzaam stierf het hoesten uit. Vindevogel veegde zijn ogen droog en snikte een rochel weg.

'Excuseer me, ik ben nog altijd niet bekomen van vannacht. Ik heb geen oog dichtgedaan. En ik zal het maar zeggen zoals het is, ik was gewoon straalbezopen. Te veel gratis dure wijn, daar kan ik moeilijk nee tegen zeggen.'

'Werkelijk?' lachte Hassim minzaam. 'U hoeft zich niet te excuseren, het was dan ook een feestje.'

'Zo zou je het kunnen noemen', zei Vindevogel droog. 'Al hadden de meeste aanwezigen allicht een ander idee.'

Hassim keek Vindevogel taxerend aan. Hij begreep niet waar de man het over had.

'Kunt u wat duidelijker zijn?' zei hij hulpeloos. 'Ik volg u niet helemaal, vrees ik.'

'Ach jongen, die politiek is zo rot als wat. We zaten daar echt niet voor ons plezier.'

Hassim begreep er steeds minder van, maar zijn nieuwsgierigheid was gewekt.

'Ach zo?'

'Neem nu mijzelf', zei Vindevogel met een stem vol schuldbewustzijn. 'Ik heb een chemisch bedrijf in de Kanaalzone dat steeds beter boert. Vorig jaar een omzetstijging van zes procent en vooruitzichten op een minstens even gunstig jaar, vijftig extra aanwervingen, kortom, op het eerste gezicht niets dan toeters en bellen. Maar er zit een addertje onder het gras. Met al die nieuwe Europese lidstaten wordt het voor mij binnenkort pompen of verzuipen. Of ik investeer zwaar en vergroot mijn afzetmarkt, of ik ga kopje-onder. Maar om te groeien heb ik de steun van de heren politici nodig of beter nog, ik word er zelf een. Je denkt toch niet dat ik voor de lol op die lijst sta?'

Hassim had het nog niet van die kant bekeken. Liefst hield hij zich zo ver mogelijk van de politiek verwijderd. Hij was wel genaturaliseerd, maar stemde altijd op een of ander onbeduidend partijtje.

'Ik ga al dertig jaar met politici om en ze zijn allemaal dezelfde. Vriendelijk in je gezicht en joviaal als ze je ergens voor kunnen gebruiken, maar je hebt ze de rug nog niet toegekeerd of ze ploffen er wellustig een mes in', snoof Vindevogel.

Hassim kende persoonlijk hooguit de leden van de plaatselijke gemeenteraad en die vielen best mee. Maar die wijsheid hield hij liever voor zichzelf.

'Deweert heeft mij zijn volle steun beloofd in ruil voor een financiële bijdrage om zijn campagne te spijzen', zei Vindevogel openhartig. 'Via een omweg natuurlijk, want de wet heeft dat soort bedrijfsfinanciering danig aan banden gelegd. Ik zal je de details besparen, maar via een stroman en een postbusbedrijf op de Kaaimaneilanden is veel mogelijk.'

Koortsachtig pijnigde Hassim zijn hersenen, maar hij had geen flauw benul waar de Kaaimaneilanden lagen. Hij maakte een notitie om het op kantoor op te zoeken.

'Ik weet het, dat is allemaal niet erg koosjer. Maar zo werkt het nu eenmaal in die milieus. Jij krabt mijn rug en ik doe hetzelfde met jou.'

Met zijn nog brandende peukje stak Vindevogel een nieuwe sigaret aan. Hij blies de rook voor zich uit en staarde nadenkend in de blauwe damp.

'Ik zou je dit allemaal wellicht beter niet vertellen, maar vroeg of laat kom je er toch achter. En wie weet kunnen we er nog iets aan doen. De partijbonzen leven al een tijd onder een zware druk. Ik had tot voor kort niets met politiek te maken, maar heb mijn lesje geleerd. Niemand heeft er propere handen. Niemand.'

Hassim had graag meer concrete informatie, maar wou niet aandringen. De kans was groot dat Vindevogel dichtklapte. Abdel had al spijt dat hij de taperecorder niet had aangezet en maakte tussendoor verwoed notities.

'Ik kan natuurlijk niet vergelijken met vroeger omdat dit mijn eerste campagne is, maar het wordt toch wel erg smerig gespeeld. Omdat ik veel geld in de partij binnenbracht, mocht ik meteen met de grote jongens meedoen. Het opzet was dat ik bij deze verkiezingen officieel gelanceerd zou worden om de volgende keer echt aan de top te kunnen meespelen. Ik zou uiteraard wel zogezegd uit mijn bedrijf stappen, maar achter de schermen toch de touwtjes in handen houden.'

Vindevogel keek Hassim schattend aan. Hij liet de rook langs zijn neusgaten ontsnappen.

'Je vraagt je misschien af waarom ik dit allemaal aan je neus hang. De laatste weken heb ik te veel gezien en gehoord, ik zou daarover liever niet in details treden want ik ben een man van eer. Iets wat in de politiek blijkbaar zeldzaam is. Ik had al de bedenking gemaakt dat ik dan toch niet in de wieg gelegd ben om daarin mee te draaien en tijdens de bijeenkomst gisteren had ik al besloten dat ik me uit de verkiezingen zou terugtrekken. Ik was van plan om mijn bedrijf te verkopen en te gaan rentenieren. Had ik al veel langer moeten doen. Maar dat was zonder die rotzak van een Deweert gerekend.'

Hassim zette grote ogen op. Het was niet bepaald gebruikelijk dat in dergelijke termen gesproken werd over een slachtoffer van een gewelddadige aanslag, die nog steeds voor zijn leven lag te vechten.

'Net voor we aan het diner zouden beginnen nam hij me even apart. Het was alsof hij een voorgevoel van mijn nakend terugtrekken had. "Je zult toch geen gekke dingen doen, Karel? Ons in de steek laten, of zo? Want dat kan echt niet. Samen uit, samen thuis. We hebben je met veel poeha mee op de boot genomen en nu moet je de rit tot het einde meevaren. We kunnen ons echt geen gezichtsverlies veroorloven." Ik was te perplex om te reageren en helemaal uitgeteld toen hij me een reeks pikante foto's toonde. Van mij en eh, een vriendin', zei Vindevogel met een schorre stem. 'Ik zag aan zijn ogen dat hij geen ogenblik zou aarzelen om die foto's in de openbaarheid te brengen.'

Vindevogel moest even pauzeren. Hij vroeg en kreeg een kop koffie, die hij in één teug naar binnen goot. Een kunstje dat wellicht niemand hem zou nadoen, want de koffie was gloeiend heet.

'Toen pas besefte ik wat voor iemand hij is. Deweert deinst nergens voor terug om zijn doel te bereiken. Hij weet heel goed dat van iemand in mijn functie in de zakenwereld een onberispelijk imago verwacht wordt. Wij doen vaak zaken met Polen en daar zijn ze nog katholieker dan de paus. Het zegt veel over hoe Deweert politiek bedrijft. Hij controleert en viseert niet alleen zijn vijanden, maar ook zijn vrienden. Het is in veel gevallen een kwestie van horen, zien en zwijgen. Zo heb je allicht al gehoord dat hij het zelf niet bepaald nauw neemt met de huwelijkstrouw. Zo waren gisteren minstens vier vrouwen aanwezig met wie hij iets had of heeft. Drie ervan hadden hun echtgenoten bij zich, die overigens van de buitenechtelijke frivoliteiten van hun vrouw op de hoogte waren. Ook in de liefde zijn ze bij de partij blijkbaar erg liberaal.'

Hassim kreeg het steeds warmer. Wat Vindevogel hier vertelde, kon bruikbaar zijn voor het onderzoek. Koortsachtig begon hij Vindevogels verklaring neer te schrijven, zorgvuldig elk woord wikkend en wegend.

'Kunt u me ook de namen van die vrouwen geven?' Hij durfde het amper te vragen.

'Geen enkel probleem', zei Vindevogel. 'Frieda Hemmerechts, Yolande Geens, Wendy Appermont en Saskia Vervaecke.'

Hassim besefte zelf niet dat hij zijn tong uitstak terwijl hij deze namen zat te noteren. Zo niet had hij zich ongetwijfeld diep geschaamd.

'En dan hebben we natuurlijk nog Irène Stevens', ging Vindevogel verder. 'De lellebel van dienst in de blauwe partij, bijgenaamd de matras. Ik hoef u ongetwijfeld niet uit te leggen waarom. Zelf pretendeert ze een aanhangster te zijn van de liefdeskunst en wil ze zogezegd haar amoureuze talenten met zoveel mogelijk mensen delen. Mannen of vrouwen, dat maakt haar niet uit. Tussen ons gezegd en gezwegen, haar reputatie is fel overdreven. De eerste de beste straathoer kent meer bedtrucjes dan zij.'

Vindevogel zag dat Hassim niet wist in welke bochten hij zich moest wringen. De inspecteur kon niet beletten dat hij begon te blozen. De nieuwbakken politicus deed tactvol alsof hij het niet gezien had en stak een nieuwe sigaret op.

'Sorry, ik heb niet eens gevraagd of het niet stoort. Iets zegt mij dat u niet rookt?'

'En niet drinkt.' Hassim schudde het hoofd.

'Werkelijk, ik heb bewondering voor mensen als u', kwam Vindevogel verrassend uit de hoek. 'Ik wou dat ik dat ook kon. Weet je, als kind was ik gelovig. Later heb ik mijn geloof de rug toegekeerd en heb ik een leven van verderf en hebzucht geleid, ik ben niet te beroerd om dat toe te geven. Ik vraag me weleens af waar het is misgegaan. Maar ik verveel u wellicht met mijn filosofische overpeinzingen. Vergeef me, dat zijn hersenspinsels van een oude man.'

'Drieënvijftig jaar is toch nog niet oud', zei Hassim. 'U bent nog in de fleur van uw leven.'

Vindevogel haalde zijn neus op.

'Ik ben al een paar keer op een haar na aan de dood ontsnapt. Eerst een delicate operatie aan de prostaat die bijna faliekant afliep, dan een maagwandperforatie van te veel drank. En toch leer ik het niet, ik bedoel, leven. Ik zuip en ik vreet erop los en ik verzorg mezelf niet. Maar genoeg daarover. Waar was ik gebleven?'

'Eh, bij Irène Stevens.' Hassim keek in zijn aantekeningen. 'U beschreef hoe ze eh, er een nogal losse levensstijl op na schijnt te houden.'

'Een understatement ter grootte van de Eiffeltoren', lachte Vindevogel. 'Gisteravond was het duidelijk dat Deweert zijn oog op haar had laten vallen. Hij had ongetwijfeld zijn partijgenoten horen opscheppen wat een heet loeder ze wel is. De meeste van die kerels hebben zodanig decadent geleefd dat ze zo goed als impotent zijn, maar het staat natuurlijk mooi om te pochen over hun zwoele nachten. Mannen onder elkaar, u weet wel, we zullen altijd kinderen blijven.'

Hassim keek verbaasd op. Zelf was hij strikt volgens het moslimgeloof opgevoed en hij hield zich daar nog altijd aan. Zonder daarom extreem te zijn, want hij haatte fundamentalisme als de pest. Hij had zich een tijdlang in het katholicisme en jodendom verdiept en in feite veeleer gelijkenissen dan verschillen opgemerkt. Zijn partner Eddy Daeninck was dan weer ongelovig in hart en nieren en ook met hem kon hij, ondanks hun totaal tegengestelde interesses, goed opschieten.

Vindevogel zag het onbegrip in de ogen van de inspecteur en gooide het over een andere boeg.

'Nu ja, feit is dat Deweert gisteren expliciet zijn zinnen op die troela gezet had. Dat zijn vrouw aanwezig was, kon hem geen lor schelen. De relatie tussen die twee is bijzonder interessant te noemen. Ze hebben niets dat hen bindt, geen kinderen en ook geen gemeenschappelijke vrienden. Ze zijn volgens mij louter met elkaar getrouwd omdat ze daar beiden profijt van ondervonden. Als dochter van een welgestelde advocaat en partijgenoot was Lydia voor Raymond de geknipte figuur om hem in bepaalde kringen te introduceren en zij zocht na een aantal desastreuze liefdesgeschiedenissen vooral stabiliteit en financiële zekerheid. In ruil gaat ze mee naar de juiste feestjes en hangt als een glimmend ornament aan zijn arm mooi te wezen.'

Hassim zat ademloos te luisteren. Hij twijfelde er geen ogenblik aan dat Vindevogel de waarheid sprak.

'Ik zat erbij en keek ernaar. Ik weet niet of de andere aanwezigen dat ook zo zagen, maar ik had sterk het gevoel dat de bom vroeg of laat moest barsten. De situatie was dan ook bizar. Raymond Deweert kon en wilde zijn interesse in Irène niet verbergen, zijzelf toonde zich zeker niet onverschillig voor zijn belangstelling maar hing anderzijds wel nadrukkelijk aan de arm van Jean-Marc Glorieux, die duidelijk avances in haar richting maakte. En intussen zat Raymonds vrouw Lydia er voor spek en bonen bij. Ik weet niet of je Glorieux kent?'

Die naam zei Hassim wel iets, maar hij kon de man niet nader thuisbrengen. Hij haalde achteloos de schouders op.

'Jean-Marc Glorieux geldt in bepaalde kringen als een voorbeeld. De Vlerick School voor Management haalt hem in de cursussen zelfs aan als het prototype van de *self made* man die erin geslaagd is zijn kleine familiebedrijfje tot een internationaal concern te laten uitgroeien.'

'Is hij niet de baas van Umelco?' herinnerde Hassim zich ineens.

'Was', corrigeerde Vindevogel. 'De grootste passie van Glorieux bestaat erin zieltogende bedrijven op te kopen, ze een facelift te geven en dan met veel winst aan buitenlandse groepen door te verkopen. Die algauw vaststellen dat ze zich een lege doos hebben aangeschaft, maar dan is hij natuurlijk allang met de winst gaan lopen.'

'Er was iets met Umelco, meende ik?'

'Iets? Dat is zacht uitgedrukt. We hebben het hier over een bedrijf dat over de hele wereld orders voor vleugelmoeren had verkocht, maar nooit een van die rotdingen heeft geproduceerd. Dit had een enorm schandaal moeten worden, maar onder zware politieke druk werd het snel in de doofpot gestopt. In deze affaire heeft Deweert zeker een rol gespeeld, al ben ik nooit te weten gekomen welke precies.'

Hassim had intussen bijna een lamme arm van het schrijven. Maar dit was bepaald explosief materiaal.

‘Hoe is de zaak uiteindelijk afgelopen?’

‘Je raadt het nooit. Glorieux verkocht Umelco met enorme winst door aan een Russisch concern dat de westerse markt wou infiltreren, niet beseffend dat ze een kat in een zak gekocht hadden. Je zou denken dat met die Russen niet te spotten valt en dat de maffia daar allicht in betrokken was. Ongetwijfeld was dat ook zo, maar toch liep Glorieux geen gevaar. Hij had namelijk weten te verkrijgen dat de volle honderd procent van de verkoopprijs via allerlei subsidies en overheidssteun gefinancierd werd. Hij heeft de Russen zelfs geholpen om Umelco nog een keer aan een Zuid-Afrikaanse groep door te verkopen en ook hier passeerde hij langs de kassa. Dit maar om te schetsen dat we met een gladde glipper te maken hebben. Ik denk niet dat Deweert hem echt goed kende, maar Glorieux konkelfoesde vroeger ook al met zijn vader.’

In zijn notitieboekje tekende Hassim pijltjes tussen de namen van Glorieux en vader en zoon Deweert. Hij trok verwoed cirkels rond de naam van Irène.

‘En dat moet Raymond Deweert geweten hebben?’

‘Ongetwijfeld. Ik weet ook dat het op een bepaald moment tussen vader en zoon zwaar botste. De details zijn me niet bekend, maar nadien heeft Raymond in ieder geval een tijdje in het buitenland verbleven. Zogezegd om te studeren, maar ingewijden wisten wel beter. Ik hoop dat ik u met mijn praatjes niet te veel verveel, inspecteur?’

Hassim haastte zich om Vindevogel gerust te stellen.

‘Integendeel. Voorlopig tasten we nog in het duister en alle informatie is nuttig. Mag ik vragen om zo snel mogelijk contact met ons op te nemen als u nog iets te binnen schiet?’

‘Zal ik zeker doen’, zei Vindevogel gemeend. ‘Wil je ook de groeten doen aan meneer Van Aken? We hebben elkaar professioneel enkele keren ontmoet, toen hij nog verantwoordelijk was voor de haven. Een man die van wanten weet. Ik juich zijn benoeming als topman van de politie dan ook ten zeerste toe.’

‘Nog één ding’, vroeg Hassim zich hardop af. ‘Hoe reageert men binnen de partij op de aanslag op Deweert?’

'Om de waarheid te zeggen: ik weet het niet. Deze voormiddag vond op het hoofdkwartier een spoedvergadering plaats, maar ik heb geen idee van wat daar uit de bus gekomen is. Ik ben enkel langs geweest om mijn ontslag aan te bieden. Mijn politieke carrière is van korte duur geweest', lachte hij bitter. 'Een wijze levensles, vrees ik. Ik zou zeggen, schoenmaker blijf bij je leest.'

Hassim knikte goedkeurend. Dat was inderdaad wellicht de beste beslissing die Vindevogel kon nemen. Hij deed de industrieel uitgeleide en gaf hem een welgemeende hand. Vervolgens haastte hij zich naar zijn kantoor en was daar een halfuurtje bezig om de hoofdlijnen van het gesprek op papier te zetten.

Daarna ging hij naar zijn chef, met een glimlach van oor tot oor. Hij overhandigde Van Aken een map met het verslag en achterin enige informatie over de Kaaimaneilanden.

Voor de kust van de Cayman Eilanden liggen vele koraalriffen in de kristalheldere Caribische Zee. Ze vormen een 'onderwater wonderland', waar duikers uit alle delen van de wereld genieten van de schoonheid van veelkleurige vissen. De toppen van sommige koraalriffen reiken tot vlak onder het wateroppervlak, terwijl andere riffen op een diepte liggen van niet minder dan zes kilometer.

De archipel Cayman Eilanden bestaat uit de drie eilanden Grand Cayman, Cayman Brac en Little Cayman. De laatste twee staan ook bekend als de 'Sister Islands' en liggen zo'n 150 km ten noordoosten van Grand Cayman. Tussen de beide zustereilanden ligt een elf kilometer brede zee-engte.

Het grootste eiland is, zoals de naam verraadt, Grand Cayman, met een oppervlakte van 190 km^2. De zustereilanden zijn aanmerkelijk kleiner: Cayman Brac heeft een oppervlakte van 35 km^2 en Little Cayman slechts 25 km^2.

De Cayman Eilanden liggen in het noordwesten van het Caribische gebied. Zo'n 240 km ten noorden van de Cayman Eilanden ligt Cuba. En verder bevinden zich ten westen van de eilanden de Midden-Amerikaanse landen Mexico, Belize en Honduras.

Alle eilanden hebben een langwerpige vorm. Cayman Brac loopt bovendien in oostelijke richting op tot een hoogte van 50 meter. Daarentegen zijn

Grand Cayman en Little Cayman voornamelijk vlak. Alledrie de eilanden zijn toppen van een gebergte dat op de zeebodem ligt. Doordat de ondergrond bestaat uit kalksteen, stromen er geen rivieren. De poreuze grond zuigt immers al het regenwater op. Er zijn dan ook veel grotten op de eilanden.

Aan de kust liggen diverse parelwitte zandstranden. Ten oosten van Georgetown en de luchthaven ligt de grote lagune North Sound, die in open verbinding staat met de zee. In de zeemonding ligt onder water een grote zandbank. In de toekomst zal deze zandbank waarschijnlijk groeien, zodat de lagune zich afscheidt van de zee en er een binnenmeer ontstaat.

7.

Zondag 15 mei, 15.55 u.

Hij wandelde graag, Danny de Laet. Dok Zuid was oud, een verkruimeld stadsdeel waar nu nog enkel door het leven vermoeide Turken en asielzoekers woonden. Hun borstelige wenkbrauwen joegen hem een beetje angst aan, dat wel. Hij had al zo vaak door een openstaand raam hun slaapkamers gezien: een groot, scheefgezakt bed waarin de kinderen werden gemaakt, kriskras omringd door kleine bedjes waar de ouders hun jongste, nukkige exemplaren in propten.

Met zijn hak wrikte hij een stuk korrelig asfalt uit de wegbedekking los en woog het grillige blok in zijn hand, maar besloot uiteindelijk niet te gooien. Toch maar niet, daar was geen reden toe.

Danny's linkerooglid was lang niet zo mooi als het rechter. Maar een minderwaardigheidscomplex hield hij er niet aan over; hij kneep het misvormde ooglid gewoon wat meer dicht en dan leek het net of zijn oog gezwollen stond. Nu ja, misvormd, het ooglid was alleen maar wat roze en dikker aan de rand. Een miniem mankementje, iets als een dikke sproet of een wratje.

Overal in de kamer had hij potjes en vaasjes uitgestald. Onschuldig allemaal. Iedereen spaart wel iets, postzegels, pornoblaadjes. Met die dingen hield hij zich niet bezig, hij had nog fatsoen!

Danny de Laet kocht bij elk bezoek aan de rommelmarkt wel een 'snuisterdingetje' om zichzelf te verwennen, zoals laatst een gegarandeerd authentiek spuwpotje uit het kabinet van een tandarts van de vorige eeuw. Misschien was dat gelogen, maar het potje mocht er in ieder geval wezen. Het diende nu als asbak. Eens per week zocht hij de peukjes van zijn shagjes bij elkaar en peuterde er de restjes tabak uit, het scheelde zeker tien sigaretten per maand.

Het bloemetjesgordijn was misschien aan vervanging toe, maar hij liet het hangen. Het vloekte enigszins met het kubistische behangpapier dat hij ooit van een uitverkoop had meegenomen en hij herinnerde zich nog goed dat hij vergeten was te betalen. Veel zullen ze er niet aan verloren hebben, dacht hij, anderhalve euro voor een rol, vier stuks. In feite had hij ongeveer een halve rol te kort, maar enkele posters en een schilderijtje konden het een en het ander verbergen.

Het kamertje was een goede thermometer: onmiddellijk snikheet wanneer het buiten warm werd, een kleumkot bij koud weer. Het toilet op de gang was meestal verstopt, maar hij had geleerd zuinig te zijn met grote en kleine boodschappen. Vervelend was wel de flikkerende neonreclame van de fabrikant aan de overkant van de straat, die zijn goederen (lichtkranten, schreeuwerige publicitaire boodschappen) met een gigantische en afschuwelijke rode lichtschijn aanprees: CALLENS LICHTRECLAME CALLENS LICHTRECLAME CALLENS LICHTRECLAME, aan en uit, aan en uit, aan en uit. Ach, het wende natuurlijk wel en op zondag was het altijd weer even acclimatiseren want dan brandde die vervloekte lichtkrant niet.

8.

Maandag 16 mei, 8.45 u.

Onderweg naar het kantoor deed André Cornelis snel een paar broodnodige boodschappen met het oog op de feestmaaltijd van die avond. Hij was niet van plan er veel werk van te maken en stapte gewoon binnen bij de beste traiteur van de stad, met de vraag iets speciaals samen te stellen voor zes personen. Hij kreeg de zussen van Bart met hun echtgenoten op bezoek en wou dat alles perfect verliep.

Cornelis had net betaald toen zijn gsm rinkelde.

'Stoor ik, commissaris?'

Hij herkende meteen de aangename stem van Christian Lentz.

'Zeker niet, meneer Lentz.'

'Ik bel maar omdat ik allicht nuttige informatie voor u heb. Enfin, dat denk ik toch.'

'Vertelt u het maar', zei Cornelis, grabbelend om zijn wisselgeld weg te stoppen. Intussen hielp de winkelier hem inladen.

'Ergens in mijn achterhoofd begon een waarschuwingslampje te branden toen ik over die Barnett-kruisboog nadacht.'

'Inderdaad, meneer Lentz', zei Cornelis aanmoedigend.

'Ik heb eens rondgebeld en toen wist ik het weer. Een van onze leden, Jerry Grosemans, had zo een boog maar is die enkele maanden geleden op de club kwijtgeraakt. Hij heeft dat toen aan de politie gemeld en die heeft een proces-verbaal opgemaakt.'

Cornelis voelde zijn hart sneller slaan.

'En waar is die kruisboog verdwenen?'

'Bij ons op de club', herhaalde Lentz. 'We bewaren daar allemaal onze boog, moet u weten. Ons lokaal op het Sint-Pietersplein is goed beveiligd, dus daar zijn de kruisbogen normaal gezien veilig. Maar toen hij op maandag kwam schieten was zijn boog verdwenen. Onbegrijpelijk, want niemand heeft iets aan een gestolen boog. Zeker als je aan wedstrijden meedoet. We hebben toen een bericht over de verdwenen boog opgesteld en dat aan alle clubs doorgegeven.'

'Heeft u het adres van die Grosemans bij de hand?'

'Toch waar hij werkt', zei Lentz. 'Notarisstraat 1.'

'Het secretariaat van de liberale partij!' riep Cornelis verbaasd uit.

'Klopt. Jerry werkt daar als bediende op het secretariaat', zei Lentz.

'Hartelijk bedankt voor deze informatie, meneer Lentz.' Cornelis klonk bepaald opgewekt.

Christian Lentz lachte. 'Ik dacht dat het misschien belangrijk kon zijn.'

Cornelis mompelde nog snel een afscheidsgroet en haastte zich naar huis. Hij dacht aan de hapjes, die zo snel mogelijk in de ijskast moesten. Gelukkig lag zijn appartement op de route naar de Notarisstraat en op die twee minuten zou het vast wel niet aankomen.

In hun flatje op de Rooigemlaan zat Bart van zijn vrije dag te genieten. Hij was al begonnen met de voorbereidingen van de avond en dronk een kop rozenbottelthee.

'Ook een kopje?'

Met spijt in de stem bedankte Cornelis voor het aanbod. Hij stopte alles in de ijskast, gaf Bart snel een aai over de bol en ging er alweer vandoor.

'Zal het laat worden?'

'Ik hoop van niet', riep Cornelis vanuit de gang. Hij was bijna zeker van wel. Een eerlijk gezegd had hij een beetje schrik voor de confrontatie met de schoonfamilie.

Vanuit zijn wagen bracht hij Van Aken op de hoogte van de onverwachte meevaller. Ook gaf hij een kort verslag van de verklaring van Denul.

'Excellent', jubelde Van Aken, die met Hassim net de getuigenis van Vindevogel aan het doornemen was. Staelens liep intussen in zijn archief op de toppen van zijn zenuwen verdere informatie over Umelco te zoeken en Annemie had ook haar handen vol. En overal waren speurders druk bezig met politici en mensen uit de omgeving van Deweert te ondervragen.

'Ik ga nu naar de Notarisstraat. Ik heb al gebeld en Grosemans is inderdaad aanwezig.'

'Daarna meteen verslag uitbrengen, hoor je!' zei Van Aken op een toon die duidelijk liet blijken dat hij en niemand anders de leiding van het onderzoek had.

Cornelis parkeerde op zijn privéplaats in een zijstraatje van de Brabantdam. Hij had daar een eigen ondergrondse garage, een erfenis van zijn vader, die destijds vooruitziend geweest was en in verschillende steden een plekje gekocht had om met zijn wagen te kunnen staan. Twee jonge boefjes stonden met een spuitbus klaar om op zijn garagepoort enkele maatschappijkritische leuzen te spuiten, maar met één dreigende blik joeg hij de snotneuzen op de vlucht. De spuitbus viel kletterend op de kasseistenen.

In het hoofdkwartier van de liberalen duurde het naar zijn gevoel wat te lang voor iemand opendeed en ongeduldig bleef hij aanbellen.

'Ja?'

Een uitgedroogde kwezel keek door een luik in de deur ongeïnteresseerd naar buiten.

'Politie. Ik heb een afspraak met de heer Jerry Grosemans', snoof Cornelis. Zijn gevoelige sinussen speelden hem weer parten.

De vrouw maakte geen aanstalten om de deur te openen en Cornelis stak zijn badge door de kier. Ze bekeek de penning langs alle kanten, alsof het een relikwie was.

'Laat me erin, mens!' Hij bonkte op de deur. 'Ik ben hier wel met een moordonderzoek bezig.'

Blijkbaar de magische woorden die nodig waren om de poort te openen. De vrouw zag er van dichtbij nog ouder uit. Ze week ontzet opzij en gaf Cornelis vrije doorgang.

Besluiteloos stond hij in de gang te kijken naar de vele deuren. Hij keek om en wilde haar vragen waar hij Grosemans kon vinden, maar ze was alweer verdwenen.

Cornelis stootte dan maar op goed geluk de eerste de beste deur open en kwam in de kamer met de verwarmingsketel terecht. Niet bepaald oordeelkundig geplaatst, vond hij. Zo dicht bij de uitgang.

Iedereen met slechte bedoelingen kon zo naar binnen glippen en de hele boel lamleggen.

'Meneer?'

Een man van middelbare leeftijd kwam met uitgestoken hand op hem af. Cornelis vond hem onmiddellijk sympathiek, ook al was hij doorsnee, zonder enige opvallende elementen.

'Jerry Grosemans', zei de man. 'Ik heb na uw telefoontje ook even Christian Lentz aan de lijn gehad. Ik weet dus al min of meer waar het om gaat.'

'Goed, dan hoeven we geen kostbare tijd te verliezen. Kunnen we ergens onder vier ogen praten?' vroeg Cornelis.

'Ik zal even kijken', zei Grosemans. 'Het is hier al een heksenketel geweest, met die spoedvergadering en zo. Uw collega's zijn hier niet weg te slaan en ik ben zelf ook al even ondervraagd over Raymond Deweert. Niet dat ik veel kon vertellen, want ik ken hem hooguit van hier te zien passeren. Maar toen wist ik natuurlijk nog niets van die kruisboog af.'

Cornelis volgde Grosemans op weg naar een leegstaand lokaal op de eerste verdieping. Gewapend met een stevige mok koffie ging hij zitten, wachtend op eventuele vragen.

'Kunt u me zeggen of dit uw wapen is?' Cornelis schoof hem een paar behoorlijk wazige foto's toe, die het lab van de opname had gemaakt.

'Verdorie, dat is inderdaad mijn Barnett!' riep Grosemans uit. 'Kijk, je kunt het goed zien aan die kruisvormige inkeping op het handvat. Die heb ik erin gemaakt om mijn wapen te personaliseren.'

'Bent u er absoluut zeker van dat dit uw kruisboog is?' vroeg Cornelis voor alle zekerheid. Grosemans keek hem aan alsof hij iets erg vies gezegd had.

'Twijfelt u aan mijn geestelijke capaciteiten, inspecteur?'

'Commissaris', zei Cornelis, moeizaam lachend. Hij voelde zich een oen. 'Nee hoor. Maar u weet hoe dat gaat in ons beroep. We kunnen ons niet het kleinste foutje veroorloven.'

'Als u dat wilt, zet ik op papier dat dit wel degelijk mijn kruisboog is.' Grosemans klonk overtuigend. 'Meer zelfs, ik kan het bewijzen. Als u me even wilt excuseren.'

Grosemans verliet het lokaal. Cornelis ging in de gang op zoek naar het toilet. Hij loerde een paar openstaande deuren binnen en zag overal een koortsachtige bedrijvigheid. Zo dicht bij de verkiezingen steeg de spanning met de dag.

'Dag commissaris', klonk het uit een van de kantoren. Hij herkende de stem van Willem Asaert, een vroegere agent die de onregelmatige uren beu was geworden en zich tot bodyguard herschoold had.

'Willem, jij hier! Alles in orde met je?'

'Ik werk nu voor de premier', grijnsde de vroegere agent. 'Ik ben zijn persoonlijke bodyguard.'

'Van bodyguards gesproken: had Deweert geen bewaking?' vroeg Cornelis langs zijn neus weg.

'Daar is die veel te verwaand voor.' Willem nam geen blad voor de mond. 'Hij liep altijd rond met een air van onaantastbaarheid, maar je ziet wel wat daar van komt. Het verwondert mij dat het niet veel vroeger gebeurd is.'

'Hoe bedoel je?'

'Ik heb hier al heel wat arrogante figuren de revue zien passeren, maar Deweert slaat alles. Zoals hij met mensen omgaat... Maar je kent het spreekwoord, boontje komt om zijn loontje. Als ik eerlijk moet zijn, is er binnen de partij niemand die het betreurt dat hij zo hardhandig werd aangepakt. Maar dat heb je niet van mij.'

'Mijn lippen zijn verzegeld', zei Cornelis.

Daar was Grosemans al terug, enigszins buiten adem want hij had de trap genomen.

'Hier', zei hij triomfantelijk en hij toonde Cornelis een paar foto's. Cornelis zag op de foto's Grosemans poseren met zijn kruisboog in de armen, wellicht na een wedstrijd.

'Genomen vorig jaar op het Belgisch kampioenschap waar ik derde eindigde', zei hij trots. 'Je kunt de merktekens op mijn Barnett duidelijk zien.'

'Zeer interessant', knikte Cornelis. 'Mag ik deze foto's even lenen?'

'Hou ze gerust als ik je daar een plezier mee kan doen', zei Grosemans genereus. 'Meer zelfs, als je daar iets mee bent, kan ik je ook een opname van die wedstrijd tonen. Daarop moeten zeker een aantal goede close-ups van de boog staan.'

'Dat zou geweldig zijn, meneer Grosemans', zei Cornelis enthousiast. 'U heeft ons enorm geholpen.'

'Daar zijn we toch voor, nietwaar', lachte Grosemans. 'Ik zal straks even naar huis gaan en u de tape per koerier laten bezorgen.'

'Excellent. Hier is mijn kaartje. Doe het maar op onze kosten.'

'Was ik ook van plan', zei Grosemans verbaasd.

*

Maandag 16 mei, 10.30 u.

Een behoorlijk aantrekkelijke vrouw hijgde ongegeneerd onder de blikken van vele glurende mannen en haar bloesje gaf royaal inkijk op haar decolleté. Haar zonnebankbruine huid glom van het zweet. Met haar pols veegde ze haar voorhoofd schoon, maar het was hopeloos.

'Mevrouw Deweert?'

Lydia Deweert keek verbaasd op. Ze stopte met trappen en stapte dan van de hometrainer.

Abdel Hassim wist niet goed waar hij moest kijken. Overal die halfblote, bezwete lijven, hij was het nog steeds niet gewend. Al kwam hij met de jongens van de politie ook weleens in deze fitnessclub trainen.

'Ja?' Ze keek hem argwanend aan. Hij was niet in uniform en ze wantrouwde duidelijk vreemdelingen. Haar ogen zochten al om hulp en twee fietsen verder spande een van de bodybuilders de spieren om haar indien nodig te hulp te snellen.

Hassim toonde haar zijn badge, alsof het de gewoonste zaak van de wereld was. Hoewel het hem veel moeite kostte, slaagde hij er toch in de confrontatie met haar uitpuilende boezem te vermijden. Niet dat ze dat erg vond, want Lydia was het gewoon dat mannen eerst met haar borsten converseerden. Sommigen kwamen ook niet verder.

'O, politie', zei ze neutraal.

Het had Hassim heel wat moeite gekost om haar te vinden. Hij was eerst bij het huis van de Deweerts in Sint-Martens-Latem gaan aanbellen, maar de huishoudster wist alleen maar te zeggen dat mevrouw naar de stad was. Naar het ziekenhuis, had Hassim verondersteld, maar ook daar was ze niet te vinden. Toevallig was daar wel de zus van Deweert op bezoek en die sprak schande van haar schoonzus.

'Die sloerie zit ongetwijfeld in de fitness. Ze heeft een abonnement in die club aan de Rooigemlaan, de Passage, geloof ik', zei Reinhilde Deweert hoofdschuddend.

Hassim had nog even enkele woorden met de chirurg gewisseld, die nu geen enkele hoop meer koesterde dat Deweert nog bij bewustzijn zou komen.

'Als ze afscheid wil nemen, zal ze dat verdomd snel moeten doen', foeterde Vergote.

Aan die woorden dacht Hassim toen hij met halfopen mond naar Lydia Vertongen stond te staren. Hij voelde dat hij de strijd tegen de borsten langzaam aan het verliezen was en concentreerde zich op zijn schoenpunten.

'Ik kom net van het ziekenhuis. Het gaat niet goed met uw man, wist de dokter te vertellen.'

'Kan ook moeilijk anders als ze een pijl door je keel hebben geschoten', zei Lydia nuchter. Ze veegde nu ook haar handen schoon en om Hassim uit te dagen stak ze de handen ostentatief in de zij zodat haar schatten nog prominenter naar voren priemden.

'Valt er iets te zien?' vroeg ze koket.

'Ik zou graag nog enkele vragen stellen als dat mag', zei hij zo beleefd mogelijk.

'Maar ik heb zaterdagnacht aan die inspecteur toch alles al verteld!' vloog ze uit. 'Herwig Huysentruyt, of hoe heette hij ook weer?'

Inderdaad, Huysentruyt, dat is de naam die ik niet kon onthouden, maakte Hassim een mentale aantekening.

'Dat klopt, maar we hadden graag toch nog wat meer informatie.

Wellicht was u die nacht te veel onder de indruk van het gebeuren en zijn er bepaalde dingen waar u toen niet aan gedacht heeft.'

'Vooruit dan maar', zuchtte Lydia, die besefte dat er wellicht niet aan te ontkomen viel. 'Maar dan snel, want ik heb over een halfuur een massage.'

Ze ging afwachtend op de fiets zitten.

'Niet hier', kuchte Hassim.

'Op naar de kantine dan!' zei ze fluks. 'Maar wel op voorwaarde dat je met een aperitiefje trakteert. Voor mij mag het een porto zijn. Bestel jij maar alvast, ik ga intussen even mijn neus poederen.'

Het duurde zeker een kwartier voor ze weer kwam opdagen. Hassim had uit nijdigheid al twee koppen thee gedronken en moest nu eigenlijk ook naar het toilet, maar hij besloot het even op te houden.

'Vuur maar af', zei Lydia terwijl ze de porto in één teug leegdronk. Ze wenkte de ober nog eens bij te vullen. 'Laat de fles maar staan, Dieter. Die lieve agent trakteert. Wie weet wat hij nog allemaal met me van plan is. Me opsluiten of zo en me 's avonds in mijn cel komen opzoeken', kirde ze.

Hassim deed alsof hij het niet hoorde.

'Het zal wel snel moeten gaan. Mijn massage is over twaalf minuten gepland.'

Hassim had er genoeg van. Hij plofte zijn lege theekopje net iets harder neer dan hij bedoeld had.

'We kunnen dit gesprek natuurlijk ook op het politiekantoor houden. En als u dat wilt, kan ik u altijd officieel laten dagvaarden', zei Hassim.

'Ik plaagde je toch alleen maar wat, agentje', lachte Lydia koket. Ze was intussen aan haar tweede porto toe.

'Inspecteur Abdel Hassim', kuchte Hassim. 'Maar we hebben genoeg tijd verloren. Ik wilde graag wat dieper ingaan op wat u zaterdagnacht verteld hebt. U gaf meteen drie mogelijke motieven voor de aanslag.'

Lydia haalde achteloos de schouders op. Ze rommelde wat in haar handtas en stak een cigarillo op. Vrouwen die rookten, Hassim had het er nog altijd moeilijk mee.

'Ach, ik moest toch iets zeggen? En als je Raymond een beetje kent, weet je dat met hem alles mogelijk is. Als er één ding is dat ik van hem kan zeggen, is dat zijn leven alvast niet saai is geweest. En het ziet er nu dus naar uit dat we dat van zijn dood ook zullen kunnen zeggen.'

Hassim kon van deze vrouw maar geen hoogte krijgen. Hij moest de vraag stellen die al een hele tijd op zijn lippen brandde.

'Waarom bent u niet in het ziekenhuis?'

Lydia blies een blauwe tabakswolk uit en staarde in de rook. Ze lachte niet, maar zag er ook niet verdrietig uit.

'Kijk, het zal wellicht cru klinken maar mij laat het koud of hij doodgaat of niet. Zeker, we zijn getrouwd en ja, ik heb ooit van hem gehouden. Denk ik. Misschien maakte ik mijzelf toen ook al iets wijs. In ieder geval laten we elkaar al een hele tijd onverschillig. Het maakt dus niets uit of ik hem ga bezoeken of niet.'

'Haat u hem?'

'Dat heb ik mijzelf eerlijk gezegd ook al afgevraagd. Soms, wellicht, maar doorgaans niet. Ik zie in hem veeleer een lotgenoot. Weet je, ooit heb ik een vriendin mijzelf horen beschrijven toen ze niet wist dat ik in de buurt was. "Koud, genadeloos, recht op doel af maar toch vol passie voor die dingen waar ze echt voor gaat". Dat is de spijker op de kop. Raymond is net dezelfde. Wellicht daardoor houden we het al zo lang bij elkaar uit. Ons huwelijk is vanzelf een kwestie van wederzijdse stilzwijgende verstandhouding geworden. We doen elk wat we willen zonder daarbij de andere te schaden.'

'U bedroog hem en hij u?'

'Bedriegen is zo een ouderwets woord. Laten we zeggen dat we in bed van andere dingen houden. Voor mij moet een man een veroveraar zijn. Iemand met een liefst ietwat exotisch voorkomen, die een zeldzame combinatie in zich moet hebben. Namelijk verlegen, maar toch ook stout en op de juiste momenten doortastend. Ik smelt gewoon weg voor de *latin lovers* en types zoals jij, inspecteur. En ja, het mag best wat *kinky* zijn. We leven maar één keer, nietwaar!'

Ze keek hem recht in de ogen en pronkte nadrukkelijk met haar boezem. Een ogenblik raakte Hassim bedwelmd door de veelbelovende welvingen, maar hij had zichzelf meteen weer onder controle.

'En meneer Deweert?'

'Die is niet bepaald een onweerstaanbare, tedere minnaar in bed', zei ze misprijzend. 'Zijn seksuele instincten zijn, om het zo te zeggen, primair, die van de holbewoner die zijn lusten wil bevredigen. Raymond valt voor alles wat maar een rok draagt, zowel oudere vrouwen als jongere meisjes. Hij is voor honderd procent heteroseksueel, maar verder zeker niet kieskeurig.'

'Heeft hij pedofiele neigingen?' hoorde Hassim zichzelf tot zijn verbazing vragen.

'Dat zou ik nu ook weer niet beweren. Hij is bezeten van rechttoe rechtaan seks. Maar hij kickt zeker op meisjes die net het leven ontdekken en op eigen benen beginnen te staan. Dat was destijds al zo met het dienstmeisje dat hij zwanger maakte en toen hij in de politiek ging, is hij in feite nooit meer gestopt met jonge wichten lastig te vallen. De partij had toen heel wat frisse stagiaires in dienst en daar is hij zich aan te buiten gegaan.'

De inspecteur voelde zijn mond droog worden. Onopvallend bestelde hij een watertje.

'Raymond is van het dominante type dat enkel aan zijn eigen genot denkt', vervolgde Lydia. 'Mij laat het intussen onverschillig. We zijn met elkaar getrouwd omdat het ons goed uitkwam. En zolang hij die grietjes maar niet mee naar huis neemt, kan het mij eigenlijk allemaal niet schelen. Ik verwacht trouwens niets meer van mannen. Varkens zijn het. Al zitten er ook schattige biggetjes tussen', schaterde ze het uit.

'Kunt u me concrete voorbeelden geven van vrouwen met wie hij overspel pleegde?'

'Dat zal een lange opsomming worden, vrees ik', lachte Lydia. 'Zijn lust is nauwelijks te stillen. Overigens, als er geen jong vlees in de buurt is, stelt hij zich ook met ouder tevreden. En fantaseert hij wellicht. Vrijen doet hij trouwens het liefste in het donker.'

'Waren er onder de aanwezigen zaterdagavond vrouwen met wie hij iets gehad heeft?'

'Dat kan haast niet anders. Frieda, Wendy, Yasmine, Yolande... Wie zeker ook op zijn verlanglijstje stond, is Irène. Irène Stevens', zei ze bitter.

Hassim vergeleek de namen met het lijstje in zijn aantekeningen en zag dat ze correspondeerden. En ook Irène Stevens kwam weer op de proppen. Hij wist meteen waar hij op af moest.

'Wat hij in die slet ziet, weet ik echt niet. Maar aan de andere kant, je kunt van Raymond Deweert moeilijk beweren dat hij goede smaak heeft.'

De inspecteur had nog nooit iemand in dergelijke bewoordingen horen afmaken en dan zeker niet door zijn eigen vrouw.

'Ook al heeft hij met talloze vrouwen geslapen, hij begrijpt nog altijd niets van ons', ging ze verder met haar meedogenloze analyse. 'Irène wil maar één ding en dat is trofeeën verzamelen. Zodra ze een man gehad heeft, laat ze hem weer vallen om naar het volgende speeltje op zoek te gaan. Al zou dat met Raymond weleens kunnen tegenvallen. Hij wil in een relatie, of hoe je zijn flodders ook wilt noemen, vooral de baas kunnen spelen. Hoe hulpelozer een vrouw, hoe liever hij het heeft. Wellicht wil hij Irène alleen maar hebben om haar te kunnen breken.'

'En dan hebben we natuurlijk nog de piste van de politieke afrekening', probeerde Hassim er wat meer vaart in te krijgen.

'Daar kan ik je helaas niet bij helpen', zuchtte ze. 'Ik ga zelden of nooit mee naar vergaderingen en zo. Politiek is aan mij niet besteed. Maar ik weet hoe meedogenloos Raymond is. We hebben ooit zelfs bedreigingen gekregen.'

Ze zag tot haar genoegen hoe Hassim de oren spitste. Ze had blijkbaar een gevoelige snaar geraakt.

'Het is al een paar jaar geleden. Ik heb toen een paar keer een telefoontje gehad van een man die in niet mis te verstane bewoordingen zei dat hij Raymond ging kapotmaken en ik wel wist waarom. Ik heb er verder weinig aandacht aan besteed en het Raymond zelfs niet verteld.'

'Waarom niet?'

'Omdat ik er geen geloof aan hechtte. Politici krijgen nu eenmaal allerlei rotzooi over zich heen. En bedreigingen schijnen daar bij te horen. Dat was natuurlijk voor de moorden op Fortuyn en Anna Lind.' Ze beet op haar lip.

'Maar daarna heeft u geen bedreigingen meer gehad?'

'Thuis toch niet. En Raymond heeft mij er in ieder geval nooit iets over gezegd.'

'En dan die schandalen waarover u het had?'

'Ik kan alleen maar op geruchten afgaan. Bij een feestje zat ik aan tafel met een erg dronken man, die zijn mond voorbijpraatte. De details heb ik niet gehoord, maar hij had het over allerlei kwalijke zaakjes waarin Raymond de hand zou hebben gehad. En hij zou zijn verdiende loon nog wel krijgen. Maar ik was die avond eerlijk gezegd ook behoorlijk teut. Nog iets, inspecteur?'

Snel nam Hassim zijn vragen en notities nog even door. Hij tikte met de punt van zijn balpen op het papier en zette zijn meest beminnelijke glimlach op.

'Dat is het voor deze keer denk ik, mevrouw Deweert. Dank u voor uw tijd. En sorry voor de massage.'

'Geeft niets. Sergio neemt me ook tussendoor wel eventjes onder handen', lachte ze terug. 'Tot ziens, inspecteur. Als je in de buurt bent en eens vijf minuten tijd hebt, kom dan zeker eens binnen.'

Onbeholpen gaf Hassim haar een hand en haastte zich weg uit de bar, mompelend dat hij echt niet langer kon blijven, omdat hij nog heel wat te doen had.

*

Maandag 16 mei, 10.41 u.

Met een brede glimlach stapte Cornelis bij Van Aken binnen, de foto's van de juichende kruisboogschieter wapperend in de hand.

'Ik denk dat we kunnen besluiten dat dit inderdaad het wapen was waarmee Deweert werd neergeschoten', zei Van Aken voorzichtig. 'Al wil ik toch nog even op die opname wachten vooraleer we dit nieuws aan de pers meegeven.'

Ook Staelens kwam zijn duit in het zakje doen.

'Het klopt inderdaad dat Jerry Grosemans drie maanden geleden aangifte deed van een gestolen kruisboog. Die foto's hadden we trouwens al, want ze zitten ook in dat dossier.'

'Bedankt, Staelens', zei Cornelis kortaf. Hoe ouder hij werd, hoe minder hij Stormvogel leek te kunnen luchten en dat was wederzijds.

'Laat hier maar liggen, John. En mag ik je nu vragen voort te zoeken naar nuttige informatie over al wie maar met Deweert te maken heeft?' Van Aken stond op zijn strepen.

Staelens droop af met een gezicht als een donderwolk. Maar zijn wraak zou zoet zijn. Hij had een eerste selectie in zijn archief gemaakt en kon nu al moeiteloos verschillende dozen met, op het eerste gezicht, interessant materiaal laten aandraven. De speurders zouden er meer dan hun handen aan vol hebben, genoot hij bij voorbaat.

Op datzelfde ogenblik begon George Bracke in 't Miditje aan zijn tweede kop koffie. Sigiswald Steyaert liet op zich wachten, de afspraak was nochtans al een dag uitgesteld omdat de reporter op het laatste moment was weggeroepen. Zijn vriend was intussen een van de belangrijkste reporters van de openbare omroep en er gingen al een tijdje geruchten dat hij binnenkort tot hoofdredacteur benoemd zou worden. Tot grote tevredenheid van Bracke, louter op basis van zijn verdiensten en niet omdat hij de juiste partijkaart had.

Bracke kletste wat met Patrick, de gerant van de zaak. De gewone praatjes over het weer, maar daar had hij ineens veel behoefte aan. Bracke zag dat het gerechtshof aan de overkant aardig volliep.

'Een eenvoudige passiemoord. Een vent die zijn vrouw een lading hagel in het hoofd schoot omdat ze hem met zijn beste vriend bedroog', wist Patrick. 'Over enkele dagen zal het andere kost zijn als die kindermoordenaar terechtstaat.'

Bracke werd liever niet aan de zaak-Botero herinnerd.

'Wat zit jij daar te dromen', lachte Steyaert. 'Je was mijlenver met je gedachten. Ik sta hier zeker al een halve minuut naar je te wuiven.'

'Sorry, Sigiswald. Maar je hebt gelijk. Ik zat ergens aan te denken.'

Steyaert ging zitten en wenkte Patrick om nog twee koffies te brengen. Voor hem met een dikke laag room. Bracke lachte, want hij kende zijn vriend als een onverbeterlijke smulpaap.

'Zo, vertel eens. Wat was er nu zo dringend dat je niet kon wachten?

'Wat dacht je, het geval-Deweert natuurlijk', zuchtte Bracke. 'Weer een fijne zaak die ze ons in de schoot geworpen hebben. Je kent mij. Als er één milieu is dat ik haat, is het de politiek. En daar ben jij tenslotte veel beter in thuis. Als ik je op de televisie bezig zie, dan eten ze uit je hand.'

'Kwestie van de politici te dresseren', lachte Steyaert, niet-ongevoelig voor het compliment. 'Was er iets wat je precies wilde weten?'

'Ik hoopte dat je me kon helpen wat meer hoogte van die Deweert te krijgen', zei Bracke voorzichtig. 'Iedereen heeft er wel wat over te zeggen en weinig positiefs, vrees ik. Maar dat volstaat niet. Ik heb niet het gevoel dat ik die man al ken. Wat drijft hem? Wat zijn z'n kicks? Waar geilt hij op?'

'Ik snap het', knikte Steyaert. 'Misschien kan ik je inderdaad helpen, maar dan niet officieel.'

'Nu spreek je in raadsels, Sigiswald.'

'De informatie die we over politici bijhouden, is strikt geheim, zeker als het om iemand van het kaliber van Deweert gaat. Die kan ik je dus niet geven.'

Bracke kon niet verbergen dat hij teleurgesteld was. Intussen had hij zelf het dossier dat de staatsveiligheid van Deweert had, grondig gelezen, maar daar stonden vooral droge feiten in.

'Jammer.'

'Je moet me laten uitspreken, George', berispte Steyaert zijn vriend op speelse wijze. 'Ik mag je dat dossier niet geven, maar niets belet me natuurlijk om op café wat met een oude vriend te zitten kletsen.'

Bracke spitste de oren. Dat klonk goed.

'Die Deweert heeft me altijd geïntrigeerd', zei Steyaert terwijl hij een extra melkje door zijn koffie roerde. 'Een echte paling waarop je geen vat hebt, dat is voor een journalist natuurlijk een ware uitdaging. Ik heb in mijn vrije tijd af en toe wat onderzoek verricht en dat ventje is echt niet in te schatten.'

De gerant kwam ongevraagd nog twee koffies van het huis brengen. Hij had de gave om dat bijna onzichtbaar te doen. Als er ooit een prijs voor beste cafébaas gegeven werd, kon hij niet anders dan in de top-drie eindigen.

'We zijn natuurlijk allemaal op de hoogte van zijn tussenkomst in de dossiers Umelco en Deconinck, zonder daarom de details te kennen. Minder duidelijk is zijn inbreng in de affaire van het Brusselse casino. Daar hebben zakenpartners van Deweert ooit op een vrolijke avond miljoenen verbrast, die niet uit eigen zak maar uit de bedrijfskas kwamen. Normaal betekent zoiets het einde van je carrière met een groot schandaal erbovenop, maar ik heb ontdekt dat Deweert zijn vader ingeschakeld heeft. Die zorgde destijds voor de vergunning van het casino en blijkbaar heeft de zoon de vader kunnen overhalen om zijn oude relaties onder druk te zetten en de schulden kwijt te schelden. Ik weet niet of je iets van casino's kent, maar zoiets komt zelden of nooit voor.'

Bracke floot zachtjes tussen de tanden.

'En dat dossier hebben ze uit de openbaarheid kunnen houden?'

'Het toont aan dat vader Deweert nog altijd veel invloed heeft. Ik heb dit bij toeval ontdekt toen ik een reeks over de Belgische casino's draaide, maar kon het nooit hard maken. Het verhaal is me langs verschillende kanten officieus bevestigd, maar niemand heeft het voor de camera willen doen', zei Steyaert gelaten.

'Annemie heeft gelijk: je hebt eigenlijk te veel talent om journalist te zijn.' Bracke schudde lachend het hoofd. 'Jij had detective moeten worden, man. Maar genoeg geleuterd over die Deweert. Is het waar dat jij chef van de nieuwsredactie wordt?'

Steyaert deed alsof hij schrok, maar Bracke voelde aan dat hij gevleid was met de vraag.

'Heb jij dat ook al gehoord? We kunnen voorwaar niets voor je verborgen houden, Bracke.'

Ook al wist Bracke dat Steyaert het zei om hem te paaien, toch voelde hij zich op zijn beurt gevleid.

De reporter moest even naar het toilet. Bracke kwam één ogenblik in de verleiding om in diens aktetas te kijken, maar hield zich in. Wie weet had de reporter wel een of ander klassiek trucje gebruikt, zoals een haartje plakken aan de rand.

Steyaert was altijd al een bewonderaar van James Bond geweest en ze hadden samen zelfs eens een première in Londen bijgewoond, toen de journalist via de openbare omroep enkele VIP-kaarten had weten te versieren. *Die another day*, de enige Bondfilm die Bracke helemaal had uitgekeken omdat hij anders altijd in slaap viel. Maar op de première had hij zich wonderwel geamuseerd, op armlengte van filmdiva's als Raquel Welch en Catherine Deneuve en natuurlijk ook omdat Halle Berry aanwezig was. Op de party achteraf was Steyaert zomaar met al die goden en godinnen van het witte doek beginnen praten, met een vanzelfsprekendheid waarop Bracke alleen maar jaloers kon zijn. Steyaert had zowaar een interview met prins Charles weten te versieren, die zich erg lyrisch uitliet over de Bondmeisjes. Daarna hadden ze het Londense nachtleven op stelten gezet. Een nachtje uit, dat met een houten kop en lemen tong op het vliegtuig naar huis was geëindigd. Verwijtende blikken van een hoofdschuddende Annemie, die op haar eentje het thuisfront had bemand.

Bij het afrekenen vroeg Bracke als vanzelf een btw-bonnetje. Dit waren tenslotte beroepskosten en hij gunde Van Aken die paar euro niet. Omdat hij in een baldadige bui was, besloot hij onderweg ook in de carwash binnen te stappen en daar een reçu te vragen. Hij was tenslotte toch in functie en moest aan zijn imago denken. Nieuwe velgen doorrekenen zou wellicht net iets van het goede te veel zijn.

Hij zag dat strafpleiter Jef Vermassen binnengekomen was en onderdrukte de neiging om een babbeltje met hem te slaan. De plicht riep. Hij nam afscheid van zijn vriend met de plechtige belofte hem binnenkort voor een etentje ten huize Bracke uit te nodigen.

Sigiswald Steyaert bleef nog even zitten, want hij had een stevige trippel van Westmalle besteld. Hij dronk het glas rustig leeg en ging bij de advocaat zitten. De geplande vijf minuten werden ondanks hun drukke schema van die dag ruim een halfuur. Ook de reporter en de steradvocaat besloten later eens verder bij te praten. Eens het proces

Botero achter de rug was, want Vermassen was in het kader van een Europese studie door het hof aangesteld om als neutrale waarnemer te zetelen.

'Schuift lekker zeker', grinnikte Steyaert bij hun afscheid, terwijl hij de hand ostentatief in zijn binnenzak liet glijden.

*

Maandag 16 mei, 11.12 u.

'Daar ben je eindelijk,' zei Van Aken, korzelig omdat Bracke zo lang op zich had laten wachten. De commissaris keek zijn overste gestoord aan, net lang genoeg om weer eens te beseffen wat voor een kwal hij wel kon zijn.

George had zin om een praatje met Annemie te slaan, maar hij wist dat het er niet in zat. Hij was net langs haar kantoor gepasseerd en had haar aan de telefoon een druk gesprek zien voeren, allicht met de zoveelste reporter.

'Dit moet je dringend eens lezen', zei Bracke, die snel in telegramstijl wat notities van Steyaerts verhaal over het casino gemaakt had. 'Het volledige verslag krijg je straks. Soms zou een mens gaan denken dat die mannen van de tv beter geïnformeerd zijn dan de politie.'

Van Aken begon de aantekeningen te lezen en raakte duidelijk opgewonden. Zijn neusvleugels trilden. Hij belde zijn secretaris met de intercom.

'Meteen kopiëren en onder de leden van de onderzoeksploeg verspreiden', zei hij kortaf. 'We zitten trouwens nog met een ander probleem.'

De chef schoof Bracke omzichtig een vod papier toe met daarop uitgeknipte letters en foto's uit de krant.

De boodschap was kort en niet bepaald hoopgevend.

NA DE OPWARMING GAAN WE OVER TOT HET SRIEUSE WERK. HET IS HOOG TIJD DAT DIE ROTZAK DOOR DYNAMITE WORD OPGEBLAZEN. ZAL ME DAT EEN VUURWERK GEVEN.

Bracke bekeek de tekst en de collage van de foto's aandachtig. Op het papier waren zowat alle politieke kopstukken te zien.

'Ik zou zeggen, een flauwe grap van iemand die niet lang naar school geweest is, of doet alsof.' Hij wreef nadenkend langs zijn kin. 'Al weet ik dat we in zaken als deze niets over het hoofd mogen zien.'

Hij nam er een vergrootglas bij om de foto's beter te bestuderen. Op een vel papier schreef hij alle namen.

'Dat is zowat het volledige kabinet', zuchtte Van Aken. 'We moeten inderdaad hopen dat dit een grappenmaker is. Hoe dan ook krijgen ze voorlopig allemaal politiebewaking.'

Hij belde een bode, die de omslag en het papier meenam voor technische analyse in het lab. Daarna volgden telefoons met de veiligheidsverantwoordelijken van de verschillende partijen.

Eindelijk waren de plichtplegingen achter de rug. Van Aken legde zuchtend zijn bril op tafel en begon in zijn vermoeide ogen te wrijven.

'Die hele zaak zit me niet lekker, George. Dat is altijd zo als er politiek bij komt kijken. We moeten op eieren lopen, zeker met die verdomde verkiezingen in het vooruitzicht.'

Daar had Bracke geen zinnig antwoord op. Hij beperkte zich tot een grijns die om het even wat kon betekenen.

Stormvogel had zich weer uitgesloofd en hij wou daar vooral erkenning voor. Hij wapperde ostentatief met een papiertje, zodanig opvallend dat Van Aken wel verplicht was te vragen wat hij daar in handen had.

'Een verklaring van Wouter Cambré', zei Staelens, goed wetend dat die naam de chef niets zou zeggen. 'Professor psychologie, specialisatie intermenselijke communicatie. Deweert heeft bij hem een attitudetraining gevolgd. Ik heb hem zachtjes onder druk gezet om zijn eindrapport door te faxen en dat bevestigt alleen maar het beeld dat we van Deweert hebben.'

'Zijnde?' Van Aken fronste de wenkbrauwen.

'Dat hij nergens voor terugdeinst om zijn doel te bereiken. De professor voegde er zelfs ongevraagd aan toe dat de aanslag hem hoegenaamd niet verwonderde.'

Brackes gsm rinkelde. Hij zag dat het een oproep van het ziekenhuis was en verstijfde. Hij haalde diep adem vooraleer hij op het groene telefoontje duwde.

Toen rinkelde ook de telefoon van Van Aken. Ze zeiden op hetzelfde ogenblik 'hallo'.

Het gesprek van Bracke was kort maar desastreus. Nog voor hij zijn gsm had neergelegd, had hij al tranen in de ogen.

'Hij is dood', zei Bracke met brekende stem.

'Ja, ik hoor het net', zei Van Aken, verbaasd dat zijn commissaris weende om het overlijden van een corrupte politicus die hij van haar noch pluim kende. Pas dan besefte de politiechef dat ook vader Bracke gestorven was.

Senator Raymond Deweert overleden (persagentschap Belga)

Om 11.10 u. overleed vandaag in het Universitair Ziekenhuis senator Raymond Deweert, die eerder het slachtoffer was van een aanslag met een kruisboog in restaurant De Gouden Kruik. Raymond Deweert (41) was getrouwd met Lydia Vertongen (40), het echtpaar had geen kinderen.

De senator begon zijn veelbelovende politieke carrière als wetenschappelijk medewerker economie en was daarna twee jaar voorzitter van de Liberale Jongeren. Hij bekleedde ook functies in de beheerraad van Umelco en Deconinck, waaruit hij twee jaar geleden ontslag nam om voluit voor zijn politieke carrière te gaan. Volgens ingewijden maakte hij een grote kans om bij de volgende verkiezingen een functie als staatssecretaris in de wacht te slepen, gezien zijn stijgende populariteit. Zo behoorde hij volgens een poll van *Het Nieuwsblad,* die morgen verschijnt, tot de vijf populairste politici van de opkomende generatie.

Voorlopig tast de politie nog in het duister naar de dader. Een politieke moord wordt alvast niet uitgesloten.

9.

Maandag 16 mei, 13.57 u.

Met stijgende verbazing zag Abdel Hassim het groeiende leger perswagens aan, dat zonder veel scrupules zo dicht mogelijk bij het stadhuis een parkeerplaats zocht. Daar was het voorlopige zenuwcentrum voor de media gevestigd en hij had nu al medelijden met Annemie.

De woordvoerster van de politie zat aan haar laptop en probeerde zich op haar tekst te concentreren. Haar gsm was tijdelijk uitgeschakeld, of ze kwam niet meer aan werken toe.

Annemie kampte met wroeging. Ze moest nu eigenlijk bij haar echtgenoot zijn, om samen te rouwen om de dood van Gerard Bracke.

Maar dat had George niet gewild.

'Tenslotte heb je met die man nooit een goede verstandhouding gehad. Omdat hij toevallig mijn vader was, betekent dat niet dat jij verdrietig hoeft te zijn. Dit is iets wat ik alleen moet verwerken.'

Onwillekeurig glimlachte Annemie. Ze herinnerde zich maar al te goed de eerste kennismaking met vader Bracke. Ze had hem toevallig afgeluisterd toen ze George thuis kwam oppikken. Gerard Bracke had haar niet opgemerkt en spuide net zijn gal.

'Een danseres', had hij gezegd met alle verachting die in zijn pezige lijf was opgestapeld. 'Laat dat vallen, George. Daar komt alleen maar ellende van.'

Het was nooit meer goed gekomen. Uiteindelijk had ze het opgegeven om nog langer te proberen een goede schoondochter te zijn.

En nu was hij dus dood. Ze voelde niets, geen verdriet, geen afkeer. Alleen maar medelijden met George. En dat was allerminst prettig.

Gelukkig kon ze zich op het werk storten. Ze herinnerde zich niet dat in het land ooit een politieke moord gebeurd was, of het zou de aanslag op Julien Lahaut[7] in 1950 moeten zijn. Dit natuurlijk in de veronderstelling dat de dood van Raymond Deweert werkelijk een politieke moord was, wat nog altijd moest worden bewezen. Om geen fouten te maken had ze John Staelens gevraagd dit even na te pluizen, een taak die Stormvogel graag ter harte nam.

Annemie kreeg al een eerste brandje te blussen toen een klacht uit het ziekenhuis binnenkwam. Daar hadden al te ijverige persjongens het mortuarium bestormd om een plaatje van Raymond Deweert te schieten en dat was een bezoeker, die een laatste groet aan zijn moeder wou brengen, in het verkeerde keelgat geschoten. De man had voor de camera van de commerciële televisie luidkeels zijn ongenoegen geuit en de kans was groot dat die beelden in de headlines van het nieuws zouden zitten.

Voor het ziekenhuis had zich bovendien een handjevol demonstranten verzameld. Ze betoogden tegen een aantal rechtse uitspraken die Deweert onlangs over het migrantenthema had gedaan en die hem door een deel van het liberale kiespubliek niet in dank waren afgenomen. Anderen vonden dan weer dat hij gelijk had, zodat de politie de handen vol had om te vermijden dat het tot relletjes kwam.

Eigenlijk zou ze nu Van Aken moeten raadplegen om te vragen hoe ze dit geval het beste zouden aanpakken, maar die had wel wat anders te doen. Op dit eigenste moment zat de politiechef in crisisberaad met het kabinet, voor wie de moord op Raymond Deweert op geen slechter ogenblik had kunnen vallen. Eerste minister Jean-Luc Welckenraeth streefde een nieuwe ambtstermijn na en volgens de peilingen zou het dit keer kantje boord zijn.

Via de binnenlijn belde ze even naar Bracke, die pas na twaalf keer rinkelen opnam.

'Ik dacht al dat je naar huis gegaan was. Hoe gaat het, George?'

Altijd weer diezelfde, lege vraag die al zovelen hadden gesteld, dacht Bracke. Maar uit haar mond klonk het toch anders.

'Ik zit hier maar en ben niet in staat om ook maar iets te doen. En ik weet wel wat ze van me zullen zeggen. Wie blijft er ook op kantoor de dag dat zijn vader gestorven is?'

Die bemerking had Annemie zich ook al gemaakt en ze kon zich goed voorstellen dat de meeste mensen het niet zouden begrijpen. Maar ze wist dat George dit verdriet op zijn manier zou moeten verwerken. Het was alsof het allemaal nog diende door te sijpelen. Maar het zou slechts een kwestie van tijd zijn voor hij behoefte aan eenzaamheid had.

'Er is nog zoveel dat ik moet doen', zuchtte Bracke. 'Ik ben al in het ziekenhuis geweest om allerlei papieren in te vullen en ik heb over een halfuur een afspraak met een begrafenisondernemer. Ik zat net mijn hoofd te breken over welke muziek we moeten spelen.'

'Je weet waar je me kunt vinden, als je me nodig hebt', zei ze. 'Tot straks.'

En ze haakte snel in, om het afscheid draaglijk te maken. Nu moest ze hem laten begaan, die gehavende teddybeer van haar.

De telefoon bleef maar rinkelen. Annemie voerde twee, drie gesprekken tegelijkertijd en zag dat er alweer vier oproepen wachtten, waaronder twee nummers uit het buitenland. Intussen luisterde ze ook nog naar de politieradio, die op de achtergrond zachtjes speelde. De stemmen van de inspecteurs klonken steeds meer opgewonden.

Van Aken stormde met een rood hoofd binnen. Hij gebaarde haar dat ze meteen haar gesprek moest beëindigen en wenkte haar hem naar zijn kantoor te volgen. Dat beloofde weinig goeds.

'Ik moet nu echt inhaken, meneer Vermeersch', zei ze tegen de hoofdredacteur van *De Standaard*, die zich verwaardigd had om persoonlijk te bellen. Het zou wellicht ook niet lang duren voor Yves Desmet van *De Morgen* aan de lijn hing. Het journaille besefte dat dit een historische gebeurtenis was en ze kon zich voorstellen dat alle redacties nu onder hoogspanning stonden.

Van Akens persoonlijke secretaris Jean Vervaecke bood Annemie spontaan aan om de journalisten tijdens haar korte afwezigheid tijdelijk te woord te staan. Vroeger werden de reporters aan hun lot overgelaten, maar bij de politiehervorming van enkele jaren geleden had Van Aken een blauwdruk voor een betere communicatie met de burger en de media ontworpen, die intussen op kruissnelheid gekomen was.

Van Aken liet er geen gras over groeien. Annemie had zich nog maar net aan zijn imposante werktafel neergezet of hij begon al te vertellen. Het onderhoud met het kabinet was behoorlijk ingrijpend geweest. De verschillende partijen hadden te kampen met kandidaten die zich blijkbaar niet veilig voelden en van de lijst geschrapt wilden worden. Uit respect voor de overledene werd besloten om een hele week lang geen campagne te voeren. De plakploegen, die een paar dagen geleden met hun werk begonnen waren, zouden tot na de begrafenis wachten en nergens zou deze week verkiezingsdrukwerk in de bus vallen. Ook de voorziene praatprogramma's op de televisie werden een week lang in de ijskast gestopt.

De partijen waren intern verdeeld over hun reactie op deze moord, maar over één punt toonden ze zich eensgezind. En dat was dat de dader zo snel mogelijk moest worden gevonden.

'Ze hebben mij het vuur aan de schenen gelegd.' Van Aken moest duidelijk nog altijd bekomen. Hij keek op zijn horloge. 'Deweert is nog geen drie uur geleden overleden, maar het effect is al te merken. In een aantal gemeenten is al een rouwregister neergelegd en zijn huis dreigt een bedevaartsoord te worden. Er is zelfs sprake van een herdenkingscomité op te richten. Let op mijn woorden, als het zo verder gaat, wordt die verdomde Deweert nog een martelaar!'

Van Aken had alle gesprekken op het vaste toestel laten blokkeren en bovendien zijn gsm uitgeschakeld om niet gestoord te worden, maar toch kwam een inspecteur aankloppen. Richard Thijssen negeerde de boze blikken van zijn chef en overhandigde een nota.

'Nog meer rellen in de binnenstad, baas. Een knokploeg van de NVP is blijkbaar slaags geraakt met de jongens van de Democratische Beweging, die na het bekendmaken van de dood van Deweert spontaan op straat gegaan waren.'

Van Aken zag er ineens tien jaar ouder uit.

'Bedankt voor de mededeling, Richard.'

De politiechef greep naar zijn vaste toestel en begon aan de telefoon meteen driftig instructies te geven. De gesprekken duurden geen seconde langer dan nodig. Annemie moest ineens aan een marionettenspeler denken. Door aan de juiste touwtjes te trekken kon die ook met een minimum aan inspanningen en een maximum aan efficiëntie een heel raderwerk in beweging zetten.

De chef had eindelijk weer tijd voor haar.

'Bij die knokpartij zijn er blijkbaar een paar lichtgewonden gevallen. Voorlopig nog niets ernstigs dus, maar intussen loopt de stad al vol cameraploegen en die sappige beelden zullen ze zeker niet laten liggen. Met andere woorden, heel wat werk voor je aan de winkel.'

Dat had Annemie ook al kunnen bedenken. Ze zat intussen driftig notities te nemen.

'Ik laat je meteen van al het nieuws op de hoogte brengen en straks krijg je ook een verslag van de vergadering met het kabinet. Ik stel voor dat je voorlopig geen telefoons meer beantwoordt en zo snel mogelijk een beknopte persmededeling rondstuurt met de melding dat rond 16 uur een persconferentie volgt.'

Hij wachtte haar reactie niet eens af en begon opnieuw te telefoneren. Of toch, hij keek even op toen ze de deurklink al in de hand had.

'Annemie?'

'Ja, chef?'

'Gaat het lukken? Ik bedoel eh, je weet wel. Eigenlijk heb je recht op vier dagen rouwverlof.'

De oprecht klinkende belangstelling ontroerde haar. Als het er echt op aankwam, kon Van Aken zich best menselijk opstellen.

'Je hebt me nu meer nodig dan ooit, denk ik.' Ze wist er een fijne glimlach uit te persen. Hij keek haar in de ogen, één ogenblik maar. Dan knikte hij en toetste het zoveelste telefoonnummer in.

10.

Maandag 16 mei, 17.59 u.

Ademen, hijgen, een fikse wandeling gevolgd door een sprint bergop met zware ketens rond de enkels waarbij je alles gaf, je ziel uitkotsen terwijl je adem dubbel tekeerging in je keel. En de zon die ongenadig brandde op je vel dat naar verfrissing snakte.

De kracht van de verbeelding, zich té goed kunnen inbeelden wat de triatlonatleet in volle inzinking moest beleven. En de eindmeet lag nog eindeloos ver.

George Bracke voelde zich niet goed en dat was nog een understatement. Zweet druppelde uit zijn poriën langs zijn kaken, over zijn rug langs zijn bilnaad. En hij zat gewoon maar op de sofa, op deze niet eens zo warme lentedag.

Beelden drongen zich voor zijn ogen op, flarden van vroeger, maar het waren zinsbegoochelingen.

Vader vissend aan de waterkant. Belachelijk, vader Bracke had voor zover zijn zoon zich kon herinneren nooit een vislijn gehad.

Papa met een T-shirt aan. Al even ongeloofwaardig, in de zomer droeg hij – zoals alle échte mannen van zijn generatie – een hemdje zonder mouwen en van zonnecrème wilde hij niet weten want dat bestond tijdens de oorlog ook niet. Een oorlog die vader Bracke als jonge snaak op het veld had doorgebracht, in de winter zorgend voor de koeien, tijdens de zomer zwoegend op het land omdat het hooi en het graan moesten worden binnengehaald.

Een onverklaarbare, stekende hoofdpijn kwam plots opzetten. Bracke kon wel janken, zoveel pijn deed het. Hij was tijdelijk niet meer in staat zijn ogen te openen, want zelfs het vale licht van het fletse lentezonnetje zette zijn hoofd in vuur en vlam.

Op momenten als deze zou een alcoholicus naar de fles grijpen, in de ijdele hoop zo zijn leed te verlichten. Bracke voelde zich helemaal uitgeteld, verpletterd door het leven en de dood. Maar hij wist dat hij gesterkt en gelouterd uit deze ervaring zou komen. Als hij nu het spook van de sterkedrank – die zo veelvuldig in zijn buffetkast stond te lonken – kon weerstaan, zou hij sterker dan ooit als een feniks uit zijn as herrijzen. Uitstijgend boven het miserabele leven van alledag, en in staat om de grootste gevaren te trotseren. Whisky was om van te genieten, niet om je verdriet mee te verdrinken.

Alleen maar jammer van die hamerende hoofdpijn die hem op de knieën dwong. Blèrend als een kind dat nog nooit kiespijn had, de handen tevergeefs drukkend op de bonkende slapen, net niet helemaal uitgeteld. Pillen en poedertjes hielpen niet, want het was een pijn die van binnen kwam.

Hij greep in de kast blindelings naar een cd die hij intussen al had grijsgedraaid. De cd bevatte oeroude mantra's en ofschoon hij zich niet verder verdiept had in de leer van het Sanskriet, kon de muziek hem op momenten als deze troost bieden. Als vanzelf legde hij het tweede nummer op, de Gayatri Mantra, een van de legendarische hymnen van de Rig-Veda.

Om Bhur Bhuvah Svaha
Tat Savitur Varenyam
Bhargo Devasya Dhimahi
Dhiyo Yonah Prachodayat[8]

Hij las in het cd-boekje, terwijl de woorden niet echt doordrongen: 'Dit is een oeroude Guru mantra, die tot het begin van deze eeuw van Guru op leerling werd doorgegeven in de vorm van een initiatie. De mantra werd door de Guru in het oor van de leerling gefluisterd. De oude geschriften (de Veda's) verhalen dat de Gayatri een van de eerste mantra's is. De Gayatri is een vrouwelijke mantra, omdat de werking ervan te maken heeft met het Shakti-aspect. Shakti is de naam van het vrouwelijke aspect van Shiva. Het woord Shakti betekent "energie"; de energie waar alles in het universum van gemaakt is. Het is de levensenergie, de levenskracht die door ons lichaam stroomt. Het betekent ook "vrouwelijke energie".'

Prietpraat of niet, hier en nu had hij er steun aan en hij hoefde de woorden niet te begrijpen om de balsem op zijn ziel te voelen. Hij draaide het lied twaalf keer achter elkaar, tot de muziek in elke vezel van zijn lijf zat en kreeg toen het gelukzalige, landerige gevoel dat hij langzaam buiten zichzelf uitsteeg. Zachtjes zwevend in de wolken, vrij als een pasgeboren kind. Onthecht van alle aardse zorgen, met de blik op oneindig.

En toen zag hij in de verte zijn vader wandelen, pijp in de mond, handen op de rug. Zwijgzaam en nors als altijd, maar zo was zijn vader nu eenmaal. En George Bracke knikte dankbaar, ten teken dat het goed was.

*

Maandag 16 mei, 19.01 u.

Keurig op tijd waren de journaals van de commerciële en de openbare omroep begonnen met dat ene onderwerp, dat het nieuws beheerste. De commerciële zender had om halfzes al een speciale uitzending getoond waarin weinig of niets mee te delen viel, behalve dat het een speciale uitzending was.

Sigiswald Steyaert vertelde net *full screen* hoe ernstig de moord op Deweert wel voor het land was. Voor de gelegenheid had hij zijn beste pak met het onvermijdelijke strikje aangetrokken, in het besef dat in uitzonderlijke omstandigheden het journaal van de openbare omroep altijd op veel hogere kijkcijfers dan de concurrentie kon rekenen.

Annemie was afgepeigerd na uren telefoneren en de drukke persconferentie waarbij ze haar niet-geringe talenkennis goed had kunnen gebruiken. In beide journaals zag ze Van Aken opduiken en ze moest toegeven dat hij het op het scherm telkens beter leek te doen.

Maar daar rinkelde de telefoon weer. Het was Lode Dierkens van het lab, met de mededeling dat de analyse van de bommen afgerond was.

'Zoals we dachten, het werk van een amateur, of iemand die zich zo wil voordoen, wie weet. De bom die bij de NVP was binnengegooid kan de eerste de beste handige jongen, die vijf minuten op het internet surft, in elkaar steken. En ook die rookbom is behoorlijk simpel knutselwerk.'

'Niet dat het die persjongens nog interesseert', zuchtte Annemie. 'Drie keer raden welk onderwerp vandaag het nieuws beheerst.'

'Ik zou het echt niet weten', antwoordde Dierkens. 'Ik ben vandaag mijn lab nog niet uit geweest en heb geen flauw benul van wat er in de buitenwereld gebeurd is. Heb ik iets belangrijks gemist?'

'Dat is maar hoe je het bekijkt.'

*

Maandag 16 mei, 20.30 u.

's Avonds, na een eenvoudige, deugddoende maaltijd, rookte Danny de Laet een pijp. Dat gebeurde niet zomaar. Het was een ritueel, iets wat aandachtig moest worden voltrokken. De meerschuimen pijp was oud en doorrookt, zoals een pijp diende te zijn. Hij stopte er een plukje zware, Hollandse tabak uit Deventer in. Het vlammetje van een lange lucifer. Nooit een aansteker, bij God, zo'n barbarij! Eens de tabak brandde, vulde hij de pijpenkop ongeveer voor de helft.

Minder was te weinig, meer te veel. Hij trok drie keer gulzig aan de pijp. Niet twee keer, niet vier. Drie volle teugen, net voldoende om de tabaksrook tot in zijn hersenpan te voelen stijgen om daar te ontploffen. Af en toe zoog hij nog eens aan het mondstuk, nu rustig. Genietend van de smaak op zijn lippen, van de geur die het kamertje tot in elke porie vulde. Eén pijp per avond was voldoende, want overdrijven leidde alleen maar tot excessen.

Echte pijptabak was duur en daarom rookte hij meestal shagjes. Je rolde ze zo fijn als je zelf wilde en hij kreeg er tweeënzestig, drieënzestig uit één pakje. Soms zat er zo weinig tabak in de sigaret dat het leek alsof hij alleen maar een brandend vloeitje hoorde knisperen.

Met nieuwjaar kocht hij voor zichzelf een kwart kilo pijptabak die hij tot het allerlaatste vezeltje oprookte. De pijp was echt en stevig, niet zo een belachelijk vies en beknabbeld sigarettenstompje dat je toch nooit helemaal recht en gelijk gerold kreeg. Ook wanneer de pijptabak op was, stak hij de pijp vaak in zijn mond en één keer was hij zo in slaap gevallen.

Op een boord boven de wastafel (een gammele oude plank die hijzelf in de wakke muur had geschroefd en die er nog maar twee keer was afgevallen) bewaarde Danny een klein flesje. Soms rook hij eraan. Echt niet vaak, naar schatting hooguit een keertje per week en hij teerde zo lang mogelijk op de herinnering van de geur want bij elke aanraking met de lucht, zo had hij zichzelf in het hoofd geprent, ging een stukje van de magische aantrekkingskracht van het parfum verloren. Het parfum rook naar lavendel en anijs en was zonder meer het beste ter wereld. Ja, dat was nogal wat anders dan die rommel waarmee mevrouw Van Poucke dagelijks al te uitbundig haar kwabbige hals besprenkelde!

Zou hij? Misschien een klein snuifje, één druppeltje achter elk oor. Hij schroefde zorgvuldig de dop van het parfumflesje los, legde hem voorzichtig op de platte kant neer op de wastafel (niet op de bolle kant, dat was één keer gebeurd, toen de dop was beginnen te rollen en op de grond uiteenspatte zodat hij een nieuwe moest kopen) en stak voorzichtig zijn vinger in de heerlijk wee geurende vloeistof. Een druppeltje achter de oorlelletjes, eerst links, dan rechts. Men moet zichzelf af en toe toch verwennen.

Ja, en nu nog een extra pijp! Waarom niet, er waren van die dagen dat Danny Thomas de Laet zichzelf niet helemaal onder controle had.

Danny stelde het ogenblik waarop hij onder de wol kroop altijd zo lang mogelijk uit. Want dan moest hij licht uitknippen, dan werd het donker. De nacht was zwart, de vijand die op de loer lag en aan je tenen knabbelde.

*

Dinsdag 17 mei, 11.30 u.

Het hield allemaal op. Niets was nu nog belangrijk. Vermoedelijk regende het, maar misschien ook niet. Iemand liep in de gang te lachen, met een dwaze grap van de scheurkalender. De poetsvrouw had een gat in haar kous, merkte Bracke.

De voorbije vierentwintig uur had hij dingen gedaan die hij haatte. Al die mensen te woord moeten staan, die hem wilden troosten met zijn tomeloze verdriet. Al die handen die hem aanraakten, de onwennige omhelzingen. Voor de dag om was, zaten al meer dan dertig rouwbetuigingen in zijn uitpuilende brievenbus en iedereen wou hem ineens aan de telefoon, heel eventjes maar.

Ze hadden allemaal vreemd opgekeken toen hij gewoon naar het werk kwam, maar niemand gaf een opmerking. Omdat ze niet durfden, omdat ze het niet konden plaatsen. Hij had een puntige blik waarmee hij door de mensen heen keek, naar een onbestemd punt in de verte.

'George, als ik je ergens mee kan helpen...'

Cornelis vorste zijn collega en besefte dat dit in deze situatie de moeder van alle clichéopmerkingen was. Hoe vaak had hij dat de afgelopen uren al niet gehoord.

'Je hoeft echt niet te komen', zei Werner van Aken, meer voor de vorm. Want hij had Bracke nu nodig. 'Je weet natuurlijk niet wat je eerst moet regelen.'

Bracke bleef het stilzwijgen bewaren. Inderdaad, hij had al van hot naar her moeten snellen. Dingen voor elkaar brengen die hij nog nooit had gedaan. Eerst en vooral zijn zus opzoeken, die hij pas diep in de nacht te pakken had kunnen krijgen. Ze had weinig gezegd, was meteen beginnen huilen. Ook al had ze allang met haar vader gebroken.

Bracke had geen tranen meer. Al die tijd spookte dat ene lied door zijn hoofd. *Adios noniño*, het absolute meesterwerk van Astor Piazzolla. Al te populair geworden omdat Maxima er tijdens haar huwelijksmis bij had zitten snotteren en heel Nederland als een gek naar die plaat was gaan zoeken, maar het was toepasselijker dan ooit. Tangogrootmeester Piazzolla, die het speciaal voor zijn eigen overleden vader had geschreven, moest wenen telkens als hij het speelde.

Bracke zat in zijn kantoor en kon er voorlopig niet toe komen ook maar iets te doen. Er waren duizend en zoveel zaken die eigenlijk niet konden wachten, maar het leek alsof zijn lichaam en zijn verstand dienst weigerden.

'Laat hem maar', zei Annemie, die heel laat was thuisgekomen en niet meer had kunnen slapen. Tot de ochtend hadden ze naast elkaar op de sofa gezeten, hand in hand. Ze hadden nauwelijks gesproken. Dat hoefde ook niet, ze verstonden elkaar zonder woorden. Hoe woelig hun relatie soms ook geweest was, altijd hadden ze aangevoeld wat de ander dacht. En vooral wanneer afstand nodig was.

Bracke had geen enkele behoefte om nog eens naar zijn vader te gaan kijken. Hij had in het ziekenhuis afscheid genomen, toen het lichaam naar het dodenhuisje werd gevoerd. Alleen met de verpleegster en het lijk in de lift had de commissaris de klamme aanwezigheid van de dood gevoeld. Het gezicht van zijn vader zag er ontspannen uit, alsof eindelijk een loodzware last van hem afgevallen was.

De zoveelste koffie van de dag was allang koud geworden, maar de commissaris bleef erin roeren. Hij merkte de nieuwsgierige blikken van de politiemensen niet, of nam er geen aanstoot aan. Hij was tijdelijk onaantastbaar, boven het leven van alledag verheven.

Annemie zag hem daar zo zitten, door de halfopen deur. Ze wist dat ze hem nu vooral niet moest omhelzen. Bracke was in zichzelf afgedaald, in de gewelven van zijn jeugd. Spelend met zijn hond Blackie, die zijn vader onderweg gevonden had, vastgebonden aan een boom. Aan de hand van vader op weg naar de frietkraam in het dorp, dat gebeurde één keer per maand en altijd aten ze friet met zelfgemaakte pickles, omdat vader Bracke daar verzot op was. En moeder droogde buiten de was en had op tafel de borden al klaargezet, van het servies dat voor speciale gelegenheden werd voorbehouden. Want het was niet omdat het gewoon friet van om de hoek was, dat ze niet met stijl konden eten.

Bracke voelde de smaak van de pickles weer op zijn tong branden.

Zurig en scherp, een tactiele sensatie die hij later nooit meer ervaren had. De pickles deden zijn ogen tranen en brachten zijn maag op hol, maar toch kon hij er niet afblijven.

De weg naar het tehuis legde hij af zonder achteraf te weten welke weg hij had genomen. Niet dat hij er erg naar uitkeek, maar het moest nu eenmaal gebeuren.

Met de nodige tegenzin worstelde Bracke zich door de inhoud van de ladekast van zijn vader, het enige wat Gerard Bracke naar het home had meegenomen.

De commissaris had er hem weleens in zien woelen, tijdens de eerste bezoeken toen zijn vader nog enigszins helder van geest was geweest. Ergens in een van de laden lag een groen boekje met aantekeningen en adressen en daar zocht hij nu naar. Hij had nooit gedacht dat het zoveel moeite zou kosten om de familieleden en vrienden van zijn vader op te sporen.

In de bovenste lade lagen fotoalbums, maar daar wilde hij niet aan beginnen. Nu nog niet. Later zou hij er troost in vinden, wist hij nu al. Op een moment dat het allemaal wat begon te slijten. Maar het zou nooit meer hetzelfde zijn. Nooit nog zou hij iemand vader kunnen noemen.

De directeur van het tehuis klopte discreet aan, ook al stond de deur halfopen. Hij werd door de volgende kandidaat op de wachtlijst onder druk gezet om de kamer zo snel mogelijk vrij te maken, maar wou Bracke niet opjagen. De commissaris had hem ooit geholpen bij de opheldering van een diefstallenplaag en dat was hij niet vergeten.

'Meneer Bracke?' kuchte hij. 'Neem er gerust uw tijd voor. Zulke dingen kunnen we niet overhaasten, nietwaar.'

Uit de toon waarop directeur Janssens deze woorden uitsprak en zijn zenuwachtige lichaamstaal bleek duidelijk dat hij eigenlijk het tegenovergestelde bedoelde. Maar Bracke had nu geen zin in jachtig gedoe. Hij keek vernietigend naar de directeur, die snel weer afdroop.

'Tot straks dan maar.'

Janssens trok de deur achter zich dicht en verwijderde zich met nauwelijks hoorbare stappen in de gang.

Bracke hoefde zijn ogen niet te sluiten om zichzelf achterop te zien bij vader op de bromfiets, zomaar flanerend op weg naar wie weet waar. Zijn handen rond de lederen jas, zijn neus in zijn vaders rug en vader rook naar pruimtabak. Een helm droegen ze toen nog niet, maar dat was ook niet nodig. Vader zou nooit vallen, hij was een onversneden held.

De bromfiets hadden ze uiteindelijk van de hand gedaan omdat hij te veel olie verloor. En er was natuurlijk de eerste auto, een Fiat 600 Multipla. Vader had die in 1968 gekocht voor 67.410 frank, de vergeelde factuur zat nog in een klasseermap, samen met het technisch boekje. Het autootje had een 2 cilinder 4 takt motor van 499,5 cc, een vermogen van 22 pk en een maximumsnelheid van 95 km/u, las Bracke. Weemoedig dacht hij terug aan de vele ritjes met dit wagentje, dat spottend weleens 'het rugzakje' werd genoemd.

*

Dinsdag 17 mei, 14.51 u.

Op het bureau werd een tegenspartelende man binnengebracht. Hij schreeuwde nauwelijks te begrijpen leuzen tegen het establishment, dat dacht althans waarnemend officier aan de balie, Christophe Vekeman, die net aan een rijsttaartje bezig was. Met zijn pensionering in het vooruitzicht kon het hem allemaal niet zoveel meer schelen.

Hij had trouwens wel wat anders te doen. Als secretaris van de voetbalploeg van de politie moest hij nog een verslag schrijven voor het flikkentijdschrift over de wedstrijd die ze gisterenavond tegen de ploeg van de Dienst Feestelijkheden hadden gespeeld. En helaas verloren met 8-0, dankzij niet minder dan zeven doelpunten van afscheid nemend voorlichter Claude Beernaert, die zichzelf graag 'Totti' noemde omdat hij er inderdaad van ver op leek en best een aardig potje kon voetballen. Directeur Jan Schiettekatte zat met zijn hoofd al bij de volgende Gentse Feesten en had zijn kat gestuurd, wat hij zich achteraf wellicht zou beklagen want hij had meteen het feestje van het jaar gemist. Administratief medewerker Marijke Bekaert ging na de wedstrijd zodanig door het lint dat ze tot in de vroege uurtjes op tafel had staan dansen en daar zou Vekeman met veel plezier een sappig stukje over schrijven.

Het was twee dagen behoorlijk rumoerig geweest in de stad. Gisteren werden verschillende spontane betogingen door burgemeester Beke uit veiligheidsoverwegingen toegelaten en hiervoor moest Van Aken het verlof van een aantal agenten intrekken. Vekeman diende zowaar in te springen en had zo de eerste vijf minuten van de voetbalwedstrijd gemist, een onrechtvaardigheid die hij in een column zeker aan de kaak zou stellen. Maar nu zoeken naar de juiste woorden om die welvende heupen van Marijke te beschrijven, frisse deerne, altijd goedgeluimd en met stralende ogen, die zijn verdorde flikkenhart wat konden verwarmen.

In gedachten verzonken miste hij het binnenkomen van een hoestende Cornelis. De commissaris had met open raam geslapen en een pracht van een verkoudheid opgedaan. Hij haastte zich naar zijn portable om de verklaring van vader Deweert uit te tikken. Hij had behoorlijk tegen dit gesprek opgezien, want Michel Deweert stond bekend als een gehaaide kerel, die nooit het achterste van zijn tong liet zien.

Cornelis had zijn twijfel uitgedrukt of het wel kies was de man zo kort nadat zijn enige zoon gestorven was te ondervragen, maar Van Aken kende geen genade.

‘Hij is nu wellicht net kwetsbaar. Hij heeft al een paar keer om politiebewaking gevraagd en we kunnen dat misschien achter de hand houden om hem aan het praten te krijgen. Als hij tenminste iets te vertellen heeft.’

Michel Deweert was verbazingwekkend genoeg onmiddellijk bereid om de commissaris te woord te staan, maar het verhoor liep op een sisser uit. Hij kon hooguit alles wat ze al van Deweert wisten, bevestigen en bleef even ondoorgrondelijk als Cornelis zich hem uit de media herinnerde.

‘Van persoonlijke vijanden weet ik niets’, blafte Deweert autoritair. ‘Zeker, ik was het vaak niet eens met de manier waarop hij politiek bedreef. En ongetwijfeld heeft hij weleens buiten de lijntjes gekleurd. Maar als hij daarom vermoord werd, dan moeten ze iedereen in de politiek van kant maken. Ik steek het niet weg dat ik niet akkoord ga met de manier waarop de jonge generatie politiek bedrijft, dat weet u waarschijnlijk wel. Maar ik heb mij er intussen bij neergelegd. Ik hou me nog alleen met mijn hobby's bezig en schrijf mijn memoires. En hoe zit dat nu met die politiebescherming?'

*

Woensdag 18 mei, 7.01 u.

Ineens werd Danny de Laet wakker, zonder echt aanwijsbare reden. Hij moest niet plassen en had geen dorst, ook al had hij gisteravond een zoute haring gegeten. Kwellende gedachten waren er evenmin. Hij deed dan maar zijn dagelijkse push-ups om in conditie te blijven.

Hij luisterde naar de stilte, voelde aan zijn hartslag. Zijn reiswekkertje tikte zachtjes. Zijn ogen vielen opnieuw toe. Het mismaakte oog bleef een beetje open staan.

Buiten stonden wat jongens uit de buurt te keuvelen. Een van hen had een snorfietsje, de anderen een gewone fiets. En echt luid praatten ze niet, want ze waren scouts die er een erezaak van maakten te leven volgens een strakke gedragscode. Van het bestaan van Danny hadden ze niet het minste vermoeden. Danny, die zich al eens liet meeslepen door zijn verbeelding en boven machteloos met de voeten stond te trappelen, tot de student in de kamer onder hem vriendelijk kwam vragen of meneer alstublieft iets zachter kon dansen. Iedereen heeft natuurlijk recht op zijn hobby, zeker, maar morgen stond een toch wel erg belangrijk tentamen op het programma.

Zaterdag 21 mei, 13.30 u.

Het was koud en het regende zachtjes.

Ik hoef me niet te schamen omdat ik hier niet zit te grienen, zoals wellicht van me verwacht wordt, dacht Bracke. Mijn verdriet zit vanbinnen, ik hoef niet zo nodig in tranen uit te barsten.

Na de oerklassieke pistolets met kaas en ham was het tijd om na te praten over de overledene. Al bij al viel de opkomst nog mee, vond Bracke.

Hij was volkomen rustig en keek naar zijn tafelgenoten. De kinderen waren aan een aparte tafel gaan zitten en wisten niet zo meteen welke houding ze moesten aannemen. Voorlopig hielden ze het nog op een eerbiedig stilzwijgen, maar het zou niet lang meer duren voor ze zouden beginnen kletsen. En er waren onderwerpen genoeg om lekker over te tateren.

Annemie nam de taak van gastvrouw op zich en ging aan de tafels informeren of alles in orde was.

Na de drukke eerste dagen volgend op het overlijden van Deweert was de rust weergekeerd. De media hadden de zaak helemaal uitgespit.

Het onderzoek naar de vermoorde politicus zat intussen muurvast. De speurders hadden de handen vol, maar zonder resultaat. Intussen was zowat de halve Kamer en Senaat ondervraagd, schatte Van Aken. Ook Irène Stevens had niets nieuws weten te vertellen.

Gelukkig hadden de media een andere vette kluif om aan te knagen. Het proces-Botero was onder grote belangstelling van start gegaan. De buitenlandse televisieploegen die toch al in het land waren om over de zaak-Deweert te berichten, konden meteen gewoon blijven. De eerste dag ging helemaal op aan de samenstelling van de jury en dit non-nieuws werd breed over het scherm en in de krantenkolommen uitgesmeerd.

Bracke bekeek het tafereel alsof hij er niet bij betrokken was. Hij zag de monden praten zonder naar hun woorden te luisteren. Zelf had hij niet de minste zin om aan de gesprekken deel te nemen, want het waren allemaal onvervalste jubelzangen ter ere van zijn vader. Ook vandaag zou het leven aan hem voorbijgaan en daar had hij vrede mee.

Tot zijn grote tevredenheid merkte hij dat Cornelis blijkbaar de taak van invaller op zich genomen had. André kletste honderduit met collega's en vrienden en beaamde dat vader Bracke inderdaad een doodbraaf man geweest was, ook al had hij hem hooguit drie keer gezien. Bart hield zich discreet wat op de achtergrond, want lang niet iedere aanwezige was op de hoogte van hun huwelijk. En het bleef toch altijd gevoelige materie.

'Gaat het, pa?' fluisterde Julie. Ze bracht hem ongevraagd een Mortlach 15 years, weliswaar de enige malt die de feestzaal in huis had, maar het was er een die kon tellen.

Hij knikte, amper merkbaar. En gebaarde dat hij het vandaag wel zou redden.

Van Aken praatte met Verlinden, ongetwijfeld over politiekwesties want ze hielden het *entre nous*. Verlinden knipoogde naar Bracke, die blij was dat zijn chef binnenkort weer zou komen werken. Voorlopig een paar dagen per week, want hij zou nog geruime tijd onder behandeling blijven. Bracke knipoogde terug en voelde zich heel wat beter.

Hij besloot zich toch maar tussen de mensen te mengen. Tenslotte waren ze allemaal gekomen om zijn vader de laatste eer te bewijzen. Vader, die nu in de oven lag te vergaan, zoals hij zelf uitdrukkelijk verzocht had.

'Aan mijn lijf geen wormen.'

Bracke had het daar moeilijk mee gehad, maar het was een wens die hij moest vervullen. De gedachte dat van zijn vader alleen nog een hoopje as zou overblijven, viel hem zwaar.

Van Aken kwam Bracke de hand schudden.

'Een mooie, ingetogen dienst', zei hij. 'Je hebt pakkende woorden gesproken, George.'

'Bedankt', zei Bracke, die het gevoel had dat hij maar wat had staan stamelen. Wel was hij tevreden over het stukje van de *Carmina Burana* dat hij had laten horen. Wellicht niet echt zijn vaders lievelingsmuziek, maar hij kon er niet toe komen de typische begrafenismuzak te brengen.

'Nu moet ik gaan, je weet wel', zei Van Aken.

Dat wist Bracke inderdaad. Over een halfuur werd ook Raymond Deweert naar zijn laatste rustplaats gebracht en daar konden de politiebonzen niet bij ontbreken. Elke beschikbare agent was trouwens opgevorderd, niet alleen om de orde te handhaven maar ook om een oogje in het zeil te houden. Het zou niet de eerste keer zijn dat een moordenaar opdook bij de begrafenis van zijn slachtoffer.

De zaal begon langzaam leeg te lopen. Bracke was allang blij dat het geen snotterpartij was geworden. Julie had werk gemaakt van een ontroerende diareportage over haar grootvader en met zijn allen hadden ze stilzwijgend naar een aantal beelden uit zijn leven gekeken.

'Ik blijf nog even', zei Bracke toen iedereen de zaal had verlaten. Annemie omhelsde hem, zacht, oneindig teder. Hij zat nog een hele tijd alleen, te mijmeren. En vond weer vrede met zichzelf.

*

Maandag 23 mei, 21.19 u.

André Cornelis zocht op de binnenplaats van het Sint-Pietersplein onwennig naar de ingang. Waarom had hij dat papiertje met de uitleg van Christian Lentz ook niet meegenomen? Er waren verscheidene deuren en hij had weinig zin overal aan te kloppen.

'Dag commissaris', zei een bekende stem.

Hij draaide zich om en herkende Walter Clippeleyr, een oudgediende van de flikken, die sinds kort tot de gilde van gepensioneerden behoorde.

'Jij hier, Walter?'

'Kom jij ook een schot wagen, André?'

'Ik ben in functie', zei Cornelis gewichtig, maar dat maakte weinig indruk op Clippeleyr.

'O ja, dat gedoe met die Deweert. Onfris zaakje, als je het mij vraagt.'

Cornelis twijfelde even of hij zijn oud-collega in vertrouwen zou nemen, maar besloot het toch maar niet te doen. Het feit dat Deweert vermoedelijk met een kruisboog uit de Sint-Rochusclub vermoord was, hadden ze uit de pers kunnen houden en dat kon maar beter zo blijven.

Binnen heerste een gezellige drukte. Aan de bar waren een paar schutters straffe verhalen aan het vertellen over het voorbije nationale kampioenschap, waarin ze volgens eigen zeggen enkel door brute pech van het podium werden gehouden.

Cornelis luisterde allang niet meer. Lentz had hem opgemerkt en met een brede glimlach aan iedereen voorgesteld. Toen de commissaris liet blijken het een en ander van wapens af te weten, kon het niet meer stuk. Hij was de koning te rijk toen hij een initiatie kruisboogschieten kreeg en vervolgens zijn eerste schoten mocht afvuren.

Het was al behoorlijk laat toen Cornelis met onvaste stap op zoek ging naar zijn wagen. En foeterde omdat zijn sleutel niet meteen uit zijn broekzak te voorschijn kwam.

*

Dinsdag 24 mei, 7.36 u.

'Dit moet je toch even bekijken, chef', zei John Staelens gewichtig. 'De ledenlijst van de kruisboogclub die Cornelis gisterenavond meegebracht heeft.'

De wijze waarop hij Van Aken een papier onder de neus duwde, liet uitschijnen dat het om iets belangrijks ging.

Van Aken zette zijn hoornen bril op en bestudeerde de lijst aandachtig. Hij zag er afgejakkerd uit. De voorbije dagen hadden het uiterste van zijn krachten gevergd, maar hij bleef trouw op post.

Algauw bleef zijn blik bij een naam hangen. Peinzend tuurde hij naar een onbestemd punt in de verte.

'Jan Daens... Daens... Zeg eens John, waar ken ik die naam ergens van?'

John Staelens glunderde. Het was zijn baas dus ook opgevallen.

Hij wachtte geduldig tot bij van Aken het licht in de duisternis zou schijnen.

'Van de liberale partij wellicht?' zei hij toen duidelijk werd dat de chef er niet zou opkomen. Met een theatraal gebaar ontrolde hij een verkiezingsaffiche.

JAN DAENS. ZEVENDE OPVOLGER VOOR DE SENAAT. GEEF DE MENSEN WAAR ZE RECHT OP HEBBEN.

'En als dit misschien kan helpen...'

Hij haalde een tweede papier te voorschijn met een korte persoonsbeschrijving van de politicus.

'Jan Daens, 41 jaar, advocaat bij het kantoor De Clercq en Partners. Sinds zeven jaar lid van de liberale partij. Getrouwd met Carmen, 37 jaar. Vader van Joyce, vijftien jaar. Snel getrouwd, een zogenaamd ongelukje. Een van de *back benchers* van de liberalen en kandidaat-senator. Doet tweemaal per maand aan dienstbetoon. Prominent lid van de loge, pas na veel aandringen van de liberale bonzen tot de partij toegetreden. Hobby's: kruisboogschieten en pokeren.'

'Knap werk', prees Van Aken. 'Zeker iemand om ook eens aan de tand te voelen. Maar het moet discreet gebeuren. Dit is een ideale taak voor Cornelis.'

Stormvogel knikte. In volle onderzoek slaagde hij er doorgaans in zijn antipathie voor Cornelis opzij te schuiven en voor dit soort gevoelige ondervragingen was André inderdaad de geknipte persoon. En Cornelis kwam de eer toe de ledenlijst van de schuttersclub opgesnord te hebben.

'Ik duik dan maar weer de archieven in, baas.'

Maar Van Aken luisterde al niet meer. Hij zag op zijn gsm dat hij vier oproepen gemist had, waaronder twee van de minister van Justitie. Het hield maar niet op.

'In orde, John', zei hij afwezig. 'En vraag Annemie om zo snel mogelijk te komen.'

Maar dat had Staelens al niet meer gehoord. Hij haastte zich naar zijn archief, zijn veilige burcht waar hij door niemand wenste te worden gestoord. Zeker niet door zijn vrouw Anita en wanneer hij op het display van zijn telefoontoestel zag dat ze hem belde, nam hij nooit op. Die zeur ook, hij had vannacht weer glunderend gedroomd dat ze door een trein vermorzeld werd.

*

Dinsdag 24 mei, 8.40 u.

André Cornelis was voor de zoveelste keer met de smaak van brandend maagzuur op zijn lippen wakker geworden. Waarom had hij in de boogschuttersclub toch ook bier gedronken? Hij herinnerde zich nog dat hij in het holst van de nacht de ledenlijst naar het bureau had doorgefaxt en de rest was één zwart gat. Gelukkig had Bart zich over hem ontfermd en twee lauwe cola's later was hij weer min of meer de oude.

'Je baas heeft al twee keer getelefoneerd waar je bleef', zei Bart met een zorgelijke blik. Hoofdschuddend streelde hij het warm aanvoelende voorhoofd van zijn partner. 'Zou je vandaag niet beter gewoon thuisblijven?'

Cornelis schudde met het begin van een pijnlijke glimlach het hoofd. Hij mocht zich inderdaad niet lekker voelen, niet komen opdagen was simpelweg geen optie. In de eerste plaats omdat hij dat zelf niet wilde en verder ook omdat hij wist dat hij momenteel niet gemist kon worden. Met een Bracke voorlopig op halve kracht bleven er maar weinig competente speurders over.

En hij had zowaar medelijden met Van Aken. Die moest nu de hete adem van politici én pers in zijn nek voelen, een weinig benijdenswaardige positie. Annemie zou natuurlijk ook in de vuurlijn zitten omdat de journalisten naar nieuws bleven vissen.

'Gaat het al wat beter?'

'Prima hoor', loog André, maar hij merkte aan de reactie van zijn levensgezel dat die hem doorzag.

'Ik spring straks wel even bij de apotheker binnen, beloofd', probeerde hij. 'Je weet dat ik niet zo van dokters hou. Het is een familietrekje. Mijn vader had een zware bronchitis, maar vertikte het een dokter te roepen. Het is zijn dood geworden.'

'Zeg je dat nu om mij gerust te stellen?' vroeg Bart. 'Nog even en ik verbied je de deur uit te gaan. Je ziet er echt rottig uit, weet je.'

'Fijne woorden', zei Cornelis sarcastisch. 'Maar uit jouw prachtige mond klinken ze als hemels manna. Tot straks dan maar.'

Hij gaf Bart een zoen op de mond en graaide op weg naar de voordeur nog snel zijn regenjas mee. In de wagen moest hij aan de kant om een zoveelste maagtablet te nemen.

'Rotbaan ook', foeterde hij, plankgas gevend. De oude Volkswagen sputterde de Blandijnberg op, maar hij wist dat zijn trouwe voertuig hem niet in de steek zou laten.

*

Dinsdag 24 mei, 12.18 u.

Met stijgende belangstelling zat André Cornelis in de wachtkamer naar de werken aan de muur te kijken. Het winterlandschap was gegarandeerd van de hand van Valerius de Saedeleer. Met zijn vader had hij nooit kunnen opschieten, behalve wanneer het over schilders ging.

Cornelis zette zijn bril op en bestudeerde het schilderij van dichterbij, opzettelijk zonder naar de handtekening te kijken. Het werk stelde een typisch Vlaams vergezicht voor, bedekt onder een stevige sneeuwlaag en met een gierende wind, die door het landschap woei. Het schilderij verried duidelijk de invloeden van De Saedeleer, die zich had laten inspireren door zowel de Vlaamse Primitieven als Bruegel.

Pas dan liet Cornelis zichzelf toe naar de handtekening te kijken. Hij glimlachte toen hij de zwierige krul van De Saedeleer herkende en nam met zichtbaar genoegen een grote slok van zijn intussen lauw geworden kop koffie.

'Commissaris? Meester Daens kan u nu ontvangen', kwam de enthousiaste blonde secretaresse vriendelijk zeggen. Tot haar verbazing merkte ze dat hij door haar heen leek te kijken. Ze testte nochtans het effect van een gloednieuw, kort lederen rokje uit en haar dure schmink zat perfect. Enigszins pruilend ging ze Cornelis voor naar het imposante kantoor van Jan Daens, die ijverig zat te schrijven.

De advocaat schudde hem routineus de hand. Best een knappe vent, dacht Cornelis. Maar geen spek voor mijn bek. Voor de volle honderd procent *straight* en onvoldoende avontuurlijk om eens van andere walletjes te smullen.

'Aangenaam, meneer Daens. Wees gerust, ik zal niet veel van uw kostbare tijd in beslag nemen', zei Cornelis minzaam, op een toon waaruit niet op te maken viel of hij het sarcastisch bedoelde. 'U weet wellicht waarom ik hier ben?'

'Dat kan bijna niet anders dan wegens die moord op Deweert zijn', pufte Daens. 'Ik had u eigenlijk eerder verwacht, want de meeste van mijn collega's politici hebben al een inspecteur over de vloer gekregen. Maar ja, het zijn natuurlijk drukke tijden voor de politie.'

Cornelis merkte op dat de advocaat zijn partijgenoot bij de familienaam noemde. Hij maakte er een aantekening van en verborg die onder zijn hand toen hij merkte dat de advocaat trachtte mee te lezen.

'Hoe heeft u het nieuws vernomen?'

'Ik hoorde het pas de volgende dag op de radio. Mijn vrouw en ik waren een weekendje in ons buitenverblijf in de Vlaamse Ardennen. Ik heb een gat in de dag geslapen, vrees ik. Dat heb ik de laatste tijd wel meer. Het zal de leeftijd zijn zeker', lachte Daens.

'Een drukke praktijk en zo en dan nog de politiek daarbovenop', knikte Cornelis begrijpend.

'En de zorg voor onze dochter niet te vergeten', vulde Daens zelf aan.

'Joyce?' aarzelde Cornelis, al was hij uit het blote hoofd niet volledig zeker van de naam. Dat geheugen ook. 'Hoe oud is ze nu, veertien, vijftien? Ja, op die leeftijd zijn meisjes soms eh, een beetje dartel te noemen.'

Daens keek Cornelis met een ietwat geïrriteerde blik aan.

'Heb ik iets verkeerd gezegd?'

De advocaat boog even het hoofd en herstelde zich dan.

'U weet wellicht niets van mijn dochter', zei hij op berustende toon. 'Joyce is mentaal gehandicapt. Overdag verblijft ze in een gespecialiseerde instelling. Neem me niet kwalijk, maar ik heb het nog altijd moeilijk om daarover te praten.'

Cornelis voelde het bloed uit zijn gezicht wegtrekken. Van een flater gesproken.

'Verontschuldig me', stamelde hij. 'Ik wist het inderdaad niet.'

'Laat maar zitten', lachte Daens moeizaam. 'Maar wat wou u eigenlijk van me horen, commissaris? Ik kan over deze zaak echt niet veel vertellen.'

Voor alle zekerheid maakte Cornelis toch maar wat aantekeningen. Zijn balpen weigerde dienst, maar in zijn binnenzak had hij voldoende reserve bij zich.

'U was dus aan het vertellen dat u het weekend in de Vlaamse Ardennen heeft doorgebracht?'

'In Zwalm', knikte Daens, die op een Post-it begon te schrijven. 'Hier is het adres. We hebben daar een leuk optrekje. Ver weg van iedereen, een goed gevulde diepvriezer en tussen ons gezegd en gezwegen ook een leuke wijnkelder. We gaan er toch zeker twee weekends per maand naartoe.'

'Samen met uw vrouw en Joyce?'

'Alleen met Carmen. Joyce is de laatste tijd bepaald onhandelbaar. Thuis kunnen we er niks mee aanvangen. Dat is al enkele maanden zo. Om de een of andere reden weigert ze nog een voet in haar eigen kamer te zetten en ze wil zelf in de instelling blijven. Het schijnt eigen aan de leeftijd te zijn. We gaan haar natuurlijk regelmatig opzoeken. Carmen is er het hart van in.'

Cornelis bleef werktuigelijk noteren. Hij voelde weer een maagoprisping opkomen en tastte discreet naar het doosje pilletjes in zijn broekzak.

'Zou ik een glas water kunnen krijgen?'

'Natuurlijk, waar zijn mijn manieren?' lachte Daens. Hij belde zijn secretaresse via de intercom en nog geen halve minuut later was ze er al met een fles Bru. Ostentatief de neus ophalend.

'Zoals gezegd, ik heb maar 's anderendaags gehoord dat er op Deweert geschoten was. Ik ben 's avonds vrij vroeg op de sofa in slaap gevallen, zo rond tienen, schat ik, want de weekendfilm moest nog beginnen. Dat overkomt me wel vaker. Het zal ook wel aan de programma's liggen zeker', grijnsde Daens.

Cornelis lachte al even gemaakt terug.

'Mijn vrouw heeft de film in de slaapkamer uitgekeken en rustig het flesje wijn waaraan we begonnen waren, leeggedronken, een Canon Fronsac uit 1999, als ik me niet vergis, en wellicht nog een whisky als slaapmutsje. Toen is ook zij in slaap gevallen. De volgende ochtend besloot ze mij maar te laten liggen. Niet bepaald een wild weekend dus. Het was al na de middag toen ze me wakker maakte en vertelde dat ze op de radio gehoord had dat er een aanslag op Deweert gepleegd was.'

'En toen uw vrouw u van de aanslag op de hoogte bracht, bent u meteen teruggekomen?'

'Eerst heb ik voor verder nieuws naar de partijvoorzitter gebeld. Men had mij al proberen te bereiken, maar ik maak er een erezaak van om tijdens mijn uitstapjes de gsm af te zetten. Anders heb ik nooit meer rust.'

De maagpil begon te werken. Cornelis voelde allerlei gassen opborrelen en kon een luide boer niet vermijden.

'Sorry.'

'Geen probleem', maakte de advocaat een afwimpelend handgebaar. 'Is er verder nog iets tot uw dienst?'

Cornelis krabde in zijn haar.

'U bent lid van de kruisboogvereniging Sint-Rochus, geloof ik?'

'Al meer dan twintig jaar', zei Daens trots. 'Is daar iets mis mee?'

'Uiteraard niet', haastte Cornelis zich om te zeggen. 'Mag ik u vragen of u deze boog kent?'

Cornelis toonde hem een foto van de Barnett van Grosemans. Daens haalde uit zijn bovenste lade een etui en zette een dure bril op zijn neus. Met aandacht bekeek hij de foto.

'Dat is een jachtkruisboog', zei hij met een zekere minachting. 'Ik schiet liever met moderne wapens.'

‘Naar we met aan zekerheid grenzende waarschijnlijkheid weten, is dit het moordwapen.’

‘Werkelijk?’

Daens keek met zo mogelijk nog grotere interesse naar de foto. Zijn ogen knepen zich tot fijne spleetjes samen. Hij had al behoorlijk wat rimpels en nu Cornelis wat beter keek, zag hij ook het begin van een kalende kruin.

‘Misschien heb ik dit wapen al gezien. Het komt me bekend voor, maar ik ken dan ook zoveel schutters. Ik neem geregeld deel aan wedstrijden, ziet u.’

‘En met behoorlijk succes’, zei Cornelis zalvend. ‘Bent u niet eens ei zo na Belgisch kampioen geweest?’

‘Twee jaar geleden’, knikte Daens. ‘Bij het laatste schot ging het helaas mis. Maar ik kan te weinig oefenen. En nu staat mijn hoofd er niet meer naar. Zeker met de verkiezingen kom ik er nog amper toe een schot te lossen.’

‘Wat zou u ervan denken als dit het wapen is van de heer Grosemans? U weet wel, uw partijgenoot?’

‘Jerry? Werkelijk?’

Cornelis verkoos om niet te antwoorden. Hij keek Daens recht in de ogen.

‘Als u het zegt, zal het wel zo zijn. En heeft Jerry iets met die aanslag te maken?’

‘Goede vraag’, zei Cornelis. ‘Hij heeft die kruisboog in ieder geval enige tijd geleden als vermist opgegeven. En nu werd daar dus de heer Deweert mee vermoord, vermoeden we.’

Daens wist duidelijk niet goed wat hij van de hele affaire moest denken. Zenuwachtig pulkte hij aan zijn brillendoos.

‘Ik kan u helaas niet verder helpen, commissaris. Ik ken Jerry maar zijdelings. Ik kom zelf niet zo vaak op het hoofdkwartier van de partij en in de schietclub hebben we beiden een andere vriendenkring, vrees ik. Om eerlijk te zijn, ik vind hem maar een windbuil, maar dat is natuurlijk een persoonlijke mening. Ik zou eerlijk gezegd niet weten of hij een of andere wrok jegens Deweert koestert.’

‘Mag ik vragen waarom u hem altijd “Deweert” noemt en niet “Raymond”?’

‘Doe ik dat?’ klonk Daens betrapt. ‘Dat is uit gewoonte, zeker. We zijn niet bepaald close. Ook al behoren we tot dezelfde partij, onze denkbeelden zijn op veel punten totaal verschillend.’

‘Zoals?’

‘Ik denk niet dat het een geheim is dat Deweert er een liederlijke levensstijl op nahoudt. Ik vind dat niet kunnen. Als politicus moet je een voorbeeldfunctie vervullen, is mijn oordeel. Maar goed, iedereen leeft zoals hij wil.’

Cornelis knikte en klapte zijn notitieboekje dicht. Hij had geen verdere vragen meer.

‘Bedankt voor uw tijd, meester.’

Bij de receptie wou hij afscheid nemen van de secretaresse, maar ze keek de andere kant op. Heel nadrukkelijk, hoewel daar niets te zien was.

*

Dinsdag 24 mei, 14.30 u.

Al driemaal had Abdel Hassim aan het imposante herenhuis aangebeld, steeds nadrukkelijker, maar zonder succes. De derde keer luisterde hij aandachtig en meende hij opnieuw helemaal niets te horen. Nochtans stond de wagen van Lydia Deweert, geboren Lydia Vertongen, voor de oprit. Hij had haar Mercedes C Sportcoupé al eerder opgemerkt na de aanslag voor het restaurant, waar ze haar bolide nadrukkelijk half op de stoep had geparkeerd. De brede 225/45-banden, de lichtmetalen velgen achteraan, de in koetswerkkleur uitgevoerde portiergrepen, het zilverkleurig geperforeerd radiatorrooster, hij had er die nacht niet van kunnen slapen.

Jammer toch dat hij zijn passie voor snelle wagens en motoren in het korps met niemand kon delen, op hoofdcommissaris Verlinden na, maar hij zag zich nog niet meteen met zijn overste een praatje over voorspoilers en sportsturen beginnen. De hoofdcommissaris zou deze week voor het eerst een dagje komen werken, al dacht iedereen dat het nog enige tijd zou duren voor hij weer min of meer normaal zou meedraaien.

De inspecteur kende de weg naar de afgelegen woning intussen uit het hoofd. De eerste dagen na de dood van Deweert had hij er een paar keer gepatrouilleerd. Geen overbodige luxe, want journalisten en ramptoeristen verdrongen elkaar toen in de straat. Intussen was het alweer oud nieuws en de ingezette manschappen konden elders nuttiger zijn.

Hassim kreeg van mevrouw Deweert maar geen hoogte. Ze had zich op de begrafenis laten opvallen door meteen na de dienst weg te scheuren, geflankeerd door een gebronsde jongeman.

Na enige aarzeling besloot Hassim achterom te gaan, om te kijken of de kersverse weduwe daar nergens rondliep. Tenslotte was hij in functie en moest hij zijn werk doen.

Het hekje stond op een kier. Er was nergens een bel te bespeuren en hij oordeelde na enig beraad dat het geen inbreuk op de privacy was als hij aan de achterdeur zou aankloppen.

Hij floot zachtjes tussen zijn tanden toen hij de prachtige tuin zag. Niet dat hij veel van bloemen kende, maar het rozenperk met de bijbehorende teakhouten meubeltjes zag er goed verzorgd en vooral erg duur uit. In de vijver spuwde op de top van de fontein een engel een sierlijke gulp water in de lucht en aan de voeten van het standbeeld dartelden kleurrijke koivissen onbezorgd rond.

Binnen was zachte, bezwerende mantramuziek te horen. Door de gordijnen zag hij vaag een drietal gestalten. Lydia was inderdaad thuis.

Abdel stond even in twijfel of hij niet zou storen. Wellicht was ze bezig met allerlei praktische regelingen na de begrafenis te treffen, zoals ook commissaris Bracke dat had moeten doen. Maar er waren nu eenmaal nog enkele prangende vragen te stellen en Van Aken had erop aangedrongen dat het zo snel mogelijk gebeurde.

Hij bevochtigde zijn vingers met speeksel, streek snel even door zijn glimmende zwarte haren en stak zijn hemd keurig in zijn broek.

Abdel zou het nooit toegeven, maar hij was behoorlijk ijdel. Elke ochtend had hij flink wat tijd nodig om zijn toilet te maken, in zoverre zelfs dat zijn twaalfjarige dochter Zamira al een tijdje aan het zeuren was om op haar kamer ook een spiegel en wastafel te krijgen. Maar daar moest hij eerst eens in alle ernst over nadenken.

Hij had zijn hand al uitgestrekt om aan te kloppen toen het gordijn door de bewegingen binnen even verschoof.

Abdels hart stond een ogenblik stil. Hij zag heel duidelijk de ranke gestalte van Lydia Deweert, die enkel nog een tangaslipje droeg. En een fijne gouden ketting rond haar enkel. Haar vel was diep gebruind, ook haar borsten. Ze lachte luid en danste wellustig mee op het ritme van de bezwerende muziek. Haar blote voeten kletsten op de parketvloer.

Lydia was niet alleen in de kamer. Ze was vergezeld van twee beeldschone jongemannen, die een heftige tongzoen uitwisselden en elkaar overal streelden. De mannen waren spiernaakt en duidelijk opgewonden.

Geschokt tot in het diepste van zijn ziel haastte Abdel zich uit de tuin en reed met gierende banden weg. Hij had een zo'n haast dat hij op de hoek bijna het verkeersbord ramde dat de chauffeurs van de aanwezigheid van de kleuterschool in de straat op de hoogte bracht en aanmaande de snelheid te minderen.

Binnen loerde Lydia lachend door het gordijn.

'Qu'est-ce qu'il y a? Tu as vu quelque chose?'

'Rien, mon chéri, seulement mon ami le policier', kirde ze en ze begon een van de mannen van top tot teen af te likken.

11.

Woensdag 25 mei, 10.59 u.

Nog nooit had George Bracke zich zo leeg gevoeld. Nu de crematie van zijn vader achter de rug was, zou iedereen op het politiebureau het bijzonder aannemelijk vinden dat hij zich op het werk stortte om te vergeten.

Maar dat wou hij helemaal niet. Hij wist dat er geen dag meer zou voorbijgaan zonder dat hij aan zijn vader dacht, net zoals zijn moeder ook nooit ver weg was.

Van Aken was al een tijd aan het praten, maar Bracke had er geen woord van meegedragen. Hij voelde dat de chef hem vragend aankeek en knikte.

'Gaat het, George?'

Heel vaag had Bracke iets opgevangen over de vrouw van Jan Daens en hij gokte op goed geluk af dat die nog ondervraagd moest worden.

'O.k., ik neem haar wel voor mijn rekening.'

Van Aken knikte instemmend. Hij bekeek schattend zijn troepen, zoals hij ze graag betitelde. Cornelis zat met een nagelvijltje zijn nagels te manicuren. Staelens wiebelde ongeduldig heen en weer op zijn stoel, wachtend tot hij weer aan de slag kon. En Hassim nam ijverig notities, om toch maar niets te missen.

'Zou je dat wel doen?' vroeg Van Aken na enig nadenken. 'Ik bedoel, zou je niet beter nog een paar dagen rustig binnenshuis werken? Ik kan best iemand anders vragen dat verhoor te doen.'

'Misschien wel', antwoordde Bracke. 'Maar het helpt me wellicht om mijn gedachten te verzetten.'

'Beloof me dat je meteen naar huis gaat als het niet lukt', zei Van Aken, die zichzelf erg ruimdenkend en grootmoedig vond.

'Beloofd', zuchtte Bracke. De collega's deden alsof ze het niet gehoord hadden, maar ze hielden hem allemaal in het oog. Hij voelde hun bezorgde blikken en deed alsof hij niets gemerkt had.

Op automatische piloot reed Bracke naar de villa van Daens. Diens echtgenote nam meteen op toen hij onderweg belde, als wachtte ze naast de telefoon tot iemand telefoneerde.

'Ik ben er over vijf minuten.'

'Maak er tien van. Ik wou net onder de douche.'

Daar had Bracke ineens ook wel zin in. Na de dood van zijn vader had hij er zich niet toe kunnen bewegen een ordentelijk bad te nemen, op een vlugge plons de dag van de crematie na. En begrijpend als Annemie was, had ze daar niets van gezegd.

Hij parkeerde zijn wagen op de oprit van de statige villa en besloot nog even een kleine wandeling te maken. Niet ver, gewoon even de benen strekken en zijn longen vullen met gezonde lucht.

Ten huize Daens stond de thee al uitnodigend te dampen. Carmen Daens liet hem neuriënd binnen, terwijl ze haar lange, zwarte haren afdroogde. Ze was bijna even groot als Bracke en dat beviel hem. Hij had altijd al een zwak voor rijzige, slanke vrouwen gehad. Wellicht had ze in haar jeugd veel gedanst, want ze bewoog met de soepele vanzelfsprekendheid van een tijger.

'Let maar niet op de rommel.'

De commissaris keek verbaasd om zich heen. Ten huize Bracke had het er nog nooit zo netjes uitgezien.

'Ik zal het kort maken', zei hij beschroomd. Het was alsof hij weer zijn draai moest vinden. Hij kwam tot het besef dat dit de eerste maal was dat hij na de dood van zijn vader met een onbekend iemand alleen in een kamer vertoefde. Altijd waren er wel mensen geweest die hem wilden troosten. Hij besloot er niets over te zeggen en nipte van de thee. Een heerlijk kruidenmengsel dat hij niet nader kon thuisbrengen, maar in ieder geval heel wat lekkerder dan het brouwsel dat ze op kantoor voor thee lieten doorgaan. Hij moest dringend eens een woordje praten met de persoon die voor de warme dranken verantwoordelijk was.

Carmen Daens kruiste haar bijzonder appetijtelijke benen en genoot ervan dat Bracke er onbeschaamd naar keek. Maar op de juiste manier en ze vatte het als een compliment op.

'Ik luister, commissaris.'

'We hebben nog de tijd niet gehad om ook even naar uw kant van het verhaal te luisteren. Ik bedoel, van de avond van de moord.'

Onwillekeurig trok mevrouw Daens haar rok wat naar beneden. Nadenkend speelde ze met haar trouwring.

'Ik vrees dat er niet veel te vertellen valt, commissaris. We hebben het weekend in ons buitenverblijf doorgebracht. Jan is vroeg in slaap gevallen, wat na zijn ongeval wel meer gebeurt. Ik heb een hele tijd naar de televisie gekeken, naar de nachtfilm. Wilt u weten welke?'

Bracke maakte een afwerend gebaar ten teken dat het echt niet hoefde, maar Carmen Daens was het type vrouw dat geen tegenspraak duldde.

'*The Silence of the Lambs*. Een van mijn lievelingsfilms, maar wel een die mij niet loslaat. Ik heb dan ook lang wakker gelegen. Maar een goede whisky bleek het ideale slaapmutsje.'

Bracke spitste de oren.

'Een whisky?'

'Ja, is dat zo verwonderlijk?'

Bracke schudde snel van nee. Het klonk meer dan aannemelijk.

'Een Laphroaig 15 years, als u dat iets zegt, commissaris.'

Dat deed het zeker. Bracke kreeg er bijna de tranen in de ogen van. Deze typische Islay whisky had in het begin een zoetig zacht mondgevoel, maar werd algauw gevolgd door een ware explosie van droge turf en rook. Absoluut geen evidente whisky voor een vrouw en hij kon alleen maar onder de indruk zijn.

'Dat is alles wat ik moest weten', zei hij, enigszins door deze vrouw overdonderd.

Carmen Daens keek hem nauwlettend aan.

'Scheelt er iets, commissaris?'

Bracke flapte het eruit zonder het te kunnen tegenhouden.

'Mijn vader is vorige week overleden.'

Ze knikte begrijpend.

'Dan heeft u ook wel een Laphroaig verdiend.'

Even later zaten ze beiden in een glas vloeibare troost te staren. Zonder iets te zeggen, maar dat hoefde ook niet.

Toen moest Bracke ineens dringend weg. Hij had een onbedwingbare drang om Carmen Daens te kussen en gaf haar een aarzelende, maar gemeende zoen op de wang, die ze als vanzelfsprekend retourneerde.

*

Woensdag 25 mei, 12.17 u.

Het was een van de jonge inspecteurs die pas van de politieschool kwam, die de commissaris in zijn wagen ontdekte. Bracke had werktuigelijk in een uithoek van het parkeerterrein een plaatsje gezocht en zat daar nu al minstens een uur onbeweeglijk wezenloos voor zich uit te staren.

Inspecteur Karel Mommens tikte aarzelend met zijn trouwring tegen het venster.

'Scheelt er iets, commissaris?'

Pas na de derde keer keek Bracke verweesd op. Het duurde een tijdje voor hij besefte waar hij was. Verbaasd keek hij de inspecteur aan.

'Je zei?'

'Of er iets is dat ik kan doen?'

Bracke haalde de schouders op.

'Dat denk ik niet, Karel. Toch bedankt voor de belangstelling.'

Mommens stond in twijfel. Uiteindelijk ging hij naar binnen, recht naar het kantoor van Annemie. Die was druk bezig met een telefonisch interview voor de nieuwsdienst van de radio en geduldig wachtte hij zijn beurt af.

'Mevrouw Vervloet?'

'Ja eh, Karel?' zei Annemie na enige aarzeling. Ze was gisteren nog koffie gaan drinken met de inspecteur, zoals ze dat met alle nieuwelingen van het korps deed om het ijs te breken. Om een goede externe communicatie te verwezenlijken, was het noodzakelijk om ook de interne relaties goed gesmeerd te laten verlopen.

'Het is commissaris Bracke', zei hij aarzelend.

Annemie voelde haar hart tekeergaan.

'Wat is er met hem?' zei ze en prompt kreeg ze een droge mond van schrik.

'Hij zit al een hele tijd in zijn wagen. Ik heb hem gevraagd hoe het ging, maar veel kreeg ik er niet uit.'

Annemie tikte de inspecteur zachtjes op de voorarm.

'Bedankt, Karel. Ik zal eens gaan kijken.'

Van Aken was op weg naar het toilet en geneerde zich enigszins omdat hij had staan luistervinken. Hij trok zich discreet terug en verdween in de kopieerkamer.

*

Woensdag 25 mei, 12.40 u.

De korpsdokter kende geen genade en schreef George Bracke een week rust voor.

'Doe nu niet koppig en hou je daar ook aan, George. Ik ken je', foeterde hij, om te verbergen dat hij bezorgd was.

'Je hebt wellicht gelijk, Lieven. Ik kan mijn draai maar niet vinden. In bed lig ik te woelen en pas tegen de ochtend val ik in slaap. Ik heb al een slaappil geprobeerd, maar dat heeft op mij blijkbaar geen uitwerking. En ik krijg geen hap door mijn keel. Maar jij zult daar ongetwijfeld weer een prachtige medische uitleg voor verzinnen.'

'Je bent ook maar een mens van vlees en bloed', zei de dokter. 'Vergeet dat niet. Zelfs een commissaris is niet immuun voor verdriet. Je wordt in je werk vaak met de dood geconfronteerd, maar het verlies van je eigen vader is toch andere koek. Gun jezelf de tijd om te rouwen, George.'

Natuurlijk had de dokter gelijk. Dat had hij altijd.

*

Woensdag 25 mei, 14.51 u.

'Dit zal u wellicht wel interesseren, chef.'

Telkens als Staelens dat licht irriterende hikje in zijn stem had, kwam hij met iets op de proppen, wist Van Aken. Hij nodigde zijn officier uit om plaats te nemen, al had hij liever het dossier uit diens handen gerukt.

'Ik heb nog een beetje verder zitten spitten naar de namen die in de zaak Deweert opduiken. Voorlopig is het nog zoeken naar een speld in een hooiberg, want ik heb er geen idee van wat ik precies moet uitpluizen.'

Van Aken wachtte gelaten tot Stormvogel klaar was met zijn uiteenzetting. De ervaring had hem geleerd dat hij de archivaris van het korps nu vooral niet mocht onderbreken.

'Om een lang verhaal samen te vatten: veel bruikbaars heeft mijn speurwerk nog niet opgeleverd.'

'En kom je me dat vertellen? Ik kan mijn tijd wel beter gebruiken', siste Van Aken. Hij moest zich bedwingen om niet in een scheldtirade uit te barsten.

Stormvogel keek hem glunderend aan. Hij vond het best prettig om zijn chef wat op te naaien.

'Niet zo snel, niet zo snel... Ik ging vanmiddag tijdens mijn lunchpauze een hapje bikken met mijn zus. We hadden elkaar al een tijdje niet meer gezien en dan komen de tongen vanzelf wat losser. Zeker met een glaasje wijn erbij.'

Van Aken vroeg zich vertwijfeld af hoe hij Stormvogel kon aanzetten tot de kern van de zaak te komen. Hij kreeg al schrik dat Staelens het menu tot in de puntjes zou beschrijven.

'O.k., mijn biefstuk was helemaal niet bleu zoals ik gevraagd had en ze waren warempel mijn kroketten vergeten. Ik wou de ober al een standje geven, maar toen kwam het gesprek toevallig op Jan Daens.'

Hij bespreekt politiezaken zomaar in het openbaar met zijn zus en het zal vast ook wel niet bij dat ene glas wijn gebleven zijn, dacht

Van Aken. Dat wordt een blaam in zijn dossier. Maar de chef liet niets blijken. Hij lachte zelfs ogenschijnlijk poeslief naar Staelens, die niet meer te stoppen was.

'En dan zei mijn zus zomaar dat ze Jan Daens goed kende. Ze is anesthesiste in het Sint-Janshospitaal. Blijkbaar is Daens daar enkele maanden geleden aan zijn knie geopereerd na een auto-ongeval. En raad eens.'

Van Aken had helemaal geen zin in raadseltjes en keek Staelens nu dreigend aan.

'Daens is gisteren op consultatie geweest en Betty is er pertinent zeker van dat hij nog steeds mankte.'

De belangstelling van Van Aken was gewekt. Hij vond het ineens al veel minder erg dat Staelens er zo omheen draaide. Zoals meestal zat er bij zijn verhalen een addertje onder het gras.

'Ik ben na de middag snel even in het ziekenhuis binnengesprongen en heb daar het dossier van Daens opgevraagd. Ik ken die arts goed, dus dat was geen probleem', glunderde Stormvogel en met een gewichtig gebaar overhandigde hij Van Aken het dossier. 'Hier, lees maar.'

Een scheur in de soleus en de dikke gastrocnemius. Cesuur van de quadriceps met barsten in de patellar tendon en de femorale groeve.

'Al die termen zijn Latijn voor mij, maar het komt erop neer dat de achillespees van Daens bij het auto-ongeval werd afgerukt en dat ook zijn linkerknie zowat in de prak lag. Ze hadden drie uur nodig om de boel weer aan elkaar te naaien. En inderdaad, hij zal nog een hele tijd manken, als het al niet de rest van zijn leven is. Achterin het dossier vind je overigens het verslag van het ongeval. Daens was niet in overtreding en evenmin dronken. De bestuurder van de andere wagen daarentegen had een halve fles Asbach Uralt gedronken en wou ondanks een gebroken enkel nog vluchtmisdrijf plegen. Overigens niet alleen omdat hij geen verzekering had, maar vooral omdat hij nog een gevangenisstraf wegens drugssmokkel moest uitzitten.'

Triomfantelijk keek Stormvogel zijn chef aan, hengelend naar een complimentje. Maar Van Aken vertikte het om dat te geven. Hij beperkte zich tot een simpele hoofdknik en las snel het dossier door.

'Bedankt, John', zei hij zo achteloos mogelijk. Stormvogel wachtte sip even af en besefte dan dat het daar bij zou blijven. Met een bewolkt gezicht verliet hij snel het kantoor.

Van Aken belde naar Cornelis met de melding meteen te komen. De commissaris was net op weg naar het toilet en zuchtte.

'Nu onmiddellijk?'

'Nu onmiddellijk.'

'Geef me vijf minuten. Ik heb even eh, een inwendig probleem.'

Cornelis moest hollen om het toilet nog net op tijd te halen. Die nieuwe medicijnen waren weliswaar effectief voor zijn maag, maar hadden een bijzondere nevenwerking op zijn darmen. En dat net nu het toiletpapier op was.

Welgeteld tien minuten later zat een duidelijk verlichte commissaris naar de uitleg over het ongeluk van Daens te luisteren.

'Ik zou het echt niet weten of hij inderdaad mankt', moest Cornelis toegeven. 'Tijdens ons gesprek heeft hij de hele tijd gezeten. Ik ga er meteen op af.'

'Wacht nog even', zei Van Aken. Hij rommelde wat in zijn lade tussen allerlei rommel en haalde er een videocassette uit. Hij liet voor de zoveelste keer de beelden van de aanslag op Deweert zien.

Ingespannen keken ze beiden naar de opname. De hoeveelste keer is dit nu al, dacht Van Aken.

'Met de beste wil van de wereld kan ik er echt niets van maken', zei Cornelis. 'Maar de gestalte zou wel ongeveer kunnen kloppen. Zowat 1m80, schat het lab na verdere analyse.'

Van Aken keek zijn speurder nadenkend na. Hij kon alleen maar hopen dat de zaak snel opgelost werd, want de druk werd steeds groter. Het kabinet van de premier had nu al voor de derde keer in een kwartier gebeld, zag hij op het display van zijn toestel. Met een diepe zucht schakelde hij de slaapstand uit en telefoneerde dan maar zelf.

Hij had de secretaresse aan de lijn en vervolgens meteen de eerste minister zelf. Het gesprek was kortaf en hard en Van Aken kreeg op enkele minuten tijd de nodige verwijten te incasseren. Op het einde verschenen zweetdruppeltjes op zijn voorhoofd, die hij gedachteloos met zijn hemdsmouw afveegde.

*

Woensdag 25 mei, 15.11 u.

Danny vond er niet onmiddellijk woorden voor, maar de vrouw die hij op het voetpad kruiste, had bijzonder mooie ogen. Je kon ze misschien een beetje katachtig noemen, giftig en dus bijzonder gevaarlijk. Het waren ogen die je nooit meer vergat.

Vreemd toch hoe ogen zo bepalend voor iemands uiterlijk waren, veel meer dan bijvoorbeeld de neus of de kin.

Wat voor iemand die vrouw eigenlijk was? Hij vroeg het zich niet af. Het had ook geen belang. Hij was helemaal niet op een verdere kennismaking uit, want het zou vermoedelijk toch alleen maar op een teleurstelling uitdraaien.

Goed, ze had hem dan wel nadrukkelijk bekeken en zelfs eventjes een glimlach laten doorschemeren, maar dat hoefde niets te betekenen. Wie weet was ze een getrouwde vrouw, die net van de dokter gehoord had dat ze na zoveel jaar eindelijk zwanger was. Of ze was gewoon helemaal gaga, dat hoorde je tegenwoordig toch vaak? Nee, Danny maakte zich geen illusies, die vrouw was niet voor hem weggelegd.

Maar hij wanhoopte niet. Dat mocht niet, hij was tenslotte nog niet zo oud en in het leven wist je nooit wat je te wachten stond.

*

Woensdag 25 mei, 15.19 u.

Aan de balie zat een andere secretaresse, maar half zo blond en vooral minder koket dan haar collega. Zo leek het althans, want in feite had ze nog maar net haar nagels gelakt en hoopte ze dat niemand zou telefoneren, zolang ze nog niet droog waren.

‘Gaat u maar door’, zei ze terwijl ze haar vingers keurde. ‘Meneer Daens verwacht u.’

‘Ik verwacht nog een inspecteur. Wilt u hem meteen doorsturen?’ vroeg Cornelis.

‘Zeker, commissaris.’

Het vleide Cornelis dat ze hem met de juiste titel aansprak. Dat had dat stomme, blonde wicht in geen honderd jaar kunnen onthouden. Fluitend klopte hij aan en ging naar binnen. Daens zat vol aandacht een rapport te bestuderen en zijn blik maakte duidelijk dat hij daarbij niet gestoord wou worden.

André Cornelis trok zich daar niets van aan en viel meteen met de deur in huis. Hij wisselde snel een handdruk uit en sprak zo formeel mogelijk.

‘Wilt u even opstaan en naar die muur wandelen, meester Daens?’

Advocaat Jan Daens keek vreemd op.

‘Wat zegt u?’

‘Doe het toch maar, meester Daens.’

De advocaat wilde zijn goede wil tonen en ging op het verzoek van de commissaris in, al begreep hij er duidelijk niets van. Niet zonder enige moeite kwam hij overeind uit zijn gemakkelijk zittende, lederen directeursstoel en begon te lopen.

Het ging hem duidelijk niet goed af. De advocaat wankelde en greep naar zijn krukken.

‘Ik vergeet die dingen altijd weer’, foeterde hij. ‘Maar ik kan er beter maar aan wennen. Het ziet ernaar uit dat ik er voor altijd mee opgescheept zit. En als ik nu weer op mijn stoel mag?’

‘Nog een paar passen’, zei Cornelis en hij maakte plaats voor inspecteur Daeninck die met een camera een opname van de onzekere stappen van de advocaat nam.

‘Graag ook even zonder krukken, als het kan. Enkele stappen maar.’

Niet-begrijpend plaatste de advocaat zijn krukken tegen de muur en zette zich in beweging. Het ging bijzonder moeizaam en hij kon amper zijn evenwicht bewaren.

'Staat het erop, Eddy?'

'Picobello', knikte Daeninck.

De advocaat stond de politiemensen met stijgende verbazing en een steeds moeilijker te verbergen ergernis aan te kijken.

'Mag ik vragen wat dit te betekenen heeft? Wat bent u met die beelden van plan?'

'U kunt natuurlijk een beroep doen op uw recht op privacy. Ik zou er de wet moeten op nakijken, maar ik durf er een eed op doen dat u zonder bevel van de onderzoeksrechter ongetwijfeld het recht heeft om te weigeren gefilmd te worden', zei Cornelis helemaal niet onder de indruk. 'Als u dat werkelijk wenst, geef ik u onmiddellijk de tape en u kunt natuurlijk nog altijd klacht indienen. Maar ik weet niet of u daar goed aan zou doen.'

Daens begreep er hoe langer hoe minder van.

'Mag ik nu gaan zitten?'

'Uiteraard', zei Cornelis. 'Eddy, laat de tape maar hier. En je kunt beschikken.'

Daeninck bromde binnensmonds wat. Die janet ook, dacht hij. Alleen omdat hij wat hoger op de ladder staat. Zonder iets te zeggen haastte hij zich de kamer uit. Zijn vrouw was zwanger, zogezegd een ongelukje. Maar hij kende haar wel beter. Het zou wat worden. Ze zeurde hem nu al de oren van het hoofd dat hij nooit thuis was. En dat zou er zeker niet op verbeteren, want hij was haar ondertussen beu als koude pap. Jammer toch dat hij er met Hassim niet over kon praten. Zijn vroegere partner deed de laatste tijd behoorlijk uit de hoogte, de omhooggevallen windbuil. Abdel zou hem ongetwijfeld op zijn plichten als aanstaande vader wijzen en geen begrip opbrengen voor de vriendinnetjes die hij links en rechts nog steeds zitten had.

'Wilt u me eindelijk zeggen wat hier aan de hand is?' Jan Daens kon en wou zijn irritatie niet meer wegsteken. 'Is dit een of andere misselijke grap?'

De luchtige gelaatsuitdrukking van Cornelis maakte plaats voor een staalharde blik. Wie hem kende wist dat hij nu dubbel gevaarlijk was.

'Wees er maar van overtuigd dat dit geen grap is, meester Daens. Ik lach graag, maar nooit als het om doden gaat. De zaak is heel eenvoudig. We hebben de hand kunnen leggen op een weliswaar slechte opname van de moord en op die beelden is te zien dat de dader mankt.'

Daens voelde het bloed uit zijn gezicht wegtrekken. De verbazing maakte algauw plaats voor oprechte verontwaardiging. Hij sloeg met zijn vuist hard op zijn bureau.

'Maar dat is ongehoord! Ik lag op het ogenblik van de moord dertig kilometer verder in Zwalm te slapen! Ik laat het hier niet bij, als je dat maar weet!'

Cornelis maakte met zijn hand een sussend gebaar. Hij waakte erover dat het er niet te verwijfd uitzag, want hij haatte het als de pest een mietje genoemd te worden.

'Rustig maar, meester. U heeft net als de meeste mensen te veel slechte detectives gezien en gelezen. Het feit dat u ondervraagd wordt, wil helemaal niet zeggen dat u een verdachte bent. In deze fase van het onderzoek zijn we vooral bezig met elimineren. Hoe meer mogelijkheden we uitsluiten, hoe groter de kans dat we snel de dader vinden. En denk eraan dat u op dit moment niet officieel ondervraagd wordt. Alles wat hier nu gezegd wordt, is op basis van vrije wil.'

Die woorden leken Daens wat te kalmeren. Hij greep in zijn binnenzak naar een tube pilletjes en nam er twee.

'Neem me niet kwalijk, die moet ik nemen voor de ontsteking van mijn knie. Ik heb er nog steeds last van, maar gelukkig heb ik een auto met automatische versnellingsbak.'

'Dan mag ik aannemen dat u geen bezwaar heeft tegen de opname? Dit om te vergelijken met de beelden die we van de dader hebben. Ik weet dat u als advocaat de wet beter kent dan ik en allicht wel bezwaar zou kunnen aantekenen, maar u zou er uzelf en het onderzoek een flink eind mee vooruithelpen.'

Daens stak de handen wijd uit, ten teken dat hij niets te verbergen had.

'*Be my guest*. En vergeef me mijn uitval van daarnet, maar ik wist niet wat de bedoeling van die camera was.'

'Dan stap ik maar eens op', zei Cornelis. 'Ik zal de technische ploeg de beelden laten onderzoeken en dan weten we hopelijk meer. En ik zal uiteraard ook even met uw vrouw moeten spreken om uw alibi te checken. Zij is tenslotte toch uw enige getuige. Of heeft iemand anders u op uw buitenverblijf zien aankomen?'

'Best mogelijk', dacht Daens hardop na. 'Nu je het zegt, ik geloof dat mijn vrouw nog een praatje met een van de buren heeft geslagen, die dame die ons soms eieren en zelfgebakken taart komt brengen. Nu ja, buren, dat is in dat afgelegen gat natuurlijk relatief.'

'Nogmaals bedankt voor uw gewaardeerde medewerking, meester Daens', slijmde Cornelis. 'En blijf gerust zitten, ik laat mezelf wel uit.'

Daens was helemaal niet van plan om al op te staan. De commissaris was nog maar net buiten of hij begon al te telefoneren. Hij moest even wachten op de verbinding en dat zinde hem niet. Knorrend stak hij een potlood in zijn mond en brak het met zijn tanden. Vloekend merkte hij dat zijn tandvlees begon te bloeden.

*

Woensdag 25 mei, 16.02 u.

Het was een fikse wandeling naar het station, maar daar gaf Danny niet om. Goed voor de gezondheid en hij kon wat beweging best gebruiken. Want af en toe had hij het gevoel dat hij aan het vastroesten was. Soms leken zijn spieren 's ochtends wel dikke, stramme knopen die pas na een douche met gloeiend heet water weer wat loskwamen. Ach, dat soort kwaaltjes waren nu eenmaal onvermijdelijk, daar had hij zich bij neergelegd. Zolang hij niet te veel in zijn bewegingsvrijheid belemmerd werd, kon Danny zich best verzoenen met zijn lot en vandaag had hij helemaal geen last van zijn spieren. Op dat ene kleine spiertje onderaan zijn rug na, maar hij kon zich de tijd niet meer herinneren dat het daar geen pijn deed. En zeggen dat hij vroeger zoveel gesport had.

De gedachte aan zijn gezondheidstoestand nam Danny's aandacht volledig in beslag en hij merkte niet eens dat iemand hem iets nariep. Pas toen er aan zijn mouw getrokken werd, keek hij om. Een jong meisje – ouder dan achttien is die niet, dacht Danny, daar durf ik mijn linkerarm om te verwedden – vroeg hem aarzelend of hij een ogenblikje tijd had. Het ging om een enquête van het Nationaal Instituut voor Statistiek, waar ze een of andere stage liep.

Hoe kon hij zoiets weigeren? Hij bewees er de wetenschap tenslotte een dienst mee en elke rechtgeaarde burger zou daar toch aan meewerken.

Na de gebruikelijke vragen over zijn persoonlijke toestand nam de lijst een wijde bocht doorheen hobby's, geliefkoosde politici, kennis van de openbare diensten en zo verder. Danny had het gevoel dat hij op zowat elke vraag het antwoord wist, maar het was natuurlijk geen examen.

Pas toen het meisje informeerde of hij het juiste aantal ministers kende, raakte Danny strop. Dat was een moeilijke. Hoe zat het ook weer in elkaar, met die nationale en gemeenschapsministers en de ministers van staat?

Gokken was niet toegestaan, dus liet Danny die vraag maar open. Het meisje stelde hem gerust: niemand kende het juiste antwoord en zelf zou ze het ook niet geweten hebben.

Verdorie en dat met de verkiezingen in aantocht. En ze hadden nog altijd niet op zijn brief gereageerd.

Hij schrok, want een combi kwam met loeiende sirene de straat ingereden. Hij wilde het al op een lopen zetten, maar een van de inspecteurs vatte door het open raam een knul van een jaar of twintig bij de lurven. De kerel werd ter plaatse gefouilleerd. In zijn binnenzak vond de inspecteur de vijf horloges die een halfuur tevoren in een grootwarenhuis gestolen waren.

Danny herademde en deed alsof er niets aan de hand was. Ook het meisje was geschrokken van de politie-interventie. Haar hart bonsde in haar keel.

Hij vroeg of hij schriftelijk op de hoogte gehouden kon worden van de uitslag van de enquête en daar had het meisje niet onmiddellijk een antwoord op. Ze rommelde wat in haar paperassen, maar die konden haar niets wijzer maken. Dat zal wel kunnen zeker, ze haalde de schouders op. Ze wilde Danny's adres op de omslag van haar enquêteformulieren noteren en liet toen het hele boeltje vallen.

Danny hielp het meisje de formulieren op te rapen. En was vertederd door haar onhandigheid. Zo'n broos kindje ook, vermoedelijk pas het middelbaar achter de rug en nu al de grote, boze wereld in.

12.

Woensdag 25 mei, 16.06 u.

George Bracke schrok wakker uit een bodemloze, allerminst verkwikkende slaap. Het duurde even voor hij besefte dat hij thuis op de sofa lag. Alles deed pijn, zijn nek, zijn benen, de spieren van zijn rug. En zijn neus zat ook al potdicht. Hij voelde aangedroogd slijm op zijn ongeschoren wang, maar kon er niet toe komen zich naar de badkamer te slepen.

Vier uur in de namiddag. Op dat tijdstip was hij anders tijdens de week nooit thuis. Het voelde vreemd aan hier nu zomaar op de sofa te zitten, alsof het een vakantiedag was.

Maar de dagen zouden nooit meer hetzelfde zijn. Hij zou nooit meer naar het ziekenhuis hoeven te bellen om te informeren hoe het met zijn vader ging. Nooit nog zou Martine hoeven te liegen dat de toestand van Gerard Bracke stabiel was. En in het tehuis was zijn kamer natuurlijk allang door de volgende kandidaat op de wachtlijst ingevuld.

Hij probeerde wat te lezen in een oud boek over tai chi, maar zijn geest wilde niet mee. Hij zag de woorden, maar niet de zinnen. Zijn verstand leek dienst te weigeren.

Het was volgens de klok aan de muur, die al eens durfde te haperen, nog maar vijf over vier en ondanks een uit de hand gelopen middagdutje voelde hij zich alweer doodmoe. Nu whisky drinken zou hem alleen maar dieper in de put helpen. Nochtans stond de halfvolle fles Brora uitnodigend naar hem te lonken.

Zijn lichaam gleed vanzelf weer onderuit. Hij had nog vaag een beeld van zijn grootvader voor ogen, opa die hem op zijn knie met zijn medailles liet spelen en vader stond op de achtergrond glimlachend toe te kijken, een dampende wafel in de hand. Maar nog voor Gerard had kunnen bijten, lag George Bracke alweer in dromenland.

*

Woensdag 25 mei, 17.19 u.

Vloekend reed Werner van Aken voor de zoveelste keer in de jachthaven rond, kijkend naar de namen van de boten. Hij was kwaad op zichzelf omdat hij zijn bril thuis had laten liggen.

Hij ging vol op de rem staan, want eindelijk had hij de Columbia gevonden. Hij parkeerde slordig langs de kade en kamde in zijn achteruitkijkspiegeltje zijn haar. Tot zijn verbazing merkt hij dat hij zowaar een beetje nerveus was.

Op het dek stond Jean-Marc Glorieux rustig te wachten. Hij rookte een knoert van een havanna en had een tumblerglas in de hand. Wellicht whisky, maar Van Aken kon geen malt van een cognac onderscheiden.

Glorieux wuifde meteen toen hij de politiechef opmerkte. Hij nipte voorzichtig van zijn glas en blies een donkerblauwe rookwolk uit. Zijn overjas had een bescheiden maandloon gekost.

'Gemakkelijk gevonden, Werner? Let op voor de trap. Bij dit weer ligt die er altijd behoorlijk glad bij.'

Al op de eerste trede ging Van Aken onderuit. Glorieux vond dat blijkbaar erg grappig, want hij schuddebolde van het lachen. De sigaar ontglipte hem en viel sissend in het water.

Met veel moeite raakte Van Aken de trap op, voetje voor voetje. Hij had beide handen nodig om zich aan de reling naar boven te hijsen.

'Daar ben je eindelijk', jende Glorieux, die duidelijk leedvermaak had. 'Maar het is je eigen schuld. We hadden ergens in een gezellig restaurant kunnen afspreken, maar jij wou absoluut niet samen met mij gezien worden.'

Van Aken had enige tijd nodig om van de inspanning te bekomen.

'Je weet goed waarom', hijgde hij. 'We zijn allebei kwetsbaar in onze positie. En de mensen zouden zich weleens vragen kunnen gaan stellen als ze ons samen opmerken. Om van de pers nog maar te zwijgen.'

'Mij best', zei Glorieux. 'Mijn jacht is geknipt voor dergelijke geheime ontmoetingen. Nu ja, “mijn”, het staat natuurlijk niet op mijn naam. De belastingen hoeven niet alles te weten.’

Glorieux had een nieuwe havanna opgestoken en bood er Van Aken ook een aan. De politieoverste stond even in twijfel, maar weigerde uiteindelijk.

‘Een scotch dan?’ Hij wees uitnodigend naar de fles. Maar zonder bril kon Van Aken het etiket toch niet lezen.

‘Highland Park’, wist Glorieux. ‘Maar dat zegt jou natuurlijk niets. Bracke zou wel weten wat dit pareltje waard is.’

Van Aken keek de industrieel vragend aan.

‘Ja ja, Wernertje, ik ben op de hoogte van die dingen. Het kan altijd ooit van pas komen.’

‘Vooruit dan maar’, kuchte Van Aken. Hij voelde een verkoudheid opkomen en wie weet was whisky daar goed tegen. Hij nam meteen een veel te grote slok en verslikte zich.

‘Laten we naar binnen gaan’, zei Glorieux. ‘Hier staan we voor iedereen te kijk.’

Hij ging Van Aken voor naar een prachtig ingerichte bar. Het meubilair had wellicht een duurder prijskaartje dan de totale inrichting van Van Akens villa.

Alsof ze de hele tijd achter de deur had staan wachten, kwam een goed geschminkte, donkere schoonheid heupwiegend een frisse cocktail brengen. Een jongeman in lakeikostuum bracht tapas.

‘En zeg me nu eens wat zo geheim en dringend is, dat je me hier wilde spreken?’

Van Aken dronk zijn cocktail in één keer leeg en vond het veel beter smaken dan die whisky. En ook de gekruide hapjes bevielen hem zeer.

‘We zitten met de zaak-Deweert behoorlijk in onze maag’, zei hij. ‘Ik vroeg me af of jij ons geen handje kon helpen.’

‘Ik had het kunnen denken’, lachte Glorieux. ‘Maar ik zie echt niet hoe ik je van dienst zou kunnen zijn.’

Van Aken zocht naar de juiste woorden om Glorieux niet voor het hoofd te stoten.

'Het is maar dat jouw naam en die van je bedrijf Umelco in dit dossier een paar keer opgedoken is', zei hij ongemakkelijk. 'We zijn verplicht dit verder te onderzoeken, dat begrijp je ook wel. Mijn speurders hebben het bedrijf al ondersteboven gekeerd, maar we schieten niets op.'

De grijns die de hele tijd niet van het gezicht van Glorieux verdwenen was, maakte nu plaats voor een ernstige uitdrukking.

'Je speurneuzen hebben de boel inderdaad aardig op stelten gezet, wisten mijn medewerkers me te vertellen. En nu kom je dus zelf bij de grote baas aankloppen. Ik ben je erkentelijk dat je het zo discreet doet', zei Glorieux en hij meende het. Van Aken wist maar al te goed dat de industrieel hem had gesteund bij zijn benoeming. Voor de buitenwereld mocht Glorieux vrij onbekend zijn, maar iedereen die op de hoogte was van hoe de machtsstructuren in dit land werkelijk in elkaar zaten, zou hem bij het handjevol echt belangrijke figuren plaatsen.

'We moeten het natuurlijk wel officieel doen', zei Van Aken. 'Ik stel voor dat je zelf uit eigen beweging een verklaring komt afleggen. Dat toont aan dat je bereid bent mee te werken en dat komt altijd goed over op de onderzoeksrechter. Je kent hem, altijd overal het slechtste achter zoeken.'

'Een ogenblikje', zei Glorieux. 'Uit wat je daar zegt, meen ik te mogen afleiden dat ik iets met deze kwalijke affaire te maken heb. Laat één ding duidelijk zijn, Werner. Ik heb op geen enkele manier de hand in die moord gehad.'

Hij keek Van Aken recht in de ogen, zonder te knipperen. Zijn hand kneep het cocktailglas stuk, maar het scheen hem niet te deren.

'Meer zelfs, als ik die schurk te pakken krijg, vil ik hem persoonlijk. Laat er geen misverstanden over bestaan, ik vind dat Deweert zijn verdiende loon gekregen heeft. Maar er zijn grenzen. In de zakenwereld en de politiek maak je je tegenstanders op een andere manier af.'

Van Aken dacht diep na.

'Wat is er in het verleden tussen Umelco en Deweert gebeurd?' vroeg hij. 'Was het die onfrisse zaak met de vleugelmoeren?'

Glorieux lachte groen.

'Ik heb je weer onderschat, zie ik. Ik dacht dat we die toestanden keurig uit de openbaarheid hadden gehouden. Knap van je, Werner.'

Van Aken lachte gevleid. Hij merkte ook wel dat Glorieux hem stroop om de mond smeerde, maar het gebeurde zodanig goed dat hij het alleen maar als een compliment kon opvatten. En de tweede cocktail, die de exotische schoonheid ongemerkt had uitgeschonken, begon te werken. Hij verdacht er haar stiekem van dat in dit tweede brouwsel veel meer alcohol zat, maar het was zo zoet dat het verdacht vlot naar binnen gleed.

'Straf spul', zei Van Aken.

'Ach, je kent het spreekwoord', riposteerde Glorieux gevat. 'Het is geen man, die niet drinken kan.'

'Ik zie wel wat je probeert, linkerd', lalde Van Aken. 'Je hoopt me dronken te krijgen. Ik drink twee glazen in het tempo van jij één. Maar je zult vroeger moeten opstaan om me onder tafel te zuipen.'

Zuipen, heb ik dat woord echt gebruikt, dacht Van Aken vertwijfeld. Ik moet opletten met die kerel. Het is een kwaad stuk vreten.

Glorieux glimlachte. Zijn drankje had weliswaar dezelfde kleur, maar bevatte enkel verschillende soorten fruitsappen. Door Samira eigenhandig geperst en hij had haar daarbij geholpen. Weliswaar niet lang, want hij had zijn handen niet kunnen thuishouden. Zijn vingers hadden over haar gewillige lichaam gedwarreld, onder het minirokje haar weke warmte in. Glijdend langs haar vel, langs haar granieten boezem. Ze had er geen verdere woorden aan vuilgemaakt en hem op de keukentafel tussen de meloenen onstuimig bereden. Zijn rug deed er nog altijd pijn van, maar hij had geen greintje spijt. Godbetert, in vergelijking met zijn halffrigide vrouw was Samira de hemel op aarde. Net een engeltje dat op zijn tong piste en soms deed ze dat ook letterlijk.

'We hadden het dus over Umelco', zei Van Aken met een dubbele tong. De derde cocktail viel zwaar, maar hij bleef bovenal een politieman van het zuiverste water. Hoeveel hij ook gedronken had, zijn roeping bleef hij altijd trouw. Zo had hij op een keer na een lenteparty van het leidinggevende personeel onderweg een man uit het kanaal gered. Straalbezopen en hij was op de kade in zwijm gevallen. In het ziekenhuis had men in paniek zijn maag leeggepompt omdat de verpleegster dacht dat hij aan de drugs zat. De sukkelaar die hij uit het water had gehaald, bleek een kapitein van een Russisch schip te zijn, die na een uit de hand gelopen pokerwedstrijd door zijn matrozen overboord was gemept.

Glorieux keek sip. Hij zou niet de fout begaan Van Aken te onderschatten, hoe dronken die ook mocht zijn. Hij liet een diepe zucht ontsnappen.

'O.k., ik zal open kaart met je spelen', zei hij. 'Het mag dan geen dossier zijn waar ik trots op ben, maar technisch gezien heb ik niets verkeerd gedaan.'

De industrieel vertelde het verhaal van de vleugelmoeren dat Van Aken in grote lijnen al bekend was.

'Ik kon het bedrijf een eerste keer met een behoorlijke winst aan een Russisch concern verkopen. Bij Russen denk je natuurlijk in eerste instantie aan de maffia, maar ik kan je verzekeren dat die daar niets mee te maken hebben. Integendeel, Deweert kwam met die groep op de proppen. Het was een of ander duister contact waar hij verder niet wou over uitweiden, maar de prijs die ze boden was zonder meer goed te noemen. Tien jaar tevoren had ik allicht nooit het aanbod aangenomen, maar er waren bepaalde omstandigheden die me daartoe dwongen.'

Dat klonk behoorlijk cryptisch. Van Aken wou meer uitleg, maar wachtte af in de overtuiging dat Glorieux die wel zou verstrekken. Nu hij A had gezegd zou de rest ongetwijfeld volgen.

Glorieux joeg de brand in zijn derde havanna van die dag en staarde nadenkend in de tabakswolk.

'Ik zat op dat ogenblik diep in de schulden. Schrik niet, zakelijk ging het meer dan goed met me. Maar ik was ooit na een succesvolle deal in het casino van Deauville blijven hangen en daar werd ik door het speelduiveltje gebeten. Ik durf bij benadering niet te schatten hoeveel ik aan de roulettetafels vergokt heb. Mijn persoonlijk fortuin was er helemaal doorgejaagd.'

Dit wierp een totaal nieuw licht op Glorieux. Van Aken luisterde ademloos toe. Hij had nu ook wel zin in een havanna, maar beperkte zich tot het opsnuiven van de heerlijke damp.

'Ik had op korte tijd veel geld nodig en wou geen gezichtsverlies lijden. De beste manier leek me het bedrijf tegen een aanvaardbare prijs te verkopen en te doen alsof ik van mijn zuurverdiende centen wou genieten. Toen kwam Deweert met zijn voorstel op de proppen, maar ik heb lang geaarzeld voor ik durfde toe te happen.'

De industrieel pauzeerde even, als viel het hem zwaar om dit te vertellen. Hij knipte met zijn vinger naar Samira, die meteen zijn glas kwam bijvullen. Van Aken besefte met een schok dat ze geen slipje droeg. Hij was er zeker van dat Glorieux er geen bezwaar zou tegen hebben haar even aan hem uit te lenen.

'Je moet weten dat ik vroeger een goed contact met zijn vader had. Michel is van een heel ander kaliber dan zijn zoon. Toen hij minister van Financiën was, is hij erin geslaagd om een groot deel van de overheidsschulden weg te werken. Zijn opvolgers hebben dit natuurlijk weer snel naar de knoppen geholpen. Raymond daarentegen deugde als politicus voor geen meter. Opportunist, vrouwenloper, onbetrouwbaar, noem maar op.'

'En toch ging je op zijn voorstel in?'

'Ik had geen keuze.' Glorieux verstopte zijn hoofd in zijn handen. 'Ik zat er echt tot over de oren in, Werner. Mijn speelschulden waren tot meer dan tweehonderd miljoen frank opgelopen. Ik had mijn persoonlijke fortuin in mijn bedrijven geïnvesteerd en moest dus wel iets verkopen. Het enige van mijn bedrijven dat op dat ogenblik snel geld kon opbrengen, was Umelco. Nog eentje, schat.'

Van Aken keek vreemd op, maar dat laatste was tegen Samira. En ze droeg ook al geen beha, merkte hij nu. Zijn hemd begon steeds meer rond zijn nek te spannen.

'Ik ga er niet omheen draaien, Werner. Umelco was een lege doos waarbij we handig van allerlei subsidies en staatsinvesteringen konden profiteren. Ik dacht dat ik het leep speelde, maar Deweert ging nog een stapje verder. Hij wist gebruik te maken van het Barbarossa

Fund, een fonds in het leven geroepen om de samenwerking tussen Europese en Russische bedrijven te bevorderen. Deweert kocht Umelco officieel van mij over, gaf er een andere naam aan en verkocht het meteen weer door aan de Russen. Dit met een grote kapitaalinjectie van het fonds, dat de grootste minderheidsaandeelhouder werd van dit zogezegd nieuwe bedrijf. Voor het fonds doorhad dat Umelco een papieren onderneming was, hadden we samen met de Russen alweer een nieuwe koper gevonden, Transvaal uit Johannesburg. Die op zijn beurt veel te veel betaalde voor gebakken lucht, maar op het moment dat de Zuid-Afrikanen dat beseften, waren wij allang met de winst gaan lopen.'

Ademloos zat Van Aken te luisteren. Hij twijfelde er niet aan dat alles netjes binnen de wettelijke krijtlijnen was gebeurd, al waren er ongetwijfeld praktijken gebruikt die kantje boord waren.

'Op het einde van de rit was iedereen dus tevreden', knikte hij. 'Wat was dan het probleem met Deweert?'

'Pas achteraf is me duidelijk geworden dat hij de beste zaak gedaan heeft. Achter mijn rug onderhandelde hij zowel met het fonds als met de Russen en wist daar een procentje te bedingen, als hij zogezegd kon afdwingen dat Umelco aan hen verkocht werd. Bij mij deed hij net hetzelfde en zo werd hij in feite viermaal betaald. Eerst het smeergeld onder tafel door Umelco, de Russen en het fonds en dan officieel zijn gage als onderhandelaar. Die ene transactie heeft hem al schatrijk gemaakt en bij de tweede verkoop aan Transvaal is hij nogmaals langs de kassa gepasseerd.' Glorieux schudde vertwijfeld het hoofd.

'Erg koosjer klinkt het niet, maar ik mag aannemen dat het er in jullie wereld niet altijd even netjes aan toegaat', snoof Van Aken. 'Is dat volgens jou voldoende reden om hem om te brengen?'

Daar had Glorieux niet meteen een antwoord op. Op zijn voorhoofd verschenen diepe denkrimpels.

'Met de Russen heb ik nooit zaken gedaan, dus van hun kant weet ik het niet. Voor hen is het trouwens allemaal goed afgelopen, want zij hebben met winst aan Transvaal kunnen verkopen. En die Zuid-Afrikanen kan ik evenmin inschatten.'

'Dan blijft natuurlijk Umelco zelf over', dacht Van Aken hardop na.

Glorieux lachte. De zakenman strekte zijn armen en het was duidelijk dat hij zijn bevende handen niet in bedwang kon houden. Hij nam zijn lege glas beet, dat onmiddellijk door Samira werd bijgevuld. Als vanzelfsprekend streek hij even langs haar billen.

'En de witwasaffaire bij Deconinck?'

'Ongeveer hetzelfde verhaal', wist Glorieux. 'Deweert misbruikte de contacten van zijn vader op Financiën om een hoop zwart geld via een btw-carroussel wit te wassen. Dat heeft onze schatkist een bom duiten gekost, maar ik kan me niet voorstellen dat iemand hem daarom geliquideerd heeft. Als dat zo zou zijn, hadden ze veel beter de premier kunnen omleggen, want die heeft wel meer boter op zijn hoofd. Ik twijfel er echt aan dat je het in die kringen moet zoeken, Werner.'

'Nog één vraag', aarzelde Van Aken.

'Vuur maar af, Werner. We kennen elkaar intussen lang genoeg. Ik heb geen geheimen voor je.'

'Speelt de loge een rol in deze zaak?'

Glorieux veegde zijn bezwete handen aan zijn hemd droog.

'Het gaat er daar niet meer aan toe zoals in de tijd toen jij nog lid was, Werner. Eigenlijk kan ik je ontslag uit de loge begrijpen. We worden steeds meer geïnfiltreerd door arrivisten en opportunisten zoals Deweert. Ik had het al kunnen weten toen hij zijn eed[9] aflegde. Maar ook toen speelde hij toneel, zoals hij dat zijn hele leven gedaan heeft. Stommerik dat ik was, ik heb hem nog voorgedragen ook.'

Van Aken keek alsof hij in een zure appel gebeten had. Zijn eigen toetreding tot de loge destijds was een vergissing geweest, een bevlieging van het moment. Hij was geraakt geweest door het 'spel' zoals de vrijmetselaarsloge op hem overkwam. Maar dan wel een spel met diepe waarden en betekenissen die de deelnemer zelf moet ontdekken en verwerken. Vooral een tekst van de Orde van 's-Gravenhage[10] had hem over de streep getrokken. Maar de realiteit had hem geleerd dat dit vooral mooie praatjes waren en hij had algauw zijn conclusies getrokken. Dat was althans zijn ervaring, want Omer Verlinden – die drie jaar eerder tot de loge was toegetreden – was nog altijd een toegewijd en overtuigd lid.

'Deweert gebruikte de loge vooral in functie van zijn vuile zaakjes', zei Glorieux met een stem vol walging. 'We hadden er hem moeten uitgooien, maar hij wist het handig te spelen. Ik ben er niet zeker van, maar ik vermoed dat hij aan het lobbyen was om tot de leiding door te dringen. Wie ook de dader is, hij heeft de loge een grote dienst bewezen. Nu ja, het blijft natuurlijk moord en zelfs bij een smeerlap als Deweert druist dat in tegen mijn morele principes.'

Van Aken had tijd nodig om de gewichtige woorden van Glorieux te laten doordringen. Hij dronk het glas dat Samira uitschonk, in één teug leeg.

'Ik weet dat je alles graag volgens het boekje doet. Je mag dus mijn verklaring betreffende die avond noteren. Ik was eerst bij Samira. Ze heeft mij eh, een massage gegeven en daarna ben ik als een blok in slaap gevallen. Ik was maar net op tijd wakker voor die stomme bijeenkomst in het restaurant.'

'En je echtgenote?' Van Aken kon het niet nalaten te vragen.

Glorieux haalde de schouders op.

'Die was weer bij haar zuster gaan logeren. Dat gebeurt de laatste tijd wel vaker. In feite weet ik het niet eens zeker. We hebben elkaar niets meer te zeggen.'

'Wat is je verhouding met Irène Stevens?'

'Wie?' Glorieux fronste de wenbrauwen.

'Je weet wel, die jongedame die op de avond van de moord in De Gouden Kruik aanwezig was en die blijkbaar nogal rond je leek te cirkelen.'

'De matras bedoel je', lachte Glorieux. 'Ik zou niet echt van een relatie durven spreken. Dat mens kickt er blijkbaar op met zoveel mogelijk mannen te slapen. Ik zal me niet verdedigen, het vlees is soms zwak. Maar ik heb haar hooguit drie keer gezien. Het schijnt dat haar vent haar eindelijk aan de deur gezet heeft en dat ze nu bij een dansleraar hokt.'

Van Aken had eigenlijk best zin in een frisse schuimende pint, maar kon zijn zin bedwingen. Zorgvuldig schroefde hij de dop op zijn pen en gaf Glorieux plechtig een hand. De industrieel keek grimmig.

'Bedankt voor de moeite. En zorg dat je die dader pakt, hoor je. Ik had het helemaal niet op Deweert begrepen, maar er zijn grenzen. We leven hier toch niet in een apenland verdorie!'

13.

Woensdag 25 mei, 23.50 u.

Hassim wist zelf niet of het iets zou opleveren, maar hij had zich koppig voorgenomen voort te blijven zoeken. Die attitude had hij afgekeken van Stormvogel, die allang de deur achter zich had dichtgetrokken. In zijn biljartclub werd het provinciaal kampioenschap driebanden gehouden en dat wou de steeds corpulenter wordende flik voor geen geld ter wereld missen. Zelf kwam hij niet langer in aanmerking voor de titel omdat zijn buik in de weg zat, maar dat zou hem niet beletten zijn huid duur te verkopen.

Zuchtend wreef Hassim in zijn ogen. Het flikkerende computerscherm deed pijn na weer een dag van te weinig slaap en te hard werken. Hij had in de vooravond een vergadering bijgewoond met Van Aken en de rest van de speurders, waarbij de verklaringen van Glorieux werden geanalyseerd.

De jongens van de financiële cel hadden de handel en wandel van Deweert van voren naar achter en omgekeerd uitgeplozen. Een grondige analyse van de affaires Umelco en Deconinck bevestigde dat Deweert vooral zijn eigen belangen en niet die van de gemeenschap had gediend. Het zou heel wat onderzoek vergen om te ontdekken of hij hierbij criminele feiten had gepleegd of enkel handig van de rekbaarheid van een bijna ondoordringbaar kluwen van nationale en internationale wetten en bepalingen gebruik had gemaakt.

Via Europol en Interpol waren ook buitenlandse speurders bezig met het ondervragen van mogelijke betrokkenen, al viel daar niet meteen veel van te verwachten. Deze bevriende diensten waren onderbemand en de moord op een Belgische politicus stond niet bepaald hoog op hun lijstje. Zo liep het Zuid-Afrikaanse spoor meteen dood.

Ook de analyse van Cornelis' opname van een mankende Daens was teleurstellend. Onmogelijk om te vergelijken met de tape van de moordenaar gezien de slechte kwaliteit van de beelden, luidde het.

De tientallen reacties op de foto van de kruisboog, die de kranten hadden gepubliceerd, bleken na nader onderzoek onbruikbaar. Ook Lydia Deweert was nog eens aan de tand gevoeld, dit keer door Cornelis. Ze wond er geen doekjes om. De dood van haar man liet haar onverschillig en ze zag niet in waarom ze nu ineens haar gewoontes moest veranderen. De speurders mochten het best navragen, ze was een goede klant bij het escortebureau *Toy Boys*. Wat Cornelis ook prompt gedaan had en hij hoefde het telefoonnummer niet eens op te zoeken, dat kende hij uit het hoofd.

Nu hij alleen was, wou Hassim vooral van de gelegenheid gebruik maken om zijn kersverse computerkennis in de praktijk om te zetten. Al meer dan een jaar was hij lid van een select genootschap van computerfreaks, die allerlei nuttige weetjes met elkaar uitwisselden. Zo had hij heel wat geleerd over het kraken van codes van websites en archieven, kennis die soms op het randje van het wettelijke was.

Maar het was vooral een uit de hand gelopen hobby, die hij intussen ook al met zijn echtgenote en de kinderen deelde. Allemaal hadden ze thuis hun eigen computer en in plaats van naar de televisie te kijken, zaten ze vaak met zijn allen op het internet te surfen.

Omdat zijn eigen laptop na een crash voor onderhoud binnen was, had hij zich aan het draagbare speeltje van Cornelis gezet. De inspecteurs hadden met hun paswoord op elke computer toegang tot het systeem, wat kaderde in de politiek van chef Van Aken om al het politiematerieel voor iedereen van het korps, zoals hij dat noemde, multi-interpretabel te maken. Een woord dat Hassim niet in de Van Dale gevonden had, maar hij begreep zo wel dat Van Aken wou dat elke officier overal met zijn laptop zou kunnen inpluggen.

Voor de zoveelste keer liet hij de namen van de betrokkenen bij de zaak-Deweert door allerlei interne en externe zoekmachines lopen. Het was verbazingwekkend hoe snel dat soms resultaat gaf. Zo had hij nog onlangs een behoorlijk gehaaide drugsdealer kunnen inrekenen door stomweg de naam en de leeftijd van de schurk op de internationale zoekmachine van Google in te tikken. De man schrok zich een hoedje toen de speciale brigade 's morgens vroeg met veel vertoon zijn woning kwam binnenvallen, om hem uit de handen van een versuft heroïnehoertje te plukken. De gangster was ooit zo onvoorzichtig geweest om zijn adres in het gastenboek van een site voor postzegelverzamelaars na te laten, met de melding dat ze altijd dubbele exemplaren met zeilschepen mochten opsturen.

Het wilde maar niet lukken en dat maakte Hassim kregelig. Hij belde eerst naar zijn vrouw dat het weer nachtwerk zou worden. Ze liep al in haar nachtjapon en vertelde terloops dat ze met hun jongste zoon naar de tandarts was geweest. Zonder hem iets te verwijten, want ze had zich allang bij de voortdurende uithuizigheid van haar ijverige echtgenoot neergelegd. Ze was er zelfs trots op en als ze echt niet kon slapen was er nog altijd die glimmende oranje Apple waarop ze al heel wat vernieuwende recepten gevonden had. Ze overwoog om een eigen Arabisch erotisch kookboek te schrijven, maar dat hield ze voorlopig nog even voor zichzelf.

Vervolgens telefoneerde hij naar de pizzamobiel om zijn gebruikelijke bestelling door te geven.

'Met veel ansjovis en extra mozzarella', zei hij, maar dat wist het vriendelijke meisje aan de andere kant van de lijn allang. Ze vond hem een ongelooflijke bink met wie ze weleens een scheve schaats wou rijden, al zou dat haar er niet van weerhouden om bij de volgende verkiezingen weer op de extreem rechtse partij te stemmen. Ermee in bed duiken was één ding, maar die vreemdelingen hadden hier tenslotte toch niets te zoeken.

Intussen kende hij de namen uit het dossier zowat uit het hoofd en dat hielp bij het intikken. Vanzelf gleden zijn vingers over de toetsen. Het had enige tijd geduurd voor hij het behoorlijk ingewikkelde programma van het eenheidskorps onder de knie had, maar nu vond Hassim blindelings zijn weg doorheen de verschillende onderverdelingen.

Het allereerste waar hij naar gezocht had, waren verdere sporen van Deweert zelf. Die dook slechts enkele keren in de computer op, maar dan steeds in omstandigheden waarbij hij als politicus aanwezig was geweest. Zo bijvoorbeeld de rel in de Senaat enkele jaren geleden, waarbij een of andere heethoofd de senator, die toevallig naast Deweert zat, met een mes had bedreigd. Nu ja, toevallig, Hassim had intussen geleerd om geen enkele mogelijkheid uit te sluiten. Hij noteerde de naam van senator Willekens en besloot die ook even aan de tand te voelen. Je weet maar nooit, zou Bracke zeggen.

Van de bedreigingen waarover Lydia had gesproken, was nergens een spoor terug te vinden. De politicus had daar dus nooit aangifte van gedaan.

Eén keer had Deweert een verkeersovertreding begaan, bemerkte Hassim geamuseerd. Op de ring van Leuven, waar hij zeventig in plaats van vijftig had gereden. Een behoorlijk blank palmares dus, al was er ooit ook een akkefietje met een buurman geweest. Die kon het blijkbaar niet hebben dat Deweert tijdens de zomer in zijn luxueuze villa weleens een tuinfeest hield dat tot diep in de nacht uitliep. De man draaide blijkbaar door, want hij had een warrige klacht ingediend. De dakbekleding van zijn keuken was volgens hem in slechte staat en tijdens die zwoele feestjes belandde er vanuit het zwembad weleens een bal op het dak. 'Een tennisbal dreigde zelfs mijn regenpijp te verstoppen!' stond letterlijk in het verslag, gevolgd door een aantal uitroeptekens die de waarnemende inspecteur er ongelovig aan toegevoegd had.

Hassim schudde meewarig het hoofd. Er liep wat rond in deze wereld. De man was blijkbaar ook gaan aanbellen om dit aan de feestvierders te melden, volgens zijn zeggen op vriendelijke wijze. En met de boodschap dat hij verdere stappen zou ondernemen als het nog eens gebeurde.

Nog een naam dus om te ondervragen, al kon Hassim zich niet voorstellen dat een stomweg verdwaalde tennisbal aanleiding tot een meedogenloze moord zou zijn. Een vlugge blik in de computer leerde hem trouwens dat de man vier jaar geleden wegens verregaande waanbeelden in een psychiatrische instelling was opgenomen. Toch maar even nakijken of hij intussen niet was ontsnapt, of zo.

Voor de gein tikte Hassim ook de naam van de vrouw van Deweert in en zag dat die ooit na een betoging was opgepakt. Wegens zedenschennis dan nog. Ze had met een stuk in haar kraag op de barricades haar boezem ontbloot, zoals dat een echte revolutionaire past. En daarna de agent die haar wou verbaliseren, ook nog in de hand gebeten, meldde het dossier. Maar dat was bijna twintig jaar geleden, toen ze nog studente probeerde te zijn. Het kon natuurlijk nooit kwaad zulke dingen te weten en Hassim schreef ze snel neer in zijn boekje. Al verwonderde het hem in het geval van Lydia Deweert totaal niet.

Daar was de pizza eindelijk. Net op tijd, want nog twee minuten en hij had recht op een gratis levering. Voor hij betaalde, inspecteerde hij of er inderdaad extra veel mozzarella en ansjovis op zat en merkte tot zijn genoegen dat de pizzaboer zich had laten gaan. Dat stemde hem zodanig tevreden dat er een ruime fooi afkon.

Op de valreep kon hij een klodder gesmolten kaas onderscheppen voor die op het toetsenbord gleed. Cornelis maakte er nooit bezwaar tegen dat iemand op zijn portable werkte, maar er waren grenzen. Hassim at rustig zijn pizza op en reinigde dan met een speciaal doekje toetsen en scherm. Er kwam behoorlijk wat viezigheid mee en Hassim besloot de portable een extra poetsbeurt te geven.

Het was intussen ruim voorbij middernacht, wat hem deed beseffen dat hij zijn tijd zat te verdoen. Zomaar in het wilde weg het intranet van de politie aftasten zonder te weten naar wat precies, had veel weg van het zoeken naar een naald in een hooiberg.

Op naar de volgende naam. Secretaris Paul Slootmans werd ooit, in zijn jeugdjaren, na een verloren voetbalwedstrijd opgepakt wegens vandalisme. En bij verkiezingen in de jaren tachtig was hij gearresteerd na wildplakken op het Justitiepaleis. Feiten die niet erg genoeg waren om in zijn officiële strafregister opgenomen te worden, maar ze stonden wel in het geheime dossier dat in het politienetwerk werd bijgehouden.

Hassim herinnerde zich Slootmans van de ondervraging na de aanslag op Deweert. Een gladjanus van het zuiverste water, die bondig antwoordde op de vragen maar meer ook niet. Ja, Deweert had die avond openlijk met verschillende dames geflirt. Ja, hij had een aantal van zijn sympathisanten met deze braspartij op niveau willen aanzetten om tijdens de nakende campagne een tandje bij te steken. En nee, hij kon met de beste wil van de wereld niet zeggen of Deweert vijanden had. Veel had Slootmans eigenlijk niet verteld. De man zat versufd maar wat voor zich uit te staren en had het zelfs niet gemerkt dat de inspecteur de kamer verliet.

Nadenkend likte Abdel zijn lippen schoon. Hij vroeg zich af wat Bracke bij een dergelijk stroef lopend onderzoek zou doen. Even overwoog hij in alle ernst of hij de commissaris zou bellen om raad te vragen, maar die had nu wellicht wel wat anders aan zijn hoofd.

Hassim wierp een blik door het raam en zag dat op straat twee BMW's kwistig gas gaven. Misschien waren het wel jongelui die 's nachts in de verlaten straten wedstrijden hielden. Hij kreeg zin om op zijn Yamaha te springen en de wagens te volgen, maar dat was iets voor de mobiele brigade. Hij telefoneerde naar de nachtdienst en gaf zijn vermoeden door aan de dispatching.

'Komt in orde, maat', zei de waarnemende officier geeuwend. Veel kans dat er niets mee zou gebeuren, wist Hassim.

Het gegeeuw werkte aanstekelijk en een ogenblik later zat ook hij tegen de slaap te vechten. Hij wreef in zijn ogen en boog zich over zijn notities. De ene na de andere naam joeg hij door de zoekfunctie, zonder veel resultaat.

Karel Vindevogel. Industrieel van de oude stempel, blijkbaar niets op aan te merken.

Frieda Hemmerechts, Yolande Geens, Wendy Appermont en Saskia Vervaecke. Alleen Yolande had één keer achter het stuur te veel gedronken, op oudejaarsnacht. Maar de boete was keurig op tijd betaald. Die dames waren intussen tweemaal ondervraagd en het waren allemaal niet bepaald grote lichten. Na enige aarzeling had Saskia toegegeven dat ze met Deweert weleens aan een orgie in het Brusselse had deelgenomen, maar verder onderzoek in die kringen had niets opgeleverd.

Ook meester Jan Daens was eens door de verkeerspolitie beboet. Nog niet zo lang geleden trouwens, merkte Hassim. En die boete was eveneens tijdig betaald.

Partijlid Jerry Grosemans had dan weer een faillissement achter de rug, van zijn café de Beiaard op de Grote Markt van Oudenaarde. Blijkbaar betaalde hij elke maand trouw een stukje van die schuld af zodat de deurwaarders hem met rust lieten.

Ergens begon iets in zijn achterhoofd te knagen. Iets wat hij nog maar net gezien had, deed een belletje rinkelen, maar wat was het nu ook weer?

Hij riep opnieuw de dossiers van de vier vrouwen op. Yolande was nu getrouwd met de ex van Wendy, ook al een politicus. Gert Deraedt had pas de liberale partij verlaten om op de lijst van extreem rechts te staan. Was het dat? Had het iets te maken met de aanslag op de kantoren van de NVP?

Hassim zuchtte vertwijfeld het hoofd. Er waren wel meer overlopers. Als die allemaal hun vroegere partijgenoten zouden uitmoorden, zouden de verkiezingen gewoon afgeschaft kunnen worden.

Had hij bij het dossier Vindevogel iets over het hoofd gezien? Bij diens ondervraging had nochtans alles normaal geleken. Koortsachtig nam hij de zeven pagina's opnieuw grondig door, zonder iets verdachts op te merken.

Het dossier Jan Daens wilde eerst niet open. Bij elke nieuwe opzoeking moest hij zijn paswoord opnieuw doorgeven en uit vermoeidheid had hij HAQQIM-QPEC FROCE-01211 in plaats van HASSIM-SPEC FORCE-01211 ingetikt. Eindelijk kreeg hij toegang tot het dossier. Zijn ogen gleden diagonaal langs de droge ambtenarentaal, waaruit alleen maar bleek dat Daens in zijn leven nog niets had mispeuterd, op een paar boetes na.

Hassim verstijfde.

Die laatste boete.

15 mei, 0.58 u., Sint-Jacobsnieuwstraat. Inspecteur Roger Vanhaemel stelt een zware snelheidsovertreding vast.

0.58 u., dat was geen twintig minuten nadat Deweert was neergeschoten en vlakbij. De wagen was een Mercedes met nummerplaat CHA 462, toebehorende aan Jan Daens. Die op dat ogenblik volgens zijn zeggen in zijn buitenverblijf in de Vlaamse Ardennen lag te slapen.

Hassim riep het dossier van de overtreding volledig op.

Een zwarte BMW 7 Sedan met nummerplaat CHA 462 rijdt langs de mobiele speedometer met een snelheid van vijfenzeventig km per uur en de toegelaten snelheid is slechts dertig km. De inspecteur wil de achtervolging inzetten, maar wordt afgeleid omdat een oude vrouw op de stoep een aanval van epilepsie krijgt. Inspecteur Vanhaemel kan geen persoonsbeschrijving van de chauffeur geven, maar heeft wel een zwarte hoed gezien.

Een brede grijns kwam spontaan op Hassims lippen te voorschijn. Hij wist meteen weer waarom hij voor dit werk gekozen had.

Hoe laat het ook was, dit nieuws leek hem belangrijk genoeg om Van Aken wakker te maken. Hij hoefde het nummer niet op te zoeken, maar aarzelde eventjes alvoor hij het laatste cijfer intoetste.

14.

Donderdag 26 mei, 2.37 u.

Eerste generaal van politie Werner van Aken draaide zich nog eens gelukzalig op zijn zij en ging de laatste rechte lijn in van zijn vertrouwde droom, waarin hij onverschrokken een meisjesklas uit een brandend internaat redde en vervolgens door de koning op het paleis ontvangen werd. Meestal waren de meisjes halfnaakt en wilden ze hem achteraf met hun jeugdige lichaam voor de redding bedanken, maar altijd werd hij net te vroeg wakker.

Ook vannacht was dat weer het geval. De telefoon bleef koppig rinkelen en zijn echtgenote porde hem knorrend in de zij.

'Opnemen, Werner.'

Met haar krulspelden in zag Viola er zo mogelijk nog afzichtelijker uit. Hij kon er maar niet aan wennen dat ze zonder gebit sliep. De weinige keren dat het in het echtelijke bed nog tot lichamelijke liefde kwam, had hij al zijn verbeeldingskracht nodig om de karwei tot een goed einde te brengen.

Slaapdronken stootte hij de hoorn van de haak en moest in het halfduister op zoek. Hij knalde ook nog met zijn hoofd tegen het nachtkastje aan en had een pesthumeur toen hij eindelijk de hoorn tegen zijn oor drukte.

'Van Aken hier', fluisterde hij gelaten, voorbereid op het allerergste. De ervaring leerde hem dat hij nooit zomaar uit bed gebeld werd. Hij hoopte dat er niet nog meer politici waren afgeslacht.

Hassim verontschuldigde zich uitgebreid omdat hij zo laat belde.

'Het is goed, Abdel. Zeg het nu maar.'

Stotterend vertelde Hassim wat hij in de computer gevonden had. Hij schaamde zich omdat hij niet uit zijn woorden kwam, wat alleen maar gebeurde als hij met de grote chef sprak.

Het bleef even stil aan de andere kant van de lijn. Van Aken was ineens klaarwakker.

'Ik kom er meteen aan.'

Verrassend kwiek wipte Van Aken uit bed. Hij brak rijkelijk zijn eigen record broek en hemd aantrekken. Vol walging zag hij dat Viola alweer was ingedommeld en onbezorgd lag te snurken. Op dat ogenblik kon hij heel goed begrijpen dat het sommige mannen na zoveel jaar huwelijk te machtig werd en dat ze hun vrouw met een kussen verstikten. Een onbedaarlijke drang, hij hoorde het zichzelf al in de assisenzaal pleiten. Veel kans dat hij er met een kleine straf van afkwam of met de juiste strafpleiter achter zich, zelfs als een vrij man de rechtszaal verliet.

Onderweg naar het politiekantoor was de stad ingedut. Het is ook maar een provincienest, dacht hij opgeruimd. Alles was beter dan met dat gedrocht in bed te liggen.

Vijftien minuten later liep hij al neuriënd door de gangen. Hij haalde bij de automaat twee koffies en verbrandde zijn lippen toen hij, zonder erbij na te denken, een grote slok nam. Maar zelfs dat kon zijn goede humeur niet bederven.

Voor de computer vocht Hassim tegen de slaap. Hij schrok toen de hoofdcommissaris een warme hand op zijn schouder legde.

'Hier, dat is voor jou.' Van Aken overhandigde hem de koffie. 'Laat eens zien wat je ontdekt hebt.'

Abdel was geraakt door het gebaar. Hij durfde niet te zeggen dat hij nauwelijks koffie dronk en nipte van het brouwsel. Het was nog steeds veel te heet, het smaakte afschuwelijk en er zat geen suiker in.

'Lekker.' Hij dwong zichzelf te glimlachen. 'Net wat ik nodig had.'

'Opschieten, man', zei Van Aken. 'Ik ben niet van plan de hele nacht naar dat scherm te zitten staren.'

Hassim had heimelijk binnenpretjes. Hij wist dat Van Aken zich onlangs met veel moeite door een cursus Word en Excel had geworsteld, maar veel verder ging zijn kennis niet. Hij pochte graag dat hij vaak op het internet zat te surfen, maar het was een publiek geheim dat hij computers als een noodzakelijk kwaad beschouwde.

De inspecteur schudde plechtig zijn vingers los en begon razendsnel op het toetsenbord te ratelen. Intussen schoof hij met zijn voet de lege pizzaverpakking die onder zijn stoel lag, verder naar achter.

Van Aken zat met toegewijde aandacht te kijken hoe Abdel het verslag van de overtreding in de Sint-Jacobsnieuwstraat te voorschijn toverde. Hij keek naar de datum en het uur en naar de nummerplaat.

'Geen twijfel mogelijk, het was de wagen van Jan Daens', knikte hij. 'En die lag op dat ogenblik dus zogezegd in zijn buitenverblijf te slapen. Knap gedaan, Hassim.'

Abdel glunderde zoals alleen hij dat kon. Zijn wangen bolden van plezier.

'Ik heb trouwens nog meer ontdekt', zei de inspecteur zo achteloos mogelijk. 'Nu ik hier toch op u zat te wachten, heb ik nog wat verder rondgeneusd.'

Hij verrichtte nog wat magisch vingerwerk op de toetsen en opende een andere file.

'Jan Daens kreeg van de verkeerspolitie een boete van 138 euro die de dag van ontvangst prompt werd betaald. Overigens snel werk van de verkeersjongens, die doorgaans heel wat langer wachten om een boete op te sturen.'

Van Aken pletste met zijn hand op tafel.

'Dat zijn tenminste spijkers met koppen, Hassim! Daens geeft door te betalen dus toe dat hij inderdaad op dat uur door de Sint-Jacobsnieuwstraat reed. Merkwaardig. Reden genoeg om hem eens aan de tand te voelen.'

Hassim keek geestdriftig, maar Van Aken zette meteen een domper op de vreugde.

'Een ideale taak voor Cornelis. Ga jij nu maar naar huis, Abdel, ik bel hem straks wel. Trouwens, jij had vannacht toch geen dienst?'

'Ik wou een paar dingetjes uitzoeken', zei Hassim bescheiden.

'Ik zal het niet vergeten, man.' Van Aken klopte hem op de schouder.

Op weg naar huis zat Hassim op zijn Yamaha heerlijk te dromen van decoraties en een jubelspeech.

15.

Donderdag 26 mei, 3.17 u.

Van Aken had geen tijd voor idyllische plaatjes. Hij maakte van zijn hart een steen en belde het nummer van Cornelis, die zich net uit de armen van zijn slapende Bart had losgewurmd om te plassen.

'Cornelis? Ik ben het', zei Van Aken tamelijk cryptisch.

'Een ogenblikje', antwoordde Bart slaperig. 'Hij is eh, even zijn handen gaan wassen.'

Van Aken keek bepaald sip. Hij kon er zich nog altijd maar moeilijk bij neerleggen dat een van zijn bekwaamste officieren met een man getrouwd was. Hij onderdrukte een geeuw in de palm van zijn hand en foeterde binnensmonds dat de commissaris toch wel lang wegbleef.

'Hier ben ik, chef', hijgde Cornelis na van het hollen en Van Aken meende dat hij het koppel in hun intieme activiteiten had onderbroken. Net goed, dacht hij kwaadaardig. Het liefdesspel tussen twee mannen was net iets te veel van zijn tolerantie gevraagd.

'Sorry voor het late uur en het storen bij eh, maar dit is belangrijk.'

Cornelis had de luidsprekerfunctie aangezet en knipoogde naar Bart, die onder zijn kussen moest duiken om het niet uit te proesten.

'De plicht gaat voor alles', zei Cornelis en Van Aken geloofde nog dat hij het meende ook.

Van Aken vertelde over de ontdekking van Hassim. Cornelis was ineens klaarwakker.

'Wat denk je, chef? Ga ik er meteen op af?'

Van Aken dacht hoorbaar na.

'Ik zou ongetwijfeld een huiszoekingsbevel kunnen krijgen, maar of ik daar de onderzoeksrechter op dit uur voor moet storen...'

'Een gewone commissaris, dat geeft natuurlijk niet', knorde Cornelis onverstaanbaar.

'Zei je iets?'

'Nee hoor, een opkomend hoestje', mompelde Cornelis. 'Niets om je zorgen over te maken.'

Alsof Van Aken dat zou doen. De chef had de opmerking niet eens gehoord. Hij zat met zijn gedachten al helemaal bij het verdere verloop van het onderzoek.

'Ik heb net een inspecteur naar de woning van Daens gestuurd en de advocaat was ondanks het late uur blijkbaar nog aan het werk. We laten hem rustig betijen en het eerste wat jij straks na het ontbijt doet, is hem met de verkeersboete confronteren. Neem voor alle zekerheid versterking mee. Ik had aan Hassim gedacht, maar die is nog maar net gaan slapen.'

En ik ben natuurlijk een robot die zonder slaap kan, flitste het door het hoofd van Cornelis. Hij zag dat het al bijna halfvier was en besefte dat er van nachtrust niet veel meer in huis zou komen.

'Klokslag acht uur zal Eddy Daeninck bij je aanbellen om je bij de ondervraging te assisteren. En nu ga ik nog een beetje slapen', geeuwde Van Aken.

Daeninck. Cornelis schudde het hoofd. Waarschijnlijk de grootste idioot van het korps. De laatste tijd hadden ze door omstandigheden een paar keer moeten samenwerken en er hing telkens een duidelijke spanning in de lucht. Daeninck was het type flik dat openlijk flirtte met extreem rechts, al kwam hij naar verluidt goed overeen met zijn partner Hassim. Onze *makkak* is een goede *makkak,* nietwaar.

Maar nu moest hij dringend nog een paar uurtjes proberen te pitten.

*

Donderdag 26 mei, 8.11 u.

Niet om acht uur stipt, maar minstens tien minuten te laat belde Daeninck aan. Cornelis zat weer op het toilet toen hij de bel hoorde en grinnikte. Eigenlijk zou hij dit moeten rapporteren en de kans was groot dat Van Aken Daeninck een officiële reprimande gaf.

'Ik doe wel open', zei Bart met een grimmige trek om de mond. Cornelis had hem verteld over de weinig tolerante flik en hij wou dit specimen weleens met eigen ogen zien.

'Eh, het is voor André', zei Daeninck onwennig.

'Ja, ik vermoedde al dat je niet voor mij kwam. Jammer', antwoordde Bart en hij knipoogde nadrukkelijk. Daeninck wist niet goed welke houding hij moest aannemen en staarde dan maar wat naar zijn slecht gepoetste schoenen.

'Kom toch binnen, man!' Bart voelde zich meester van de situatie.

'We moeten meteen weg', slikte Daeninck. 'Een andere keer misschien.'

Bart lachte poeslief.

'Je weet waar ik woon, mooie jongen. Ik zal je eens bellen als André niet thuis is.'

Daeninck week ontzet achteruit. Hij bekeek Bart vol walging, als had die hem op onbetamelijke wijze betast. Bart liet het niet aan zijn hart komen en stak zijn lippen vooruit alsof hij een kusje wilde geven.

'Ik wacht wel in de wagen', stamelde Daeninck.

'Hoeft niet. Daar is hij al.'

Met een vanzelfsprekende nonchalance zoende Cornelis zijn levenspartner in het passeren. Bart liet zich niet onbetuigd en gaf een tongzoen terug die niets aan de verbeelding overliet.

'Tot vanavond, schat', zei hij, duidelijk hoorbaar. 'Maak het niet te laat. Ik hunker nu al naar je, lekker dier dat je bent.'

Cornelis schudde enigszins gegeneerd het hoofd.

'Goeiemorgen, commissaris. Zullen we dan maar?'

Daeninck kon niet snel genoeg de straat uit zijn. Hij trapte stevig op het gaspedaal.

'Rustig aan, zeg! Er zijn hier scholen in de buurt!' foeterde Cornelis.

Stilzwijgend reden ze naar de villa van Daens. Daeninck kende intussen de weg al, maar reed toch verkeerd. Hij probeerde stiekem rechtsomkeert te maken in de ijdele hoop dat Cornelis het niet zou merken. De commissaris zat in zijn vuistje te lachen.

Twintig meter voorbij de imposante villa stond de combi geparkeerd. De inspecteur aan het stuur hield de woning ingespannen in het oog en had de wagen van Daeninck niet zien aankomen.

Cornelis tikte tegen de ruit. Verschrikt liet inspecteur Johan Ghysels zijn kop koffie vallen en wilde de onverlaat die het had aangedurfd hem te storen, een uitbrander geven, tot hij de commissaris herkende. Onbeholpen stapte de inspecteur uit en probeerde zichzelf een houding te geven. Tot overmaat van ramp merkte hij nu pas dat het bovenste knoopje aan zijn hemd ontbrak.

De commissaris deed alsof zijn neus bloedde.

'Niets te melden?

Inspecteur Ghysels schudde het hoofd.

'Nee, commissaris. Het licht in de werkkamer heeft nog tot halfvijf gebrand. Vervolgens is de advocaat gaan slapen en sindsdien valt er geen beweging meer te bespeuren.'

Ghysels wachtte lijdzaam op verdere instructies.

'Goed, Johan. Je taak zit er hier op. Tijd om onder de wol te kruipen. Bedankt.'

De inspecteur liet een zucht van verlichting ontsnappen. Die verdomde nachtdiensten waren er te veel aan. Maar van slapen zou voorlopig niet veel in huis komen. Sinds hij na een pijnlijke vechtscheiding eindelijk van zijn Zwitserse vrouw verlost was, zette hij geregeld de bloemetjes buiten. In de koffer zat de nodige kleding en nu hij de volgende dagen toch niet hoefde te werken was hij plan om naar de kust af te zakken.

Daeninck keek zijn collega afgunstig na. Hij kende Ghysels en wist dat die niet meteen naar huis zou rijden. Met de kleine op komst was dat voor hemzelf de eerstvolgende tijd wellicht uitgesloten, want zijn vrouw wilde hem het liefste in de buurt hebben.

Cornelis keek op zijn horloge.

'We zullen meester Daens dan maar eens uit bed bellen, zeker?'

Dat vond Daenick ook. Hij drukte prompt op de bel en bleef hem van katoen geven.

Het duurde zeker vijf minuten voor er in de gang beweging te horen was.

'Ik kom al, ik kom al!' foeterde Daens binnen. Zijn blote voeten maakten een pletsend, onregelmatig geluid. Hij morrelde onhandig aan het slot. 'Een ogenblikje, ik moet mijn sleutel zoeken.'

Cornelis bleef bewonderenswaardig kalm. Waarom ook niet, hij had alle tijd van de wereld.

Eindelijk ging de deur open. Daens staarde wat kippig naar buiten en zette dan zijn bril op.

'Bent u het, commissaris?'

Nee, Roodkapje, had hij zin om te antwoorden.

'Zoals u ziet, meester Daens. Mogen we even binnenkomen?'

Daens twijfelde even en haalde dan de schouders op. Niet dat hij wettelijk verplicht was om de politie binnen te laten, maar het had geen zin om tegen te werken.

Ze volgden Daens naar de keuken. Zijn linkerbeen trok nog steeds flink tegen en hij moest onderweg tegen de muur steunen om niet te vallen.

'Gaat het?' Daeninck deed alsof hij bezorgd was, maar hij stak geen hand uit om te helpen.

'Het blijft een beetje beredderen', zuchtte Daens. 'Eigenlijk zou ik van de dokter nog met krukken moet lopen, maar ik ben van het koppige soort. Alhoewel ik toch vrees dat hij in dit geval gelijk heeft. Iemand koffie?'

Daens wachtte niet op het antwoord en rommelde wat in de kasten.

'Mevrouw Daens niet thuis?' informeerde Cornelis langs zijn neus weg. Blijkbaar had hij een gevoelig thema aangeraakt, want Daens keek bepaald sip.

'Hoe zou ik het zeggen, we gaan momenteel door een klein dipje', zei hij moedeloos. 'Ze is een tijdje met Joyce naar haar moeder.'

'Joyce?' vroeg Daeninck.

'Onze dochter. Ze is net vijftien geworden', lachte Daens moeizaam.

'Geen gemakkelijke leeftijd', oordeelde Daeninck. 'Die jongelui van tegenwoordig willen allemaal zo snel mogelijk op eigen benen staan.'

Daeninck merkte aan de verraste gelaatsuitdrukking van de advocaat dat er iets niet klopte. Ook Cornelis keek hem geërgerd aan.

'Heb ik iets verkeerds gezegd, meester Daens?'

Jan Daens sloeg de blik naar beneden.

'Ik zie dat u Joyce niet kent. Ze is weliswaar vijftien, maar geestelijk heeft ze maar het niveau van een zesjarige.'

De inspecteur voelde de grond onder zijn voeten wegzinken. Dit was een blunder van je welste. Het stond allemaal in het dossier van Daens dat Cornelis had aangevuld, maar Daeninck had er amper een blik in geworpen.

'Ik weet niet goed wat ik moet zeggen', stamelde hij. 'Mijn verontschuldigingen.'

Jan Daens maakte een zwak afwimpelend gebaar.

'Het is in orde. Het heeft lang geduurd, maar ik heb er mij intussen bij neergelegd dat Joyce nooit zelfstandig zal kunnen zijn. Het is in de relatie met mijn vrouw eigenlijk altijd een zware last om dragen geweest. We hebben daarna besloten om geen kinderen meer te krijgen.'

'Ik leef met u mee', zei Cornelis gemeend.

Daeninck had zich intussen dan toch verdienstelijk gemaakt door de koffie te zetten. Alleen had Cornelis er niet zo veel vertrouwen in, want de inspecteur was nogal kwistig met het lepeltje omgesprongen.

'Voor mij liever een glaasje water', zei de commissaris huichelachtig. 'Koffie is slecht voor mijn maag.'

Daeninck schonk de advocaat dan maar een grote mok in. Daens dronk er zonder argwaan van en trok een gezicht vol afgrijzen.

'Maar ik weet nog altijd niet wat u hier komt doen', zei Daens. 'Had u verder nog vragen voor me?'

Cornelis knikte.

'We zitten met een dilemma', begon hij voorzichtig. 'U blijft bij uw verklaring dat u op de avond van de moord op Raymond Deweert uw buitenverblijf in Zwalm niet verlaten heeft?'

'Inderdaad', zei Daens oprecht verbaasd. 'Mijn echtgenote en ik zijn daar in de loop van de namiddag aangekomen en zijn het huis niet uit geweest.'

De commissaris wreef langs zijn keurig geschoren kin.

'Dat is opmerkelijk, want ik heb hier een duidelijke aanwijzing dat er iets in uw getuigenis niet klopt.'

Daens keek hem perplex aan.

'Ik begrijp niet wat u bedoelt.'

'Als u dit even wilt lezen?'

Cornelis schoof de advocaat een kopie van de verklaring van inspecteur Vanhaemel toe. Daens begon het papier met stijgend ongeloof te lezen en werd razend kwaad toen hij las dat zijn auto die nacht een snelheidsovertreding begaan had.

'Maar dat is onmogelijk! Ik heb aan één stuk doorgeslapen tot de volgende middag! Dit moet een vergissing zijn!'

IJzig kalm liet Cornelis de advocaat even uitrazen.

'Mag ik u vragen om nog eens goed over die avond na te denken?'

'Dit is ongehoord!' riep Daens uit. 'Dergelijke verdachtmakingen vallen onder laster en eerroof!'

Cornelis ging niet op de uitlatingen van de advocaat in, maar counterde met een tegenvraag.

'Heeft u een zwarte hoed?'

'En wat dan nog! Ik ben toch niet de enige!'

Daens liep helemaal rood aan. Op zijn voorhoofd verschenen fijne zweetdruppels.

'Dat is nog niet alles', wist Cornelis, die voelde dat hij greep op de advocaat begon te krijgen. 'Los van het feit dat u de integriteit van inspecteur Vanhaemel in twijfel trekt, hoe verklaart u dit?'

Opnieuw legde de commissaris een kopie op tafel. Daens staarde naar het papier en keek alsof hij het in Keulen hoorde donderen.

'Wat is dat?'

'Het bewijs dat u de boete die u werd opgestuurd, meteen betaald heeft', zei Cornelis, veel te rustig. Nu was hij gevaarlijker dan ooit.

Daens sloeg de handen getergd ten hemel.

'Maar dat kan helemaal niet! Ik heb nooit een boete ontvangen, laat staan betaald!'

Cornelis was duidelijk niet onder de indruk van de zwakke verdediging van Daens.

'De overschrijving werd via pc banking uitgevoerd op de dag na verzending', dreef hij Daens nog verder in het nauw.

Even leek het alsof de advocaat zou stikken. Hij hapte zwaar naar adem en werd nu lijkbleek. Zijn pupillen stonden wijdopen.

'Gaat het, meester Daens?' vroeg Cornelis bezorgd.

De advocaat hoorde hem niet meer. Daens gleed onderuit en smakte met zijn hoofd op de grond.

Meteen schoot Daeninck, die met groeiende ongerustheid het tafereel had gadegeslagen, te hulp. Hij maakte de das van de advocaat los en voelde aan zijn pols.

'Bel een ziekenwagen', zei de inspecteur en hij begon Daens kunstmatige ademhaling toe te dienen.

*

Donderdag 26 mei, 15.41 u.

André Cornelis voelde zich helemaal op zijn gemak in het gezelschap van Roger Denis, een rijzige ambtenaar van Economische Zaken, die zonder aarzelen was ingegaan op zijn uitnodiging om in het Sofitel samen koffie te drinken.

De commissaris probeerde zich in te beelden dat hij een afspraakje met de man had. IJdele hoop natuurlijk, want Denis was zo hetero als de pest. En hij had er eigenlijk allerminst behoefte aan om Bart te bedriegen. Maar zo heel af en toe klopte zijn oude *lovers heart* nog eens een paar slagen sneller en had hij nood aan een vleugje fantasie.

Het geritsel van papier haalde Cornelis snel uit zijn amoureuze overpeinzingen.

'Het is natuurlijk snel moeten gaan, maar ik heb toch wel het een en het ander opgedolven dat je kan interesseren', lachte Denis minzaam.

Cornelis knikte aanmoedigend. De ambtenaar was een leeftijdgenoot en ze hadden samen nog in de jeugdbeweging gezeten. Cornelis had er de hele weg doorlopen, tot het leiderschap toe. Pas achteraf had hij begrepen dat hij vooral door de blote jongensbenen aangetrokken was geweest, reden genoeg om uit de beweging te stappen.

Denis overhandigde de commissaris een viertal velletjes, van boven tot onder met enkele interlinie volgetikt.

'Een korte samenvatting van het dossier-Umelco. Ik was nog niet goed wakker toen je me belde, maar dat ging snel over. Ik heb daar enkele jaren geleden op eigen houtje wat zoekwerk naar verricht en ik kan alleen maar bevestigen wat je me aan de telefoon vertelde. Deweert heeft in die zaak inderdaad een smerige rol gespeeld.'

'Als ik even mag onderbreken: waarom heb je dat uitgespit?' wilde Cornelis weten.

Denis lachte. Hij voelde zich duidelijk zijn ijdelheid gestreeld. Zijn handen waren keurig gemanicuurd, merkte Cornelis tot zijn voldoening op. Echt een vent naar zijn hart.

'Men zegt weleens van ambtenaren dat ze naar kantoor komen om uit te rusten, maar ik ben altijd trots op mijn beroep geweest. Ik heb binnen de cel fraudebestrijding mijn handen vol aan de bestrijding van btw-carroussels, maar toch kan ik het niet laten om puur voor de kick zelf ook nog het een en ander uit te pluizen. Zo was ik al meermaals op de naam Umelco gestoten en het werd snel duidelijk dat ik het deksel van een beerput gelicht had.'

Dat was nog zacht uitgedrukt, vond Cornelis. Maar hij had sowieso al een afkeer van alles wat naar politiek en business rook.

'Ik ben er een tijdje vrij intensief mee bezig geweest en ik denk dat ik alles wat de heer Glorieux aan uw collega verteld heeft, kan bevestigen.'

'Hoe komt het dan dat we destijds niets van die zaak gehoord hebben?'

'Een pientere vraag, commissaris', prees Denis.

Cornelis lachte voldaan, zonder het zelf te beseffen.

'Het antwoord is niet zo verheffend, vrees ik. Mijn diensthoofd hoorde van mijn extra speurwerk en ik werd subtiel aangespoord om mijn tijd daar niet aan te verspillen. Ik zag er eerst geen kwaad in en legde zijn verzoek naast me neer, maar algauw werd het duidelijk dat ik me inderdaad beter met andere dingen zou bezighouden. Ik kreeg onder meer thuis een telefoontje met de melding dat mijn dochter van zestien, die op dat ogenblik net uit bad kwam, er in haar badhanddoek echt beeldig uitzag en dat het toch jammer zou zijn dat zo'n een prille schoonheid iets ernstigs zou overkomen. Zoals onze kat bijvoorbeeld. Toen werd er ingehaakt. Ik besefte ineens dat ik de poes al een tijdje niet meer had gezien en ze bleek dood op de oprit te liggen. De ogen uitgestoken en de ingewanden uit haar lijf gekerfd.'

Denis vertelde het op bewonderingswaardig kalme toon, maar aan zijn stem kon Cornelis horen dat de ambtenaar er nog altijd niet goed van was.

'Ik heb toen eieren voor mijn geld gekozen en liet het dossier voor wat het was. Sindsdien ligt het in mijn lade een hoop stof te vergaren, tot ik dus vanmorgen uw telefoontje kreeg.'

Cornelis stak de papieren in zijn tas zonder ze te lezen. Hij schudde Denis hartelijk de hand.

'Bedankt, Roger. Je hebt ons echt geholpen. Zo zie je maar dat je moeite niet voor niets was. En wees gerust, we bewaren uiterste discretie.'

Hij keek de ambtenaar dromerig na. Toch een heerlijk kontje.

16.

Donderdag 26 mei, 16.19 u.

'Het gaat wel, heus', zei George Bracke geïrriteerd. Die paar snipperdagen na de crematie waren wat hem betreft al meer dan voldoende en de dokter kon voor zijn part de boom in. Wat zat hij thuis te doen? Hij liep de muren op en snakte naar verstrooiing. Zelfs het afwerken van de klassieke papierberg die nog op hem lag te wachten, leek hem op dat ogenblik een aangenaam tijdverdrijf.

'O.k., George, als jij het zo wilt, jij je zin. We kunnen je hulp trouwens best gebruiken.' Van Aken klonk opgelucht. 'Ik neem aan dat André je al van de laatste ontwikkelingen op de hoogte heeft gebracht?'

Bracke knikte. Alsof die kletskous hem zulk nieuws zou kunnen verzwijgen.

'Het ziet er voor die Daens niet goed uit', zei hij. 'Hebben we zijn vrouw al opnieuw verhoord?'

'Dat wou ik net aan jou voorstellen. Jij schoot toch zo goed op met mevrouw Daens?'

Bracke keek zijn chef vernietigend aan. Waarom had hij hem ook verteld dat het de vorige keer inderdaad leek te klikken? Hij nam zich voor om dergelijke informatie in het vervolg voor zichzelf te houden.

Van Aken gaf de commissaris een briefje met een adres.

'Van haar moeder. Daar zou ze momenteel met haar dochter verblijven.'

Sint-Denijslaan, daar stond een aantal behoorlijk imposante huizen. Haar moeder en vader hadden blijkbaar niet slecht geboerd.

'Goed, chef. Ik ga er meteen op af. Weet ze al dat haar echtgenoot in het ziekenhuis ligt?'

Van Aken schudde het hoofd.

'Nee, dat was het eerste wat hij zei toen hij wakker werd. "Vertel het nog niet aan mijn vrouw." Hij mag vanavond weer naar huis, dus die wens kunnen we, denk ik, wel inwilligen. Nu ja, het hangt natuurlijk af van wat de onderzoeksrechter beslist. De kans is fifty-fifty dat hij een aanhoudingsbevel uitschrijft. En zo niet moet de heer Daens zich morgen ongetwijfeld voor verder verhoor aanmelden.'

De commissaris scharrelde in zijn zakken naar zijn sleutels en vond ze uiteindelijk op de grond. Van Aken stond gewoon toe te kijken.

'George...'

Bracke draaide zich zuchtend om. Wat nu weer?

'Je hoeft echt niet, als je niet wilt. Dus als je straks zin zou hebben om er tussenuit te knijpen, geen probleem.'

Bracke schudde het hoofd. Maar toch aardig van de chef.

Nergens aan denken nu. Buiten scheen de zon, ook al was het maar flauwtjes. Aan de overkant van de straat liep een meisjesschool leeg met veel vrolijk gekwetter. Frisse, lachende snoetjes. Hun groene uniformpje. Dat ene roodharige meisje met een beugel had een lint rond haar vlechtjes geknoopt.

Bracke probeerde een wijsje te neuriën, om het even wat. Als het zijn gedachten maar even verzette. De antenne van zijn wagen was enkele dagen geleden afgekraakt en hij zat zonder muziek omdat ook de cd-speler het begeven had.

Hij moest onverhoeds remmen voor een colonne fietsers die als gekken de straat overstaken. Hij herkende in de groep de twee zogenaamde wereldfietsters, twee maffe Antwerpse meiden die er blijkbaar plezier in vonden langdurige avontuurlijke tochten langs vreemde continenten te maken. Hem niet gelaten, zolang ze hem maar met rust lieten. Had hij niet gelezen dat ze vijf jaar onderweg zouden zijn naar Siberië of zo? Stiekem had hij gehoopt dat ze daar zouden blijven, maar blijkbaar was er een kink in de kabel gekomen want ze waren voortijdig teruggekeerd.

In de stationsbuurt heerste de klassieke drukte van het spitsuur. Hij parkeerde bij het viaduct en besloot een wandeling te maken langs de Sint-Denijslaan. In de hoop dat de frisse lucht hem goed zou doen, maar hij snoof enkel de zware dieseldampen van de autobussen op.

Nummer 227 lag nog een behoorlijk eindje van het station, maar hij zette er stevig de pas in.

Wat verderop stond een gloednieuwe sportwagen geparkeerd, een MG TF. Bracke kende niets van wagens, maar meende zich te herinneren dat die recent ergens tot mooiste cabrio ter wereld was uitgeroepen. Ieder zijn meug, hij verwachtte van een auto enkel dat het vehikel elke dag trouw startte en hem onderweg niet in de steek liet.

Verlinden zou zonder problemen de technische fiche van deze sportwagens van voor naar achter kunnen opdreunen. Nu hij aan Verlinden dacht, hoe zou het eigenlijk met de hoofdcommissaris zijn? Hij nam zich voor om na het werk even bij hem thuis binnen te wippen. De hoofdcommissaris was die week voor het eerst weer op het werk verschenen, maar had zich meteen weer ziek gemeld. Te overmoedig volgens de dokter, typisch voor iemand die manisch-depressief was.

Bracke had nog maar net gebeld of de voordeur zwaaide al open. Een kranige oudere dame die erg veel op Carmen Daens leek, keek hem vriendelijk maar vragend aan. Ze moest rond de zeventig zijn, maar zag er nog steeds aantrekkelijk en zelfs exotisch uit.

'Eh, we kopen niet aan de deur.'

Hoe vaak had Bracke die zinsnede al niet gehoord. Hij tastte naar zijn politiepenning in zijn binnenzak.

'Is Carmen aanwezig? Ik had haar graag enkele vragen gesteld.'

De vrouw giechelde.

'Excuseer voor het misverstand. Mijn dochter deed net een klein dutje. Maar komt u binnen. Ik zal haar wel even wakker maken.'

Enerzijds wou Bracke zeggen dat het niet nodig was, maar anderzijds wilde hij er toch snel komaf mee maken. Carmen zou haar hazenslaapje later nog wel voort kunnen zetten.

Carmens moeder ging hem voor naar het salon en vroeg daar te wachten.

'Schenkt u zichzelf maar iets uit als u zin heeft.' Ze wees uitnodigend op de huisbar en ging naar boven.

Bracke keek om zich heen. De kunstwerken aan de muur en de

beelden moesten een fortuin hebben gekost. En het kamerbrede tapijt kostte vast evenveel als een eenvoudige gezinswagen.

Een beeldschoon meisje kwam wantrouwig vanaf de trap loeren. Ze keek hem met grote ogen aan.

'Jij moet Joyce zijn', zei Bracke vriendelijk, maar ze snelde weer naar boven.

Daar was Carmen al. Ze wreef een restje slaap uit haar ogen en kwam met uitgestoken hand op hem af.

'U weer, commissaris! Wat een aangename verrassing!'

Bracke glimlachte, een van de eerste keren na de dood van zijn vader.

'Ik heb net kennisgemaakt met uw dochter. Nu ja, ze holde meteen weer weg. Een knap meisje trouwens.'

Carmen Daens zuchtte.

'We kunnen echt niks meer met haar aanvangen. Alleen in de instelling kunnen ze nog enigszins met haar overweg.'

'Uw moeder woont hier prachtig', zei Bracke, die aanvoelde dat dit een gevoelig onderwerp was. 'Uw vader heeft blijkbaar niet slecht geboerd.'

'Nu heeft u het toch verkeerd voor. Thuis hadden we het helemaal niet zo breed. Mijn vader had een bescheiden ijssalon. Mijn moeder is jong weduwe geworden en ongeveer tien jaar geleden hertrouwd met een rijke industrieel. Harry is intussen helaas ook al overleden. Mag ik u trouwens iets aanbieden?'

De commissaris maakte een afwerend hoofdknikje.

'Ik neem een wit wijntje. Echt niet, commissaris?'

Ze wachtte zijn antwoord niet af en heupwiegde naar de bar. De vleeskleur van haar rok paste perfect bij haar gebruinde benen, merkte hij nu pas.

Tot zover de smalltalk. Bracke wou nu liever tot de orde van de dag overgaan.

'Mijn verontschuldigingen dat ik u hier kom storen, maar er zijn eh, nieuwe verwikkelingen.'

'Nieuwe verwikkelingen? Nu maakt u me toch wel nieuwsgierig, commissaris', lachte Carmen, maar ze kon een zekere zenuwachtigheid niet verbergen.

Bracke zocht naar de juiste woorden. Wat hij te vertellen had, zou allicht zwaar vallen.

'U aarzelt, commissaris?'

De lach op haar gezicht verdween. Hij merkte dat ze aanvoelde dat het menens was.

'Ik weet niet hoe ik het anders kan zeggen, maar ik vrees dat uw echtgenoot in de problemen zit.'

Ze keek hem recht in de ogen. Haar blik had iets smekends, als wou ze het liever niet horen. Ze zei helemaal niets meer, wachtend op wat zou komen.

'Ik wil dat je goed nadenkt voor je antwoordt. Ben je er zeker van dat Jan op de avond van de moord jullie buitenverblijf niet heeft verlaten?' tutoyeerde hij haar.

'Natuurlijk ben ik daar zeker van!' zei ze, ongetwijfeld luider dan ze bedoelde. Ze schrok zelf van de boze klank in haar stem. 'Excuseer, commissaris. Ik bedoelde het zo niet.'

'Geeft niets', zei hij. 'Ik begrijp het wel. Maar ik verklaar me nader. Er iets dat niet klopt. We hebben de verklaring van u en uw man dat u beiden pas de volgende namiddag uit Zwalm bent weggereden, niet?' Hij hanteerde weer de beleefdheidsvorm. Dat deed hij meestal bij een verhoor om afstand te scheppen en anderzijds de ondervraagde een gevoel van respect te geven.

'Inderdaad.' Ze schudde het hoofd. 'Ik begrijp echt niet waar u op aanstuurt, commissaris.'

'We hebben bewijzen dat de wagen van Jan na de aanslag op Raymond Deweert in de Sint-Jacobsnieuwstraat een snelheidsovertreding beging. Een van onze inspecteurs heeft de nummerplaat genoteerd en het type wagen herkend.'

Carmen Daens zette grote ogen op.

'Maar dat is gewoon onmogelijk! Jan heeft de hele avond en nacht liggen slapen! Dat moet echt een vergissing zijn!'

Er klonk iets van wanhoop in haar stem.

'Ik wou dat ik kon zeggen dat u gelijk had, maar er zijn duidelijke aanwijzingen. Zo werd de boete die de verkeerspolitie heeft gestuurd, onmiddellijk door uw echtgenoot betaald.'

De wereld stortte voor Carmen in. Ze verborg haar gezicht in haar handen en begon te snikken. Bracke zat wat onbeholpen met het verslag van de inspecteur en een kopie van de betaling in zijn handen en voelde zich lullig. Op zulke momenten haatte hij zijn baan hartgrondig.

'Maar dat kan toch helemaal niet! Waar is Jan nu?'

Ze greep naar haar mobieltje om hem te bellen. Bracke nam haar aarzelend bij de pols vast.

'Hij is voorlopig nog even niet bereikbaar, maak ik denk dat hij vanavond weer thuiskomt.'

Ze hoorde de twijfel in zijn stem.

'U denkt het, maar u bent er niet zeker van.'

Deze vrouw kun je niet om de tuin leiden, dacht Bracke. Het was beter open kaart met haar te spelen.

'Het hangt natuurlijk af van wat de onderzoeksrechter zegt. Als die een aanhoudingsbevel uitvaardigt, kunnen we uw echtgenoot in voorlopige hechtenis nemen. En eh, er is nog iets.'

Ze wachtte vol spanning. Waarom begin ik er ook over, verweet Bracke zichzelf. Maar nu moet ik het wel vertellen.

'Uw echtgenoot is in Sint-Jan opgenomen nadat hij onwel werd. Maak u geen zorgen, het is niets ernstigs.'

Carmen Daens dronk haar glas Sancerre in een teug leeg en nam er meteen nog een.

'Blijft u bij uw verklaring dat hij de hele avond het buitenverblijf niet verlaten heeft?'

Ze antwoordde niet. Bracke probeerde haar te taxeren, maar haar gelaatsuitdrukking verried niets. Ze staarde in haar glas, als lag daar de oplossing.

'Mevrouw Daens,' herhaalde hij geduldig, 'blijft u bij uw verklaring?'

Daar moest ze blijkbaar diep over nadenken. Haar adem ging wat sneller. Toen liet ze een diepe zucht ontsnappen. Ze was nog mooier als ze zich zo kwetsbaar opstelde.

'Ik zal open kaart met u spelen, commissaris. Ik ben die avond inderdaad even weggeweest terwijl Jan al lag te slapen, een halfuurtje maar.'

'Mag ik weten waarheen?' vroeg Bracke prompt.

Ze sloeg een hand voor haar mond.

'Moet dat echt?'

'Ik zou het u sterk aanraden', zei Bracke zo overtuigend mogelijk.

Carmen Daens verkeerde duidelijk in tweestrijd. Ze streek onophoudelijk met haar beringde vingers door haar geföhnde kapsel.

Bracke voelde aan dat hij nu niet mocht aandringen. Het was aan haar om te beslissen of ze al dan niet zou vertellen wat op haar lever lag.

'Het is beter dat ik u de waarheid vertel', oordeelde ze na een stilte die zwaar had gewogen. 'Ik ben er een halfuur, hooguit drie kwartier tussenuit geglipt om mijn minnaar te ontmoeten. Die heeft een dorp verderop ook een vakantiehuisje. Ik wou hem gewoon even zien, meer niet.'

Automatisch begon Bracke te noteren.

'En nu wilt u natuurlijk weten wie die minnaar is', zuchtte ze.

Door al dat gewoel piekte haar zo keurige kapsel nu in alle richtingen, merkte Bracke.

'Als dat zou kunnen.'

'Goed, het is Robert Detaeye.'

'De staatssecretaris van de socialisten?' vroeg Bracke zich hardop af.

Ze knikte.

'Ons huwelijk stelt allang niets meer voor', zei Carmen gelaten. 'Maar geen van beiden vindt het voorlopig nodig om er een einde aan te maken. Jan heeft een vriendin en ik ga ook mijn eigen gang.'

'Waarom dan dat geheime afspraakje?'

Carmen pufte.

'Dat klinkt misschien niet logisch. Maar het was om Jan te sparen nu de verkiezingen eraan komen. Stel je de koppen van de kranten eens voor als de journalisten zouden weten dat ik een relatie met een socialist heb! Ook Robert heeft het razend druk en we hadden elkaar de voorbije weken nauwelijks gezien. We hadden afgesproken dat we die avond snel de agenda's naast elkaar zouden leggen om te kijken wanneer we nog eens echt wat tijd samen konden doorbrengen. Voor volgende week woensdag zit dat er trouwens niet meer in. En voor u het vraagt: ja, we hebben gevrijd. Enfin, het was veeleer een vluggertje.'

'U bent dus niet langer dan een halfuur tot drie kwartier weg geweest, mevrouw Daens?'

'Dat klopt. Ik was rond 23 u. terug.'

'En u heeft de wagen genomen?'

'Nee, mijn bromfiets', zei ze. 'Ik heb namelijk geen rijbewijs. Ik ben veel te bang voor het verkeer.'

De commissaris dacht na.

'Er klopt iets niet. U zegt dat u slechts een dik halfuur bent weggeweest. Op dat halfuur kan Jan onmogelijk naar Gent en terug gereden zijn. En toch is zijn wagen 's nachts in de Sint-Jacobsnieuwstraat gesignaleerd.'

De ogen van Carmen straalden vooral verslagenheid uit toen ze hem aankeek.

'Dat begrijp ik ook niet.'

Het gezicht van Bracke verried dat hij zat te dubben. Diepe groeven liepen over zijn voorhoofd.

'Laten we de avond nog even verder reconstrueren. U zegt dus dat u naar een film gekeken heeft, wat was het ook weer?'

'The Silence of the lambs.'

'En die begon wanneer?

'Na het laatavondjournaal. Dat moet iets voor halftwaalf geweest zijn.'

'En u heeft de film helemaal uitgekeken?'

'Jazeker', zei ze zonder verpinken. 'In de slaapkamer. Jan lag op de sofa te slapen en ik wou hem niet wakker maken.'

'Hm. De film duurde dus tot wanneer ongeveer?'

'Halftwee, schat ik.'

'En Jan lag de hele tijd te slapen?'

‘Ja. Ik heb hem nog met een deken ondergestopt. Hij is niet één keer wakker geworden tot de volgende middag.’

‘En waar stond de wagen?’

‘Onder het afdak.’

‘Bent u ook buiten gaan kijken?’

‘Nee. Bedoelt u dat iemand de wagen geleend kan hebben om ermee naar de stad te rijden?’

‘Dat lijkt me behoorlijk vergezocht. Maar anderzijds ook niet onmogelijk.’

Carmen scharrelde in haar handtas en stak na enig zoeken een sigaret op.

‘Ik rook normaal niet meer, behalve op momenten dat ik mijn zenuwen even niet onder controle heb. En dit lijkt mij zo’n moment.’ Ze lachte groen.

‘Dan blijft er natuurlijk nog het mysterie van die betaalde boete. Het geld is via de rekening van Jan overgeschreven. Zelf beweert hij de boete nooit gezien te hebben.’

‘Ik wou dat ik u verder kon helpen, maar ik sta voor een compleet raadsel’, zei Carmen, die zich in de rook van haar sigaret verslikte. ‘Verdomme, ik ben het niet meer gewoon.’

Bracke schroefde de dop op zijn Parker en borg ze zorgvuldig in zijn binnenzak. Julie had hem de pen met nieuwjaar gegeven en hij koesterde ze als een kleinood.

‘Dat moet voorlopig volstaan.’

‘Voorlopig’, lachte ze pijnlijk. ‘Goed dan. Tot ziens, commissaris.’

*

Donderdag 26 mei, 17.51 u.

Het overleg met Van Aken via de telefoon was kort maar krachtig. Bracke bracht verslag uit en Van Aken luisterde aandachtig.

‘O.k., George, dat is inderdaad belangrijke informatie. Ik geef het hier meteen door.’

George Bracke voelde voor het eerst sinds de dood van zijn vader de adrenaline weer stromen. Hij kreeg dat lang niet onprettige gevoel dat ze eindelijk enigszins in de richting van een oplossing evolueerden.

Hij kon het niet laten en belde ook Annemie op. Hij deed in bijna net dezelfde bewoordingen nog eens het relaas van de ondervraging van Carmen.

'Mag je vertrouwelijke informatie wel aan mij vertellen?' gekscheerde Annemie.

'Een woordvoerder moet weten wat hij mag meedelen en wat hij voor zichzelf moet houden', plaagde Bracke terug.

Jan Daens was intussen weer bij zijn positieven. Een nieuw verhoor door Cornelis had weinig nieuws opgeleverd. De advocaat bleef koppig bij zijn standpunt dat hij het buitenverblijf niet verlaten had en trok openlijk de deskundigheid van inspecteur Vanhaemel en de speedometer in twijfel. Maar de inspecteur bevestigde nadrukkelijk dat hij wel degelijk door een veel te snel rijdende zwarte BMW was gepasseerd.

Om alle twijfels te bannen liet Van Aken een grondige analyse van de speedometer uitvoeren. Op de foto was duidelijk de nummerplaat 462 en het type auto te zien. Het toestel was bovendien nog maar pas opnieuw geijkt.

'Bingo dus', grinnikte Cornelis.

17.

Vrijdag 27 mei, 9.03 u.

Voor het eerst sinds lang voelde Bracke zich weer hongerig. Hij had de voorbije dagen geleefd op brood en koffie en af en toe een hap waarvan hij een ogenblik later niet meer wist wat het was.

Voor hij naar kantoor ging, was hij gestopt bij bakker Hemelsoet. Zijn vaste bakker. Hij werd er op bezorgde blikken onthaald.

'Mijn innige deelneming, George', zei de bakkersvrouw welgemeend. 'Ik hoop dat hij niet te veel geleden heeft?'

Al te vaak was hem die vraag gesteld en telkens zat zijn keel dichtgeschroefd. Maar nu hoorde hij zichzelf tot zijn eigen verbazing antwoorden.

'Bedankt, Germaine. Hij is als een kaars uitgedoofd. We hebben één troost, dat hij het op het einde zelf niet meer besefte. Zijn lijden is nu gelukkig voorbij.'

Bracke was al bijna op het commissariaat toen hij ineens besefte dat hij niet had betaald. Hij belde snel om zich te verontschuldigen, maar de bakkersvrouw wimpelde zijn excuses weg.

'Je hebt nu best wat anders aan je hoofd, George. Ik krijg dat geld de volgende keer wel.'

Cornelis toonde zich blij verrast omdat Bracke had onthouden dat pecannootkoek zijn lievelingshap van de warme bakker was. En dan nog twee, het kon niet op.

Bracke at zelf drie croissants en bladerde door het dossier dat intussen aardig was aangedikt.

'Behoorlijk explosieve kost, dat gedoe met Daens. Ik zou niet graag in zijn schoenen staan.'

'Het ziet er inderdaad niet te best voor hem uit', vond Bracke. 'Maar er zitten nog heel wat losse eindjes naar me te loeren. Als Daens het echt gedaan heeft, liegt Carmen. En als hij er niets mee te maken heeft, dan zijn hier wel erg duistere krachten aan het werk. Er komt heel wat bij kijken om een dergelijk scenario in elkaar te zetten. En waarom, vraag ik me dan meteen af.'

Cornelis knikte beamend.

'Als iemand Daens er wil inluizen, dan heeft hij inderdaad heel wat moeite gedaan. En het moet ook iemand met behoorlijk wat lef zijn. Een auto lenen terwijl de eigenaars binnen naar de televisie kijken of liggen te slapen, naar de stad rijden, er een moord plegen en terugkeren om de auto weer keurig op dezelfde plaats te parkeren: doe het maar eens.'

'En dan hebben we nog die snelheidsovertreding', snoof Bracke. 'Ik vraag me af of dat toeval was.'

'Misschien heeft de dader gezien dat hij door een inspecteur werd opgemerkt. Maar dan speelde hij hoog spel door gewoon terug naar Zwalm te rijden. Veel kans immers dat zijn signalement werd doorgegeven en hij dus onderweg vogelvrij was.'

'Het houdt geen steek.' Bracke krabde aan zijn kaak. 'En dan is er natuurlijk het mysterie van de betaalde boete. John van de *computer unit* heeft bevestigd dat de betaling inderdaad via pc banking werd uitgevoerd.'

'Die technische toestanden, je weet wat je daarmee mag doen.' Cornelis schudde meewarig het hoofd. 'Gooi maar in mijn petje. Je weet dat ik weinig vertrouwen in die dingen heb. *Big Brother is watching us*.'

'Ze zullen in de computer van Daens nakijken of de betaling inderdaad via zijn pc is gebeurd. Vraag mij niet hoe ze dat doen, maar die jongens kennen alle trucs van de "foor".'

'Die nieuwe zeker, die nerd uit Antwerpen? Ik geloof dat die kerel in zijn kantoor slaapt. Om het even op welk uur van de nacht dat je binnenkomt, er brandt nog altijd licht.'

Bracke knikte. Hij had Kristof Lamberigts nog maar éénmaal ontmoet, maar die jongeman voldeed aan alle clichés van de wereldvreemde computerfanaat. Een hemd dat steeds half uit zijn broek hing, lang vettig haar, een uilenbrilletje en onvervalste sneakers: geen detail ontbrak. Van Aken had even gekeken met een blik van 'wat gooien ze hier nu weer binnen', maar uiteindelijk telde alleen het resultaat. En Lamberigts sloeg meteen spijkers met koppen. Op een paar weken tijd had hij het computersysteem grondig doorgelicht en een aantal kinderziektes genezen. Zo kon iedereen die daar de autorisatie voor had, door een zelf uitgevonden handig compressieprogramma voortaan veel sneller op het intranet en het vroegere zo kwetsbare systeem was sindsdien niet meer uitgevallen. 'Afwachten maar', had Lamberigts nuchter op de lof gereageerd. 'Wij, boswachters, hinken altijd achterop. Maar vroeg of laat moeten de stropers zich in het bos tonen en dan liggen wij op de loer.'

Hassim had uitdrukkelijk gevraagd bij het doorzoeken van de computer van Daens aanwezig te mogen zijn en daar kon Bracke niets op tegen hebben. Een inspecteur die zich in zijn eigen vrije tijd probeerde bij te scholen, had altijd een voetje voor.

'Het zou wellicht de eerste keer zijn dat een moordenaar zichzelf verraadt door voor de verandering op tijd een boete te betalen', lachte Cornelis, zij het niet van harte. 'Overigens nog iets gehoord van die jongens van extreem rechts? De laatste dagen is het op dat front verdacht stil.'

'Die zijn natuurlijk met hun campagne bezig', dacht Bracke hardop. 'Hoe langer hun stilte duurt, hoe gevaarlijker. Ze zullen op het juiste moment wel weer een konijn uit hun hoed te voorschijn toveren.'

'Hier is onze meestergoochelaar al', lachte Stormvogel, die het gesprek gevolgd had. Hij haalde uit zijn aktetas een brochure van de NVP. Op de voorpagina stond een grinnikende Vandenbegin, die onder de titel 'Operatie Schone Handen' ostentatief zijn handen waste.

'Nu kunnen de andere partijen natuurlijk niet achterblijven', zuchtte Bracke. 'Ik vrees dat de tijdelijke wapenstilstand weer opgeheven is.'

'Heb je trouwens gisteren het avondnieuws gezien?' vroeg Cornelis. 'De commerciële zender zou een anonieme brief ontvangen hebben waarin beweerd wordt dat de moord op Deweert een aanslag om politieke redenen is. Die brief is trouwens al door ons lab onderzocht en vals bevonden. Maar blijkbaar kickte de redactie er zodanig op dat ze zelf deel van het nieuws uitmaakten omdat ze er een ruim item aan hebben gewijd.'

Bracke grinnikte, willen of niet.

'Laat me eens raden, de journalist van dienst was onze goeie vriend Mertens', zei hij.

'Een kus van de juf en een bank vooruit', glunderde Cornelis, die vooral blij was omdat Bracke eindelijk weer kon lachen. 'Bij de laatste populariteitspoll zakte Mertens in de categorie meest bekwame tv-figuur van twee naar negen en dat kwam wellicht zwaar aan. Vandaar dat hij zichzelf in die reportage nog eens extra in het zonnetje gezet heeft. Je zou die beelden eens moeten bekijken, George, echt om je te bescheuren. Onze goeie vriend Mertens, zoals je hem noemt, had een van zijn betere dagen, tenminste, als hij filmmaker zou zijn. Het was namelijk een zogenaamde reconstructie, waarbij je fictieve beelden ziet van de hand die de letters uit de krant knipt en de brief in de bus gaat steken. En het is in de opname natuurlijk Mertens zelf die de envelop opent.'

'En is dat zo uitgezonden? In het journaal?'

Bracke kon het niet geloven. Zo stom zou de commerciële omroep toch niet zijn!

'Inderdaad', glunderde Cornelis. 'Om zich in te dekken stond op het scherm gedurende een fractie van een seconde te lezen dat het gereconstrueerde beelden waren, maar wie even in zijn ogen wreef, heeft dat natuurlijk niet gezien. En op het einde meldde een stem *off screen* droogweg dat de brief volgens de politie een flauwe grap was.'

'Zo bruin hebben ze het nog niet gebakken.' Bracke klonk nog steeds ongelovig. 'Die zogenaamde reportage wil ik zien.'

'Vandaag zal ze zeker niet meer worden uitgezonden, want het was meteen hommeles bij de persbond', grijnsde Cornelis. 'Daar konden ze met dit omstreden werkstuk hoegenaamd niet lachen. Ik vrees dat het een staartje zal krijgen. De voorzitter heeft een klacht ingediend tegen Donald Mertens en ook dat is nog nooit eerder vertoond.'

Daar kon Bracke inkomen. Hij wist dat Steyaert sinds kort in de raad van beheer van de persbond zat en die kon met dergelijke fratsen niet lachen.

Hassim kwam binnen met een pak papier onder de arm. Hij genoot nog steeds na van het complimentje van Van Aken.

'Bijkomende getuigenverslagen', zei hij gewichtig.

'Je verwacht toch niet dat ik dat nu allemaal ga lezen?' zeurde Cornelis. 'Geef maar een korte samenvatting. Ik neem die stapel later weleens door.'

Hassim wist niet meteen waar hij moest beginnen. Overlopend van ijver had hij uit alle verklaringen willen citeren, maar hij vreesde dat Cornelis daar niet mee gediend zou zijn.

'We hebben het zogenaamde amoureuze spoor verder onderzocht. Irène Stevens is alweer weg bij haar dansleraar en woont nu samen met een professor Oosterse talen. Ze gaf na enig aandringen toe dat ze een tijdje een oogje op Deweert had. Maar dat kwam haar echtgenoot Julien Dhooge niet eens zo slecht uit, want die wou van haar scheiden. Uit zijn verhoor blijkt dat hij al een detective had geëngageerd om de twee formeel te laten betrappen.'

'Die Dhooge had er dus allerminst baat bij om Deweert uit te schakelen', dacht Cornelis hardop na. 'Tenzij hij ons natuurlijk zand in de ogen wil strooien. Toch nog maar eens op de rooster leggen, Hassim. Maar ga vooral verder.'

'Verscheidene stagiaires bevestigen dat Deweert zijn handjes niet kon thuishouden. Maar geen van die meisjes had een vaste relatie, dus kunnen we de piste van de jaloerse minnaar uitsluiten. Ander nieuws: de staatssecretaris van de socialisten, Robert Detaeye, bevestigt dat hij een verhouding met Carmen Daens heeft, maar we mogen het vooral niet verder vertellen.'

Daar moest Cornelis heel hard om lachen.

'Ze is zaterdag 14 mei 's avonds inderdaad even in zijn buitenverblijf langs geweest, maar hij kan niet precies zeggen op welk uur en hoe lang', ging Hassim verder. 'En nog meer amoureuze bekentenissen: ook Jan Daens geeft toe dat hij buitenechtelijke overuren maakt. Ze heet Ann Redant en is eveneens advocaat. Maar het is serieus, aldus Daens, die te kennen gaf met haar te willen trouwen. Daens is overigens ook lid van de loge, maar heeft zich al enige tijd niet meer laten zien. En zijn zwarte hoed is hij volgens eigen zeggen sinds een paar weken kwijt.'

Op het witte bord was Cornelis een stamboom van de verschillende liefdesgeschiedenissen aan het uittekenen. Het werd een ingewikkeld kluwen van pijlen en doorhalingen.

'En dan durven we nog te beweren dat de politiek een ijskoude wereld is', zei hij vertwijfeld. 'Wie had dat kunnen denken. Al dat zinderende overspel, de heimelijke passie druipt er gewoon af. Maar ik heb je onderbroken, mijn beste jongen. Ik ben geheel en al oor.'

'Voor de volledigheid hebben we ook gecheckt welke politieke kopstukken voor de avond van de moord een alibi hebben. In die richting moeten we het niet zoeken, want bijna allemaal waren ze die avond op campagne. Op een zeldzame uitzondering na, zoals minister Delhaize van de christen-democraten. Hij zat thuis met zijn vrouw en schoonouders scrabble te spelen.'

'Als dat niet ontroerend is!' knikte Cornelis. 'Toch nog iemand die aan de "ouden van dagen" denkt.'

*

Vrijdag 27 mei, 10.27 u.

Ze vonden Carmen in de tuin, zoals haar moeder gezegd had. Nadenkend zat ze met haar trouwring te spelen en schrok uit haar gedachten op toen ze de twee mannen op zich af zag komen. Ze had één ogenblik nodig om haar gelaatsuitdrukking in de juiste plooi te leggen.

'Dag commissaris', zei ze. 'Dag inspecteur.'

Cornelis was ongewild onder de indruk. Hij had nog maar één keer met Carmen gesproken, heel eventjes om een detail in haar eerste verklaring te checken. En toch kende ze zijn rang nog. Ook Hassim knikte vol respect.

'Excuseer dat we u opnieuw lastig moeten vallen', lachte Cornelis minzaam. Ze haalde haar schouders op en ging hen voor naar binnen.

'U komt ook maar uw werk doen, ik begrijp het wel. Maar ik steek het niet weg dat ik het moeilijk heb. Dit had ik nooit van Jan verwacht.'

Ze wreef in haar ogen, als wou ze beletten dat ze begon te schreien.

'U bent dus overtuigd van zijn schuld?'

Carmen Daens keek Cornelis schattend aan.

'Hoe bedoelt u?'

'Uw echtgenoot heeft nog altijd niet bekend. Ook al zijn er heel wat aanwijzingen die van hem een verdachte maken.'

Hassim maakte zich zo onopvallend mogelijk. Hij ging bij het raam zitten en keek naar buiten. Zogezegd niet geïnteresseerd, maar hij zag en hoorde alles.

Carmen opende een fles wijn. Ze schonk drie glazen uit en bracht de twee politiemensen er een. Hassim lachte vriendelijk maar raakte zijn wijn niet aan.

Ze doet het maar om zichzelf een houding te geven, dacht Cornelis. Om niet tegenover mij te moeten zitten en zich af te vragen wat we hier eigenlijk komen doen. En ze merkt natuurlijk dat haar lange blote benen geen effect op me hebben.

'Hij kan een ongelooflijke keikop zijn', zei ze uiteindelijk. Het klonk alsof ze haar echtgenoot wou verdedigen, maar het kwam er eerder verwijtend uit.

'Gelooft u dat hij het gedaan heeft?' vroeg Cornelis totaal onverwacht.

De vraag raakte haar als een voltreffer in de maag. Ze hapte naar adem.

'Zoals u zei, alle aanwijzingen zijn tegen hem.'

Ze heeft nooit van hem gehouden, besefte Cornelis ineens. Eigenlijk kan het haar niet eens schelen.

'De voor de hand liggende vraag is dan: waarom?' Cornelis keek haar recht in de ogen en ze ontweek zijn blik niet. Het was een visuele krachtmeting.

'Laat mij u eens iets vertellen, commissaris. Ons huwelijk stelt niets meer voor. We waren allang vreemden voor elkaar geworden.

We leidden elk ons eigen leven en bleven alleen nog voor onze dochter samen. Wat wellicht geen goed idee was, maar dat is een andere kwestie. Ik kan u dus met de beste wil van de wereld niet zeggen waar hij de laatste tijd zoal mee bezig was. Vooral de politiek, denk ik. En uiteraard dat sletje van hem. Enfin, zo mag ik dat advocaatje natuurlijk niet noemen.'

'Gingen jullie naar Zwalm om te proberen jullie huwelijk te redden?'

Carmen Daens haalde haar schouders op. Automatisch frutselde ze wat aan haar minirok, maar ze had inderdaad al gemerkt dat Cornelis daar geen aandacht voor had.

'Voor zover dat nodig was. Ik had geen problemen met de huidige situatie. We gingen elk onze eigen gang zonder elkaar te hinderen. En ja, getrouwd blijven was belangrijk voor zijn carrière. Hij was mijn man niet meer in de strikte zin van het woord, maar toch ook niet mijn vijand. Ik win niets bij een scheiding, dus mocht het voor mij best nog een tijdje zo blijven. Het kan natuurlijk zijn dat die advocate zijn hoofd op hol gebracht heeft. Nee, we gingen vooral naar Zwalm omdat een journalist daar een portret van Jan wou maken. De druk bezette advocaat die toch nog tijd voor zijn vrouw uittrekt, je kent dat soort van reportages wel. Uiteraard hebben we die afspraak meteen afgelast toen we van de moord hoorden.'

De kleine, onwillekeurige zenuwtrek om haar mond was alweer verdwenen. Ze had zichzelf opnieuw onder controle. Al die tijd was ze Cornelis koel blijven aankijken. Hij voelde dat hij de strijd zou verliezen en staarde ongemakkelijk in zijn glas.

'Jan blijft bij zijn oorspronkelijke bewering dat hij de hele avond en nacht in het buitenverblijf geslapen heeft', ging Cornelis op badinerende toon verder. 'Maar er zijn bepaalde tegenstrijdigheden in die verklaring.'

'Het feit dat ik ondanks alles nog altijd met hem getrouwd ben, maakt me niet verantwoordelijk voor zijn daden', zei ze. Woorden, zwaar genoeg om hem voor eens en altijd af te maken. 'Ik geef toe dat ik aanvankelijk een valse verklaring heb afgelegd omdat ik mijn minnaar niet in verlegenheid wou brengen, want hij heeft hier tenslotte toch niets mee te maken. Maar toen die verkeersovertreding opdook, besefte ik dat Jan inderdaad in de stad moet zijn geweest. Of dat betekent dat hij werkelijk de dader is, moeten jullie maar uitmaken.'

Haar blauwe ogen die zo zacht konden stralen, hadden nu een harde glans. Iemand met wie het kwaad kersen eten is, besefte Cornelis. Hij knikte onopvallend in de richting van Hassim, die er als een schim kwam bijzitten.

'Wat gaan we nu krijgen?' lachte Carmen nerveus. 'Halen jullie straks de handboeien te voorschijn om me als een medeplichtige weg te voeren?'

Hassim en Cornelis bleven er onbewogen bij. Ze waren nu duidelijk niet in de stemming voor grapjes.

'We hebben intussen Robert Detaeye aan de tand gevoeld.' Cornelis keek op van zijn notities. 'Zijn verklaring is gelijklopend met de uwe. Maak u maar geen zorgen, we zijn discreet geweest.'

Carmen slaakte een zucht van opluchting. Ze was al aan haar derde glas witte wijn toe, merkte Cornelis. Of wellicht nog een paar meer, want hij was pas aan zijn tweede glas bezig en de fles oogde zo goed als leeg.

Het gesprek leek leeg te bloeden. Carmen had al een paar keer nadrukkelijk op haar horloge gekeken.

'Neem me niet kwalijk, commissaris, maar ik heb nog heel wat te doen. Dus als u ter zake zou willen komen?'

Cornelis trok zijn hemd, dat door het zitten wat verfomfaaid was geraakt, recht. Hij schraapte de keel. Hassim keek uit zijn overpeinzingen op. Hij kende de commissaris intussen goed genoeg om te weten dat het nu menens werd.

'We zaten nogal met die betaalde boete in onze maag. Jan bleef bij hoog en laag volhouden dat hij die betaling niet had uitgevoerd. We hebben daar even de jongens van de FCCU op losgelaten en die hebben ons heel goed geholpen.'

'De F wat?'

Carmen Daens keek hem met ogen groot van verbazing aan.

'Nu moet ik even een hulplijn inroepen', lachte Cornelis. 'Abdel, neem jij het hier van me over?'

'De FCCU. *Federal Computer Crime Unit*', zei Hassim gedienstig. 'De overkoepelende dienst binnen de federale recherche van de CCU's, of *Computer Crime Units*. Opgericht binnen de schoot van het Nationaal Veiligheidsplan om het internet af te speuren.'

'Ik weet absoluut niet waarover u het heeft', giechelde Carmen nerveus. 'Dat zegt me allemaal niets.'

'Om een lang verhaal kort te maken: we vroegen en kregen van de onderzoeksrechter de toestemming om bij uw echtgenoot een huiszoeking te doen. Daar vonden we op het eerste gezicht niets verdachts. Maar we hebben ook de computers meegenomen om die door de FCCU verder te laten analyseren.'

De spanning nam duidelijk toe. Carmen zat op het puntje van de sofa te luisteren. Nog even verder schuiven en ze donderde op de grond.

'Uit hun voorafgaand onderzoek hadden ze al kunnen vaststellen dat de betaling van de boete inderdaad via een computer met het IP-adres van Jan Daens werd uitgevoerd. Wacht, ik heb het hier ergens.' Cornelis snuisterde in zijn papieren. 'Hier zie, 213.224.7.226.'

'Neem me niet kwalijk, maar dat is echt Chinees voor mij', zei Carmen. 'Ik weet hoe ik met mijn computer moet werken, maar dat is ook alles.'

'Laat mij het even uitleggen', wierp Hassim zich als de behulpzame ziel op. 'IP-adres staat voor *Internet Protocol*-adres. Elke computer die met het internet is verbonden, heeft een IP-adres. Dat zijn vier getallen met waarden tussen 0 en 255, gescheiden door punten, in het geval van uw echtgenoot dus 213.224.7.226. En het staat onomstotelijk vast dat de betaling via het IP-adres van Jan Daens is gebeurd.'

Carmen verborg even haar gezicht achter haar hand. Haar stem klonk zwakjes.

'Met andere woorden, u kunt bewijzen dat Jan die betaling inderdaad heeft uitgevoerd?'

'Daar komt het op neer.'

'En ik weet wat u nu denkt. Niemand betaalt een boete die hij niet heeft verdiend. Wat dus meteen wil zeggen dat Jan inderdaad naar Gent moet zijn gereden.'

Van de zelfbewuste, goedlachse vrouw bleef niets meer over. Carmen zag er ineens als een zielig musje uit. Haar onderlip ging een beetje hangen.

'Ik moet u iets bekennen, commissaris', zei ze aarzelend. 'Ik ben hooguit maar een kwartiertje bij Robert geweest, echt niet veel langer. En we hebben niet gevrijd, zoals ik eerst gezegd heb.'

'Dat heeft hij ons inderdaad bevestigd', knikte Cornelis aanmoedigend. De zaak begon hem steeds meer te amuseren.

'We hebben de agenda's samengelegd en een afspraak gemaakt om op woensdag samen naar de sauna te gaan. Ik ben daarna heel stilletjes ons buitenverblijf binnengeslopen, om Jan niet wakker te maken. Ik heb zelfs het licht niet aangeknipt en ben via de keuken rechtstreeks naar de slaapkamer gegaan, in de veronderstelling dat hij in de zetel lag te slapen, zoals hij dat de laatste tijd steeds vaker doet. Maar ik durf eerlijk gezegd niet te zweren dat hij daadwerkelijk aanwezig was. In bed heb ik op het kleine tv-toestel verder naar de film gekeken, met een nachtmutsje bij de hand. Na de film ben ik vanzelf ingedommeld.'

'Heeft u de auto zien staan?'

Ze schudde hulpeloos met het hoofd.

'Dat zou ik echt niet kunnen zeggen. Soms parkeerde Jan die achter het huis of in de garage. Het enige wat ik met zekerheid weet, was dat hij 's morgens inderdaad in de zetel lag te slapen. Ik heb hem maar niet wakker gemaakt, want de laatste tijd slaapt hij zo onrustig.'

'*The Silence of the lambs* was het, dacht ik?' Cornelis keek Carmen afwachtend aan.

Ze knikte overtuigend.

'Inderdaad. Ik had die film al een paar keer gezien, maar heb toch weer tot het einde gekeken. Anthony Hopkins is magistraal als Lecter Hannibal.'

'Het is andersom', wist Hassim. 'Hannibal Lecter.'

Cornelis knarste met zijn tanden. Het klonk luguber en Carmen kromp ineen.

'Computers zijn wonderbaarlijke dingen, weet u, mevrouw Daens.

Een mens denkt dat hij heerlijk anoniem kan zitten surfen, maar de realiteit is anders. Die computerjongens kijken als het ware over je schouder mee.'

Ze had niet het flauwste vermoeden wat hij bedoelde. Haar hand greep naar een papieren zakdoek in haar handtas en beefde onderweg, heel eventjes maar. Toch lang genoeg voor de twee politiemannen om opgemerkt te worden.

'Neem nu die boete. Inderdaad, de betaling werd uitgevoerd via het IP-adres van Jan Daens. Zelf houdt hij vol dat hij nooit een boete heeft gezien en zeker niet betaald, ook al wijst alles erop dat hij het wél heeft gedaan. Als speurder kun je dan twee dingen doen: er gemakshalve van uitgaan dat hij liegt en het tegendeel proberen te bewijzen, of helemaal niets denken en alle mogelijkheden uitsluiten tot de waarheid overblijft.'

Carmen had haar kalmte herwonnen. Met vaste hand opende ze een nieuwe wijnfles en schonk zich een kloek glas uit.

'Heel interessant allemaal, maar ik ben nu echt niet in de stemming voor een lezing over politietechnieken, commissaris. Wilt u nu eindelijk zeggen waar dit over gaat?'

Cornelis liet zich niet opjutten. Hij nam zelf ook ongevraagd een goed gevuld glas wijn – zijn derde al – en staarde in de heerlijk egale Sancerre.

'Jan beweert dat hij de ochtend van de betaling al om halfzeven de deur uit was. Hij had om zeven uur partijvergadering en werd onmiddellijk daarna in het ziekenhuis verwacht voor zijn wekelijkse controle. We hebben dat nagekeken en het klopt. De boete kwam echter maar met de post rond negen uur, het ogenblik waarop hij bij de specialist op de behandelingstafel lag.'

Haar handen begonnen weer te trillen. Snel zette ze het glas op de salontafel neer.

'Hij kan later toch naar huis gegaan zijn? Ik lag op dat ogenblik nog te slapen.'

'Alleen, veronderstel ik?'

Carmen keek hem woedend aan.

‘Smeerlap!’

Het ontsnapte haar en ze had er meteen spijt van. Voor het eerst viel ze uit haar rol van weliswaar overspelige, maar toch nog waardige vrouw.

‘Dit was geen moreel oordeel’, zei Cornelis waardig. ‘Ik wou alleen maar weten of er iemand is die dit kan bevestigen.’

Ze masseerde met haar heerlijk slanke gemanicuurde vingers zachtjes haar slapen.

‘Excuseer me, commissaris. Ik meende dat niet, het was niet netjes van me. Maar ik voel me sinds die moord niet goed in mijn vel. Gaat u verder.’

Cornelis keek Hassim schattend aan. Die haalde zijn schouders op.

‘O.k., laten we er onze gedachten bijhouden. Uw echtgenoot is dus om halfzeven vertrokken en de post kwam om negen uur. Volgens zijn verklaring is hij niet meer naar huis geweest. Toch werd de boete dezelfde ochtend om twintig over negen al per pc banking betaald. Dat hebben onze computerjongens weten uit te vlooien.’

‘Misschien is hij toch even naar huis gereden? Ik heb die dag uitgeslapen. Hij kan dus best binnen geweest zijn.’

‘Helaas getuigen zowel de specialist als twee verpleegsters dat hij op dat ogenblik in het ziekenhuis was.’

Carmen Daens stond met de mond vol tanden.

‘Misschien hebben die jongens van u een vergissing gemaakt en klopt dat uur niet?’

‘Uitgesloten’, zei Hassim beslist. ‘De *computer unit* maakt geen fouten. Ook de database van de bank bevestigt het tijdstip. En het staat onomstotelijk vast dat de betaling via het IP-adres van Jan Daens gebeurde.’

‘Ik stel voor dat we de rest van het verhaal op het hoofdkwartier afhandelen, mevrouw Daens’, zei Cornelis formeel. ‘Dat is handiger voor uw verklaring achteraf.’

Hij kon de ader in haar hals zien kloppen.

‘Goed’, zei ze zwakjes.

Ze knikte tersluiks en stond op om haar vestje van Dior te halen. Onderweg dronk ze nog snel een glas wijn, in twee grote teugen.

*

Vrijdag 27 mei, 11.01 u.

De premier ijsbeerde door de gangen en niemand durfde hem aan te spreken. Zijn gezicht sprak boekdelen. De eerste de beste die zich nu in zijn blikveld vertoonde, mocht zich aan een scheldtirade verwachten.

Op de grond in zijn werkkamer lag een onordelijke stapel papieren, die hij met een woeste ruk had geprobeerd te verscheuren. Het papier was dikker dan hij had verwacht en toen hij te veel tegenstand voelde, had hij de bundel gegooid waar hij vliegen wilde.

De studiemedewerker van de eerste minister had de cijfers van de peiling al eerder ter inzage gekregen en iedereen was al op de hoogte gebracht. Veertien procent minder stemmen in vergelijking met de vorige peiling, dat was nog nooit gebeurd. De voorbije dagen had hij zich in allerlei bochten gewrongen om de schade zoveel mogelijk te beperken, maar zelfs in zijn ergste nachtmerrie had hij niet van dergelijke vernietigende cijfers gedroomd.

Jean-Luc Welckenraeth bestudeerde zichzelf in de levensgrote spiegel in de gang en merkte dat hij er belabberd uitzag. Hij knorde, want hij had medewerkers in dienst om hem daar op te wijzen. Een eerste minister kon tenslotte niet alles zelf doen. Hij bedwong de automatische reflex om met zijn woordvoerder te bellen en besloot dat het tijd werd om zelf de koe bij de horens te vatten. Hij had nooit geloofd in de theorie van de partijbonzen dat hun poging om Raymond Deweert als een onschuldig slachtoffer en een martelaar af te schilderen, vruchten zou afwerpen en nu gaf de peiling hem gelijk. Min veertien procent verdomme, de kranten zouden morgen te klein zijn voor de vette koppen, die de hoofdredacteurs op dit eigenste ogenblik grijnslachend zaten te bedenken.

Het werd tijd om in de aanval te gaan. Hij zou met zijn persvoorlichter de strategie die hij in gedachten had, verder uitwerken en dan keihard toeslaan. Weg met het zoetsappige verhaaltje van de liefhebbende echtgenoot en harde werker Raymond Deweert, die door een onbekende psychopaat was aangevallen. Voor één keer zou het publiek de waarheid te weten komen, namelijk dat hij een meedogenloos politicus was geweest, die in eerste instantie aan zijn eigenbelang had gedacht en niet alleen zijn zakken had gevuld, maar bovendien menige scheve schaats had gereden. Zodanig veel zelfs dat het niet te begrijpen was dat hij zo lang overeind was gebleven.

De premier grinnikte op een manier die de duivel jaloers zou maken. Nog voor het middag was, zou hij zijn woordvoerder laten lekken dat de liberale top al enige tijd in het geheim een onderzoek naar de onfrisse praktijken van Deweert had gevoerd en van plan was geweest hem uit de partij te zetten. En tussen de regels zou hij laten doorschemeren dat de moord op Deweert wellicht een 'afrekening binnen het milieu' was geweest, wat dat ook mocht betekenen. Het was een zware gok, maar de minister wedde erop dat dit bij de kiezer het tij kon doen keren. Zelf liep hij al te broeden op slogans die duidelijk moesten maken dat de liberale partij de hand in eigen boezem had gestoken en bezig was om de augiasstal te reinigen. Hoe meer hij erover nadacht, hoe meer hij tot de slotsom kwam dat ze niets meer te verliezen hadden.

Uiteraard zou hij in zijn officiële reactie op de peiling, die hij pas na de middag in een korte persmededeling wereldkundig zou maken, erop wijzen dat dergelijke onderzoeken nooit waterdicht waren en de enige echte peiling voor hem de verkiezingen zelf waren.

Maar de studiedienst van de partij nam de peilingen wel degelijk ernstig en had hem er nog maar pas op gewezen dat ze hoogstens een foutenmarge van een paar procent hadden. Hij rekende erop dat het zogenaamde uitgelekte interne rapport over Deweert het nieuws van de peilingen zou overstemmen en de audiovisuele media kennende, zou het de hele dag gonzen van de geruchten.

Zelf zou hij verstoppertje voor de pers spelen, om pas bij het avondjournaal live zijn verhaal te komen doen. Op de openbare of de commerciële omroep, dat wist hij nog niet. Zaak was geen van de twee voor het hoofd te stoten en ze beide te vriend te houden. Maar hij hield het Romeinse motto voor ogen: *divide et impera*. Laat het voetvolk voor je kruipen en gedienstig je voeten likken, in afwachting van het hapje dat je ze welwillend toewerpt.

Hij danste even op één been en waande zich een ogenblik Nurejev. Zijn hikkende lach zou iedereen die hem voor het eerst zag, zorgen gebaard hebben, maar niemand in het gebouw keek er nog van op.

De premier trok zich met zijn private gsm terug in het kleine kamertje, dat hij op de hoogste verdieping voor zichzelf had laten inrichten. Hij was de enige die over een sleutel beschikte. Hij vertoefde er zelden, alleen op die ogenblikken dat hij er behoefte aan had om zich van de wereld af te zonderen of die telefoontjes te plegen waar niemand zaken mee had. Slechts een handvol mensen kende het gsm-nummer, onder wie zijn moeder die hij verafgoodde.

Zijn echtgenote was niet op de hoogte en dat had zijn redenen. De eerste minister gebruikte het vooral om afspraakjes te maken met dames, die discreet genoeg waren om dit geheimpje te bewaren.

Welckenraeth speelde verstrooid met een ivoren olifantje dat hij na een staatsreis aan India had meegebracht toen hij routineus nummer één van zijn keuzenummers indrukte. Het was een hele eer om op die positie te belanden, al viel te verwachten dat de minnares in kwestie niet al te lang de ranglijst zou aanvoeren. De eerste minister hield van afwisseling, zeker tussen de lakens.

'Dag schat', antwoordde Lydia hees. 'Ik dacht al, mijn zoetje belt niet meer. Ik vreesde dat je je speeltje beu was.'

'Hoe kan ik jou ooit beu worden, meisje.' Hij grijnsde naar zijn spiegelbeeld. Tot zijn ergernis zag hij een puistje op zijn kin. Hij had een gevoelige huid en het vooruitzicht van de lagen schmink die voor de talloze televisiedebatten op zijn vel zouden worden gesmeerd, vervulde hem nu al met afschuw.

'Bij jou of bij mij?'

'Doe maar bij jou', zei Lydia snel. 'Hier lopen de flikken af en aan en soms zie ik er een in mijn tuin rondsnuffelen.'

'O.k. Je kent de procedure', antwoordde de eerste minister. Het puistje was hardnekkig, maar kon uiteindelijk toch niet aan zijn nagels weerstaan.

Lydia kende de procedure maar al te goed. De eerste minister had via een stroman een appartementje op het Sint-Baafsplein gehuurd, vlak boven whiskyclub Glengarry van Bob Minnekeer. Hij kwam altijd via de ondergrondse parkeergarage en niemand wist dat hij daar een liefdesnestje had. Zijn liefjes kwamen nooit tegelijkertijd met hem aan. Ze droegen steeds een sjaal of een grote hoed en een zonnebril. Welckenraeth speelde dat spelletje al jaren en was ervan overtuigd dat het nooit aan het licht zou komen.

'Tot straks, mijn tijgertje. Ik verlang nu al naar je.' Ze speelde de krolse kat.

Welckenraeth gaf een puberaal kusje in het ingebouwde microfoontje en verbrak de verbinding.

Het zou een geweldige dag worden.

18.

Vrijdag 27 mei, 11.26 u.

Carmen Daens zat al een kwartier in verhoorkamer drie op een ongemakkelijke stoel te schuifelen. Twee deuren verder was André Cornelis in alle rust aan zijn eerste kop koffie bezig. Met een toewijding een betere zaak waardig, roerde hij twee lepeltjes suiker en een wolkje melk door de drank. Abdel Hassim keek met stijgende ergernis toe en kon uiteindelijk zijn zenuwen niet meer bedwingen.

'Moeten we niet verder gaan met het verhoor?'

'Geduld is een schone deugd', grijnsde Cornelis. 'Laat haar nog maar wat sudderen. Ze heeft nu de tijd om eens goed na te denken over wat ze ons gaat vertellen. Het feit dat we haar laten wachten, zal haar in verwarring brengen. Ze weet niet wat wij al allemaal weten en het eerste dat ze allicht zal vragen is om haar advocaat te mogen bellen.'

'Wat natuurlijk haar goed recht is', foeterde Hassim.

'Beste Abdel toch, de redder der verdrukten', grinnikte Cornelis en hij schrok zelf dat het zo gemeen overkwam. 'Sorry, jongen. Ik bedoelde het zo niet.'

Hassim keek zodanig beteuterd dat Cornelis zin kreeg hem te troosten.

'Maar genoeg gekletst nu. Het is inderdaad tijd dat we het verhoor voortzetten.'

Dat liet Hassim zich geen twee keer zeggen. Hij nam zijn dossier onder de arm en haastte zich naar de verhoorkamer. Cornelis volgde hem op zijn gemak, lachend om zoveel ongeduld.

Binnen had Carmen heel wat van haar branie verloren. Ze frutselde nerveus aan haar armband en mompelde iets over haar advocaat.

'Excuseer ons voor het wachten, mevrouw Daens. Waar waren we gebleven? O ja, bij die boete', zei Cornelis kurkdroog. 'We vroegen ons dus af hoe het kwam dat die betaling werd uitgevoerd zonder dat Jan Daens thuis was. Abdel, neem jij het hier even van me over?'

Cornelis keek zijn collega uitnodigend aan. Hassim schikte zijn papieren en schraapte de keel.

'De *Computer Unit* heeft de computer van uw echtgenoot geanalyseerd en de conclusie was vreemd genoeg dat de betaling wel via zijn IP-adres, maar niet via zijn computer gebeurde. Om een ingewikkelde uitleg eenvoudig te houden: de gegevens van een dergelijke betaling per computer worden tijdelijk in een cachegeheugen geplaatst dat voor het gewone oog onzichtbaar is, maar door experts met het juiste programma weer kan worden opgeroepen. Je kunt dat cachegeheugen wel wissen, maar dan moet je toch over de nodige kennis beschikken. En alle medewerkers van Jan Daens zijn het erover eens dat hij op computervlak een complete analfabeet is. Zo laat hij zijn mails nog altijd door zijn secretaresse versturen.'

'Met andere woorden, die betaling is door zijn computer uitgevoerd en dan weer ook niet.'

'Daar komt het op neer', knikte Cornelis.

'Nu begrijp ik er niets meer van.' Carmen Daens keek hulpeloos.

'Maar het zal u snel duidelijk worden', lachte Cornelis treiterig, als een roofdier dat nog wat met zijn prooi speelde alvorens dodelijk toe te slaan. 'Abdel, het is weer aan jou.'

'Toen we toch met die huiszoeking bezig waren, hebben we ook even de moeite gedaan om de rest van de kamers te onderzoeken. Bleek dat in uw huis een netwerk staat. Zo bevindt er zich een tweede computer in de hobbykamer en ook uw laptop is draadloos op dat netwerk aangesloten.'

Cornelis zag dat mevrouw Daens verbleekte, een reactie die hem niet onaangenaam was.

'Onderzoek van de laptop leerde ons dat dit de computer is waarmee om twintig over negen de betaling van de boete werd verricht. De computer was vergrendeld met een paswoord en Jan Daens zweert op het hoofd van zijn moeder dat hij nog nooit uw laptop gebruikt heeft, laat staan het paswoord kent.'

Carmen moest deze klap duidelijk verwerken.

'Als u het zich overigens zou afvragen: de *computer unit* had helemaal geen moeite om uw paswoord te kraken. Daar bestaan gesofisticeerde programma's voor, maar we twijfelen eraan of uw echtgenoot die kent. Een simpele vraag en ook graag een simpel antwoord, mevrouw Daens: heeft u die boete van uw man betaald? Een vraag die voor de hand ligt, want we vonden op uw computer het betaalprogramma van uw man. Het was weliswaar gewist en ook uit de prullenmand verwijderd, maar inspecteur Hassim zal u graag vertellen hoe ze het toch ergens op de computer gevonden hebben. Moraal van het verhaal: alles wat je op je computer doet, kan worden opgespoord.'

Hassim glunderde. Dit was een kolfje naar zijn hand. Hij stak van wal met een ingewikkelde uitleg waar Cornelis noch Carmen Daens iets van begrepen. Het had te maken met het herschikken van buffers, die dan weer allerlei bepaalde verborgen bestanden te voorschijn toverden.

'Het *digipass* nummer en de pincode van uw echtgenoot waren overigens niet moeilijk te vinden, want die had hij gewoon op het doosje geschreven', ging Cornelis ongenadig verder.

'Waarom zou ik die boete buiten mijn man om betaald hebben?' probeerde Carmen zich nog te verdedigen.

'Een vraag die ik me ook gesteld heb', moest Cornelis toegeven. 'Ik had gehoopt dat u me daar een antwoord op zou kunnen geven. Misschien om hem in een kwaad daglicht te stellen? Want intussen woont u apart, heb ik begrepen.'

Cornelis zag aan Carmens radeloze blik dat ze doorhad dat hij genadeloos kon zijn. Maar ze weerde zich als een duivel in een wijwatervat.

'Stel dat u kunt bewijzen dat ik inderdaad zonder zijn weten die verdomde boete betaald heb, wat schiet u daar dan mee op? Houdt de politie zich met zulke spelletjes bezig?' schoot ze uit haar krammen.

Hassim keek nieuwsgierig naar de reactie van Cornelis, maar die liet zich niet uit zijn lood slaan.

'We zitten volop in een moordonderzoek, goed dat u ons daar nog even aan herinnert', zei hij sarcastisch. 'En dat is net wat ik nu aan het doen ben. Er zijn nog dingen die u voor ons verzwegen heeft, mevrouw Daens.'

Het was nauwelijks merkbaar, maar Cornelis had het toch gezien. Haar hart stond een ogenblik stil.

Cornelis speelde het hard. Hij wenkte Hassim hem het dossier te overhandigen en begon er met gespeelde ernst rustig in te bladeren. En af en toe hield hij halt bij een pagina en las de tekst van boven naar onder grondig door. Hier en daar maakte hij een aantekening.

'Niet alleen de jongens van de *computer unit* kunnen goed met die rotdingen overweg. Ook onze Abdel hier is een virtuoos op het toetsenbord. Je hoeft niet zo te blozen, Abdel, ik vertel gewoon de waarheid.'

'Heel interessant allemaal', zei Carmen Daens sarcastisch, in een krampachtige poging om zichzelf een houding te geven. Haar overslaande stem verried dat ze niet veel meer kon hebben.

'Deze jongen spendeert meer tijd achter zijn computer dan in zijn eigen bed, vrees ik. Minder leuk voor zijn lieftallige echtgenote, maar wij doen er maar mooi ons voordeel mee. Vanochtend belde hij me zelfs uit mijn liefdesnestje met de melding dat hij alweer iets gevonden had.'

Als een ware meester van de suspense liet Cornelis een ogenblik stilte vallen, om de spanning op te bouwen. Carmen liep bijna tegen de muren op. De commissaris stoorde er zich absoluut niet aan en wapperde met een papier. Carmen kon niet zien wat erop stond en staarde gespannen voor zich uit.

'Geef jij mevrouw Daens even de krachtlijnen van deze nota, Abdel?'

De inspecteur zette een brilletje met een fijn gouden montuur op en begon met een warme stem te lezen. Toen ze hoorde waarover het ging, klapte Carmen Daens helemaal dicht.

Rijexamencentrum Noord. Mevrouw Carmen Daens geslaagd voor theoretisch examen. Op het nippertje gefaald bij de praktische proef na een foutloos parcours, door bij het binnenrijden van het examencentrum bijna een fietser van het fietspad te scheppen die ze in de dode hoek niet had opgemerkt. Suggestie van de rij-instructeur: nog een paar lessen en het zal zeker lukken.

'U kunt dus niet met de auto rijden, hé', grijnsde Cornelis. Hij kon het niet helpen en vond het zelf net iets té. Maar eens hij in een kwaadaardige bui was, viel hij zo moeilijk te stoppen. Het was een van zijn trekjes waardoor hij met Bart af en toe ruzie had, maar ze konden het achteraf altijd weer heerlijk bijleggen.

Carmen Daens bleef opvallend rustig. Ze slikte haar ergernis weg en klonk opvallend waardig.

'Ik wens commissaris Bracke te spreken.'

'Kan voor gezorgd worden', zei Cornelis, die de grijns maar niet van zijn gezicht geveegd kreeg en zich daar toch een beetje voor schaamde. 'Een ogenblikje.'

*

Vrijdag 27 mei, 11.51 u.

Woordvoerder van de liberale partij Etienne Bruggeman voelde zich langzaam onwel worden. Wat de eerste minister hem zonet gedicteerd had, was hoog spel.

'Ben je hier zeker van, Jean-Luc?' probeerde hij nog op familiaire toon, maar het besluit van de premier stond vast. Hij zou alle lijken uit de kast halen en open kaart spelen. Alhoewel, met hem kon je nooit zeker zijn.

De premier verlangde van zijn voorlichter dat hij een korte maar vernietigende tekst zou opstellen over niet alleen Raymond Deweert en diens verleden, maar ook over de dissidenten die zich niet aan de partijtucht wilden houden. Moeilijk was dat niet, want allemaal hadden ze wel het een en het ander op hun kerfstok en dat zou nu als een boemerang in hun gezicht terechtkomen.

Ook Paul Slootmans moest eraan geloven. Ze hadden lang zijn gesjoemel voor eigen rekening door de vingers gezien, maar nu hij niet langer de bescherming van Deweert genoot, was hij de ideale figuur om als zondebok te fungeren. Het viel te verwachten dat hij wild om zich heen zou schoppen en daar rekende de premier in feite stiekem op. In een openlijke confrontatie met Slootmans voelde hij zich duidelijk de sterkste en hij prees zich gelukkig dat hij ondanks de drukke agenda toch nog de tijd gevonden had om regelmatig aan fitness te doen. Eén keer zelfs in de club die ook Lydia Deweert frequenteerde, maar ze had hem in de kleedkamer bijna besprongen en gelukkig waren er geen paparazzi in de buurt geweest. Hoe dan ook stond hij scherper dan ooit en niemand die zo naar een campagne kon toewerken als hij.

Slootmans was eigenlijk een gemakkelijk slachtoffer. Hij was de voorbije jaren minstens drie keer uit de bocht gegaan in zaken waarbij hij zichzelf ten koste van de gemeenschap zwaar had verrijkt. De laatste keer, in een zaak met het ziekenfonds, was het zodanig gortig geweest dat Deweert hem zelfs persoonlijk op het matje geroepen had, maar toen zijn secretaris de senator ook in de deal had betrokken, had Slootmans ongestoord zijn gang kunnen gaan.

'De tactiek is de volgende: we laten straks ons interne rapport lekken naar de kritische kranten, maar voor ze hun artikel kunnen schrijven, geven we in de vooravond zelf een persconferentie. Dan zijn we er zeker van dat hun aandacht gewekt is en hebben ze ook niet veel tijd meer om de zaak eerst grondig uit te spitten', dacht de premier hardop na. 'Ze zullen allemaal gretig zijn om het nieuws te brengen en dan kunnen wij onze slag slaan. We moeten ze gewoon koud pakken!'

Bruggeman rilde. Hij besefte maar al te goed wat hier aan de hand was. De premier probeerde deze ramp alsnog in zijn persoonlijk voordeel te doen uitdraaien door zich als principieel politicus op te stellen. Het was een zware gok, maar heel misschien kon het lukken.

Als de woordvoerder ooit enige bewondering voor zijn baas mocht gehad hebben, dan verdween die nu als sneeuw voor de zon. De eerste minister deed zich in de tv-studio's en voor de lenzen van de fotografen misschien voor als een warmbloedig, gepassioneerd mens van vlees en bloed, die oprecht in zijn medeburgers geïnteresseerd leek, diep vanbinnen was hij ijskoud en meedogenloos.

'Slootmans zelf kunnen ze vandaag niet meer bereiken, want die is in het geheim met een depressie in Saint-Camille opgenomen. En mocht hij dan morgen toch boven water komen: als hij de kranten onder zijn neus krijgt, verpletteren we hem tot er niets meer van hem overblijft', triomfeerde de premier met een zelfvoldane blik. 'Tegelijkertijd gooien we ook het dossier van Deweert op tafel. De associatie met zijn secretaris zal snel worden gemaakt en zelfs de anti-regeringskranten zullen moeten toegeven dat we onze eigen vuile was durven buiten te hangen. Zeg eens eerlijk je mening, Etienne. Hebben we kans van slagen?'

De woordvoerder slikte. Zijn das voelde steeds meer als een strop aan. Hij nam een paar grote slokken water en zocht naar de juiste woorden om zijn scepticisme te uiten.

'Het is kantje boord', zei hij uiteindelijk. 'Het valt moeilijk te voorspellen hoe dit zal uitdraaien. Je zou er lof mee kunnen oogsten, maar het kan het begin van het einde van de partij betekenen. Ik zou er toch nog eerst maar eens goed over nadenken en de partijtop raadplegen.'

De premier voelde de woede in zich opkomen. Hij had helemaal geen zin meer om te overleggen. Actie wou hij, nu onmiddellijk. Hij was niet toevallig bij de vorige verkiezingen aan de macht gekomen, nadat hij een niet eens zo ernstig melkschandaal zodanig had opgeklopt, dat de regering genadeloos werd afgestraft.

'Het is dat of de afgrond, man! Snap je dat dan niet! Min veertien procent, moet ik je daar soms een tekeningetje bij maken? Ik wil niet de kapitein op de Titanic zijn!'

'Jij moet het weten', krabbelde de woordvoerder terug. 'Het is jouw carrière.'

'En de jouwe ook, Etienne', lachte de premier treiterig. 'Samen uit, samen thuis.'

De woordvoerder besefte dat maar al te goed. Hij zat al hard na te denken waar hij zou kunnen gaan solliciteren. Voor iemand met zijn relaties was er altijd wel interesse. Staalreus Sidbec had al meermaals aan zijn mouw getrokken en daar zou hij wellicht ook veel meer kunnen verdienen.

'Maak je vorstelijke salaris waar en schrijf de tekst van je leven, man!' probeerde Welckenraeth hem te motiveren.

Etienne Bruggeman knikte, maar vertoefde met zijn gedachten mijlenver. Bij Umelco zouden ze hem ook met open armen ontvangen, zeker met wat hij allemaal van de premier wist. Toen hij achter de rug van Welckenraeth langsliep, was het zijn beurt om te lachen.

*

Vrijdag 27 mei, 12.07 u.

Commissaris George Bracke roerde een lepeltje suiker door de kruidenthee, die hij van thuis had meegebracht. Eigenlijk zonde, wist hij, want van thee moest je puur genieten. Hij nam zich voor om binnenkort nog eens langs te gaan bij tv-kok Guy van Cauteren in Het Laurierblad, die niet alleen schitterende whiskymenu's op tafel toverde, maar ook een autoriteit op het vlak van thee was.

'Mevrouw Daens heeft dus al een paar keer tegen ons gelogen', zei hij. 'Enig idee waarom ze speciaal naar mij vroeg?'

Van Aken haalde de schouders op. 'Je hebt blijkbaar een onuitwisbare indruk op haar nagelaten. George Bracke, redder van de verdrukte vrouwen, je zou het op een bordje aan je voordeur moeten afficheren.'

En ze zoent lekker, dacht Bracke, maar die wetenschap hield hij binnensmonds. Hij had het ook niet aan Annemie verteld, al zou die ongetwijfeld begrip voor de situatie en omstandigheden opgebracht hebben.

'Abdel moet je nog even spreken. Hij heeft nog wat nuttige informatie over mevrouw Daens voor je.'

Bracke luisterde wel naar Abdel, maar betrapte er zich op dat zijn aandacht snel vervloog. Hij hoorde de aangename stem, niet de woorden.

'Sorry, Abdel. Wil je het nog eens vertellen? Ik heb vandaag wat moeite om me te concentreren.'

'Geen probleem, chef', lachte de inspecteur. Met engelengeduld bracht hij nog eens verslag uit van zijn bevindingen.

'Goed werk', vond Bracke. Hij begon zowaar plezier in de zaak te krijgen.

'Tot later', zei Hassim, voor wie Van Aken nog een ander klusje had.

Cornelis knikte vol overtuiging.

'Vind ik ook. Hoog tijd dat we het onderzoek kunnen afronden. Hoe sneller we weg zijn uit dat politieke milieu, hoe beter. En het hele circus van de verkiezingen moet nog beginnen. Ik ben er nu al allergisch voor.'

Met een niet-begrijpende blik keek hij naar buiten. Op straat reed een verkiezingswagen van de liberalen rond met een levensgrote poster van de premier. Wellicht was er heel wat toverwerk met Photoshop aan te pas gekomen, want de eerste minister zag er zowaar aantrekkelijk en zelfs joviaal uit. De foto moest het gebrek aan inspiratie van de copywriter verdoezelen, die niet verder dan *Kies voor zekerheid* gekomen was. Of het moest natuurlijk zijn dat Welckenraeth de slogan zelf bedacht had.

*

Vrijdag 27 mei, 12.21 u.

Er werd plots hard en ongenadig aangeklopt, met de meedogenloosheid van iemand die wist dat de bewoner thuis was en die zich niet zou laten afschepen.

Danny de Laet rilde. Hij had net zijn pijp gestopt met halfzware van Wervik, een traktatie waarop hij zichzelf na een bezoek aan de Westhoek vergast had. Het lucifertje brandde in zijn hand en hij kon er zich niet toe bewegen het uit te blazen. Nog even en hij zou zijn vingers verbranden.

'Meneer De Laet, politie. We weten dat u binnen bent', klonk een stem aangenaam maar beslist.

Daar viel weinig tegen in te brengen. In televisiefeuilletons probeerden de schurken langs de brandladder te vluchten, bedacht Danny.

Maar meestal werden ze daar door een grijnslachende *cop* opgewacht. Of er gebeurde iets vreselijks met ze, zoals de ladder die afbrak, of een regen van moordlustige kogels die de bandiet ongenadig neermaaide.

En trouwens, er was niet eens een brandladder.

Heel even stond Danny de Laet besluiteloos te dralen, niet in staat ordentelijk na te denken. Tot hij jankend zijn hand terugtrok en het lucifertje dat zijn vingertop had geschroeid, liet vallen.

Nogmaals klopte de meedogenloze vuist aan.

'We kunnen het hard spelen als u dat wenst, meneer De Laet. We hebben hier een huiszoekingsbevel.'

Een papier werd onder de deur geschoven.

'We hebben dus het recht de deur in te beuken. De kosten van de herstelling zijn overigens voor uw rekening.'

Dat waren doorslaggevende argumenten. Met een wild bonzend hart schoof Danny de drie armzalige kettingsloten weg. Hij had ze aangeschaft voor zijn veiligheid, maar was te krenterig geweest. De eerste de beste dief kon ze met de vingers in de neusgaten openen.

Twee inspecteurs vielen vakkundig binnen. De ene had een pistool in de handen en bestreek volgens het boekje met zijn wapen de helft van de kamer. De andere bleef veilig achterop, de hand op zijn holster.

Eddy Daeninck merkte in één oogopslag dat de *coast clear* was. Hij vormde weer een ploeg met Abdel Hassim, die nu ook behoedzaam zijn opwachting maakte.

Behendig deed Daeninck een *body check*. Algauw kwam hij tot de conclusie dat ze van De Laet niets te vrezen hadden. Hij hield van hersenloze Amerikaanse politieseries, die hij als kind eindeloos had nagespeeld.

Toch wou Abdel geen risico's nemen. Hij herinnerde zich maar al te goed hoe George Bracke vorig jaar bijna een dodelijke fout gemaakt had[11]. Bij de arrestatie van Bondeyne had de commissaris over het hoofd gezien dat zich tussen de appels in de fruitschaal een granaat bevond en hij had zijn leven slechts op het nippertje kunnen redden door een roekeloze sprong uit het raam, drie hoog.

Met een vloeiende beweging, die door de leerkrachten op de politieschool op applaus zou worden onthaald, knipte Hassim een paar handboeien rond de polsen van De Laet. Deze was op zijn knieën neergezakt en maakte een verslagen indruk. Uit zijn neus liep een fijn straaltje snot.

Hassim liet er geen gras over groeien. Hij trok handschoenen aan en begon meteen de kamer te onderzoeken. Intussen belde Daeninck met het hoofdkwartier.

'Ja, we hebben hem, baas. Geen probleem. Nee, hij bood geen weerstand', zei hij op een hanige manier die liet doorschemeren dat De Laet daar de kans niet toe gekregen had. 'Stuur de jongens maar voor verder sporenonderzoek. Ik neem alvast een kijkje.'

Veel viel er niet te onderzoeken. In de kamer stond slechts één schamele kast waarin zowel De Laets bestek (twee borden, één kopje, een vork, lepel en mes) als kleding te vinden waren.

Een kartonnen doos onderin de kast droeg Hassims speciale aandacht weg. Hij rommelde er voorzichtig in en haalde een schaar en lijm te voorschijn.

'Werk voor de jongens van het lab', lachte Daeninck. Weliswaar niet gemeend, want hij had gehoopt dat De Laet zich zou verzet hebben. Hij kon de lichaamsbeweging best gebruiken, zeker nu hij wegens overdreven geweld door leraar Eric Verhertbruggen uit de aikidoclub gezet was.

Hassim liet niets aan het toeval over en checkte ook het veldbed van De Laet. Maar behalve een beduimeld pornoboekje viel er niets onder te ontdekken.

'Oppakken die vent', zei Daeninck vol misprijzen. Hij voelde zijn maag knorren van de honger en had er stevig de pest in. Hassim zou natuurlijk weer niet te overhalen zijn om onderweg een snelle hap mee te brengen, de uitslover. Niet nu Van Aken op de arrestant zat te wachten.

Abdel sloot de deur zorgvuldig, al was dat natuurlijk overbodig. Hier viel niets te stelen.

'Mag ik mijn pijp meenemen?' vroeg De Laet op klaaglijke toon.

‘Mij best.’ Hassim haalde de schouders op.

‘Wel, van mij mag het niét!’ zei Daeninck koppig. Er moest iemand boeten voor die gemiste gehaktbal.

19.

Vrijdag 27 mei, 12.33 u.

In verhoorkamer drie overlegde Carmen Daens met haar advocaat Sam de Graeve[12]. Bracke klopte discreet aan, wachtte een ogenblik en stapte binnen.

Carmen Daens keek hem hulpeloos aan. Er was iets smachtends in haar blik dat hem raakte. Hij vervloekte zichzelf omdat hij op dit moeilijke punt in haar leven zoveel vervelende vragen moest stellen.

De advocaat stak aarzelend een hand uit. Hij was al een paar keer beroepshalve met Bracke in contact gekomen omdat hij een verdachte te verdedigen had. Telkens hopeloze gevallen, maar toch had hij aan de balie een goede reputatie.

Ook Cornelis kwam erbij zitten. Op verzoek van Bracke herhaalde hij in korte bewoordingen de bevindingen van het onderzoek.

'Een voor de hand liggende vraag lijkt me of u die betaling van de boete verricht hebt, mevrouw Daens.' Bracke liet er geen gras over groeien. Hij had zin om er komaf mee te maken en kraakte zijn vingers. Annemie vloog daar de gordijnen van in, maar nu reageerde niemand.

Carmen keek even naar haar advocaat, die haar aanmoedigend toeknikte. Bracke hoopte dat hij haar had aangeraden om de waarheid te vertellen.

'Ja', zei ze nauwelijks hoorbaar, maar de recorder die Bracke vooraf had aangezet zou het zeker hebben geregistreerd. Bij de eenmaking van de politie had Van Aken op tafel geklopt en van de regering nieuwe apparatuur geëist, wat zowaar nog ingewilligd was ook.

Cornelis deed zijn duit in het zakje. Hij zette naar zijn gevoel een poeslieve glimlach op en besefte niet dat hij in feite idioot zat te grijnzen.

'Waarom, mevrouw Daens?'

Ze slaagde er wonderwel in nergens naar te kijken, een kunst die ze tot in de perfectie onder de knie had. Maar allicht schoten talloze verwarrende gedachten door haar hoofd.

Bracke liet even een stilte toe, maar niet te lang. Het was duidelijk dat hij de leiding over het gesprek had.

'Wat we nu dus met zekerheid weten is dat u die boete met uw computer betaald hebt. Op het waarom komen we straks nog wel terug. Een ander feit is dat u nog een keer tegen ons gelogen heeft. U beweert niet met de auto te kunnen rijden. U heeft inderdaad geen rijbewijs, maar onlangs bent u op het examen ei zo na geslaagd. U kunt met andere woorden wel degelijk een wagen besturen.'

Ze ontweek angstvallig zijn blik. Ver weg was de aangename, meevoelende dame die hem getroost had.

'Het bleef niet bij die ene leugen. Herinnert u zich uw verklaring over de nacht van de aanslag? Ik zou graag hebben dat u het nog eens vertelt.'

'Doe maar, Carmen', spoorde de advocaat haar aan. Zijn ogen hadden een oprechte glans, zeldzaam voor iemand met zijn beroep.

'Goed dan', zei ze op een toon die verried dat ze niet begreep waar dat voor nodig was. 'Al valt er niet veel te zeggen. Jan was in slaap gevallen, ik ben ongeveer een kwartier of zo naar buiten geglipt om mijn minnaar even op te zoeken en daarna ben ik recht naar bed gegaan om daar nog wat tv te kijken.'

Bracke volgde mee in haar eerder afgelegde verklaring en knikte.

'*The Silence of the Lambs*, zei u. Een film die u helemaal heeft uitgekeken.'

'Inderdaad. Ik heb tot een uur of negen geslapen en zag dan dat Jan nog in de zetel lag. Op de radio hoorde ik van de aanslag, maar ik besloot hem te laten liggen. Toen hij wakker werd, vertelde ik hem het nieuws en zijn we naar de stad gereden.'

'U blijft dus bij dit verhaal?'

Nu keek Carmen hem wel aan. Haar ogen stonden hard en vijandig.

'Natuurlijk! Insinueert u dat ik een leugenaar ben?' reageerde ze furieus.

Bracke pulkte aan zijn neus en ging niet op de rechtstreekse uitdaging in. Hij moffelde een bolletje slijm onopvallend in zijn zakdoek.

Dacht hij, want iedereen had het gezien.

'Over de juiste betekenis van het woord "leugenaar" laat ik me niet uit', bleef hij op de vlakte. 'Hoe dan ook zitten we met een probleem.'

Carmen keek naar haar advocaat, die klaar stond om zijn bezwaar te uiten. De commissaris hield hem met een simpel handgebaar af.

'Ik heb hier een officiële verklaring van de VRT. Zaterdagnacht 14 mei jongstleden om iets na twaalf uur was er een technisch probleem, iets met gesmolten contactpunten waar ik geen jota van snap, maar u kunt het straks even nalezen. *The Silence of the Lambs* was toen 33 minuten bezig en de uitzending kon onmogelijk worden voortgezet. Ter vervanging werd *The Pianist* vertoond.'

Cornelis keek vreemd op, verrast met deze wending die Bracke voor hem geheim gehouden had. Hij vergat zelfs even te ademen en had het gevoel dat hij naar een koningsdrama zat te kijken.

Carmen Daens wist zichzelf geen houding meer te geven. Ze zat nerveus op haar stoel heen en weer te schuiven en zou zich het liefst zo klein als een muisje hebben gemaakt om in een holletje weg te kruipen.

'We mogen ervan uitgaan dat u de film niet helemaal gezien heeft om de eenvoudige reden dat die afgebroken werd. Wat ons bij de logische vraag brengt waar u dat ogenblik dan wel was en wat u precies deed dat het daglicht niet mocht zien?'

'Mag ik even met mijn cliënte overleggen?' kwam Sam de Graeve tussenbeide. 'Twee minuten maar.'

'Ga uw gang', zei Bracke met een breed uitnodigend gebaar. Hij voelde zich duidelijk meester van de situatie. 'We kunnen er zelfs vijf minuten van maken.'

Ze lieten Carmen Daens met haar advocaat alleen in de verhoorkamer achter. De deur was nog niet dicht of binnen ontspon zich al een drukke discussie.

In de gang kon Cornelis zich niet bedwingen.

'Hoe wist je dat van die film?'

'Eigenlijk nog maar net, van mijn schoonmoeder', zei Bracke. 'Ik sprong op weg naar kantoor even bij haar binnen om samen bij een kop koffie wat te kletsen en ze zat net een artikel over *The Pianist* te lezen. Haar lievelingsfilm. Ze vertelde met stralende ogen dat ze er op die bewuste nacht toen ze weer eens niet kon slapen, onverwacht naar had kunnen kijken, in plaats van naar die "rotkop van een Hopkins", zoals ze dat zo plastisch weet uit te drukken. Ik heb meteen naar de VRT gebeld en die hebben me die nota doorgemaild.'

'Leve de schoonmoeders!' Cornelis hief de armen theatraal ten hemel. 'En dan durven sommige mensen nog aan het instituut van het huwelijk te twijfelen! Mijn schoonmoeder wil helaas niet met me spreken.'

Daar kon Bracke inkomen. Barts moeder had de toekomst van haar zoon destijds helemaal uitgestippeld en daar paste een knorrige politiecommissaris van middelbare leeftijd niet in. Haar wens ooit een lieve schoondochter en een paar schattige kleinkinderen te hebben zou een droom blijven.

Van Aken kwam informeren hoe het verhoor verliep. Hij zag er echt niet goed uit, vond Bracke, niet wetend dat de chef net nog een uurtje was gaan fitnessen.

'Een pluim op de hoed van mama Vervloet', pufte Van Aken, die zijn bezwete voorhoofd met een vuile zakdoek depte. Het liet vuile strepen op zijn huid na.

'De vijf minuten zijn om', zei Cornelis nuchter. Net op dat ogenblik stak Sam de Graeve zijn hoofd door de deuropening.

'Mijn cliënte is klaar om met het verhoor verder te gaan. Ze vraagt of het mogelijk is om alleen commissaris Bracke te spreken.'

Bracke keek vragend naar Van Aken, die na enige aarzeling knikte. Vanuit de aanpalende kamer konden ze het verhoor ook volgen.

Carmen Daens had ogenschijnlijk haar waardigheid herwonnen. Wellicht was ze ook even met lippenstift en mascara in de weer geweest, want ze zag er ineens heel wat verzorgder en weerbaarder uit. De vastberaden trek om haar mond sprak boekdelen.

'Ik wil er u opmerkzaam op maken dat mijn cliënte uit vrije wil meewerkt in het belang van het onderzoek', zei de advocaat strijdlustig. Hij was duidelijk van plan het vel van Carmen duur te verkopen.

'Wat alleen maar in haar voordeel kan pleiten', antwoordde Bracke welwillend. 'Maar kunnen we nu verder gaan met de orde van de dag? Ik wacht nog op een antwoord op de vraag wat u die bewuste nacht dan wel gedaan heeft.'

'Een antwoord dat mijn cliënte u graag zal verstrekken', kwam de advocaat tussenbeide.

'Van hier kan ik het zelf wel aan, Sam', zei ze op een toon die verried dat er wellicht meer was dan de gewone relatie advocaat-cliënt. De Graeve keek sip en dook in zijn papieren om zijn gezicht te redden. Bracke meende ooit eens gelezen te hebben dat de man bij wijze van hobby vragen bedacht voor de quiz *De slimste mens ter wereld*, maar was er niet zeker van. Althans niet voldoende om er een allusie op te maken. Het kon natuurlijk ook gewoon om een illustere naamgenoot gaan en het laatste wat hij wou, was zich belachelijk maken. Die bewuste De Graeve schreef naar verluidt ook af en toe voor zowel mannen- als vrouwenbladen en zijn grootste wapenfeit was wellicht dat een citaat uit een van zijn recensies gebruikt werd voor de flaptekst van een van 's lands meest kierewiete schrijvers. En hij was onlangs met zijn gezinnetje naar Parijs geweest voor een reportage in *Feeling*, met Johan Martens als fotograaf. Al had een slaperige redactrice 'Johan Maertens' onderaan het artikel geschreven.

Bracke zette opnieuw de recorder aan. Eerst deed hij een kleine test om er zich van te vergewissen dat het toestel wel degelijk werkte. Het zou niet de eerste keer zijn dat een verhoor moest worden overgedaan omdat de techniek hem in de steek liet.

'Het is eigenlijk heel eenvoudig. Ik heb inderdaad de eerste tien minuten van *The Silence of the Lambs* gezien, maar ik ken die film intussen zowat uit het hoofd. Ik ben daarna naar buiten gegaan om wat te wandelen, een fles wijn in de hand. Het was een weliswaar frisse, maar heldere nacht, ik wou mijn hoofd wat laten uitwaaien om eens goed na te denken over mijn toekomst.'

Het is een koele kikker, dacht Bracke. Ze wordt op een leugen betrapt, maar heeft meteen een ander verhaal klaar. En ze doet gewoon alsof er niets aan de hand is.

'Ik doe mezelf niet heiliger voor dan ik ben, commissaris. Mijn relatie met Jan was op sterven na dood en ik twijfelde steeds meer of ons huwelijk, ondanks de vrijheid die we elkaar gunnen, nog zin heeft. Robert Detaeye is weliswaar mijn minnaar, maar niet de enige. En daar ben ik zeker niet trots op. Jan heeft trouwens ook meer dan één vriendin, al zal hij dat nooit toegeven. Het is toen dat ik besloten heb een tijdje bij mijn moeder te logeren, om alles eens op een rijtje te zetten.'

De advocaat zuchtte en zat op zijn papieren te droedelen. De commissaris wist nu met zekerheid dat hij een van die minnaars was.

Bracke voelde instinctief aan dat hij haar nu niet mocht onderbreken. Ze zocht naar de juiste woorden en gaf een oprechte indruk.

'Achter ons buitenverblijf hebben we een mooie, grote vijver en ik besloot impulsief om wat te zwemmen. U kijkt daarvan op?'

Bracke lette erop dat hij niets uitstraalde. Geen aanmoediging, geen ongeloof.

'U zei het zelf al, het was die nacht behoorlijk fris. Het water moet dus aardig koud geweest zijn.'

'Ik ben van het sportieve type. Zo ga ik elk jaar op nieuwjaarsdag naar Oostende om mee te doen met de club van de zogenaamde ijsberen. We nemen dan een fikse duik in het ijskoude zeewater en ik zwem eigenlijk zowat het hele jaar door in openlucht.'

'Dat had u me natuurlijk meteen kunnen vertellen.' Bracke kon nu toch enige ergernis niet binnensmonds houden.

Carmen Daens giechelde ongemakkelijk.

'Ik heb het verzwegen omdat ik me een beetje schaamde. Ik zwom namelijk naakt in de vijver. Het kan vreemd klinken, maar om een of andere reden vond ik het ongepast om u dat te zeggen. Ik heb Jan destijds vaak proberen te overtuigen mee te doen, maar dat genoegen is niet aan hem besteed.'

Bracke probeerde zich Carmen als naakte waternimf voor te stellen. Het lukte wonderwel.

'Ik schat dat ik ongeveer twintig minuten gezwommen heb, maar pin me daar niet op vast. Het kan ook wat minder of meer geweest zijn.'

'En Jan heeft u niet gezien?'

'Nee, de eerlijkheid gebiedt me te zeggen dat ik wel een auto heb horen starten, maar ik heb er niet zo op gelet. Het kan ook de auto van de buren geweest zijn of van een koppeltje dat de rust van de Zwalmstreek opzocht om eh... U weet, er zijn daar heel wat rustige plekjes waar verliefde jongelui ongestoord hun gang kunnen gaan.'

'Ik begrijp het', zei Bracke. In de beginperiode van zijn relatie met Annemie had hij met haar ook weleens de achterbank van zijn verroeste Citroën uitgetest, maar daar werd hij liever niet aan herinnerd. Op een keer had hij zijn hoofd tegen het dak gestoten toen hij geritsel in het struikgewas had gehoord van wat achteraf een vrolijk huppelend konijntje bleek te zijn.

'Een nachtelijke zwempartij zet je poriën helemaal open. Je wrijft jezelf goed droog en het bloed zindert door je aderen. Moet u ook eens proberen, commissaris', knipoogde ze.

Bracke voelde dat hij zowaar begon te blozen.

'Na het zwempartijtje ben ik nog een poosje in de bossen gaan wandelen. 's Nachts is het daar heerlijk stil en ik heb een hele tijd op een boomstam naar het geluid van de uilen en de bosdieren zitten luisteren. Een mens besteedt eigenlijk veel te weinig aandacht aan de natuur, vindt u ook niet?'

Bracke verkoos niet te antwoorden. Hij voelde dat ze probeerde toenadering te zoeken, maar dat was op dit moment uitgesloten. Niet tijdens een officieel verhoor.

'Ik schat dat ik zeker een uur ben weggeweest, al heb ik eerlijk gezegd niet op de tijd gelet.'

'Maar er is niemand die uw verhaal kan bevestigen?' vroeg hij koel.

Ze keek hem recht in de ogen en twijfelde geen ogenblik met haar antwoord.

'Helaas niet.'

Hij knikte.

'Dan blijft er natuurlijk nog de kwestie van die boete.'

'Ik moet toegeven dat ik ook in dat verband niet de waarheid heb gezegd', zei Carmen met een pruillip. 'De betaling werd inderdaad door mij uitgevoerd, maar daar moet u verder niets achter zoeken. Ik doe bij ons de administratie omdat Jan daar hoegenaamd geen talent voor heeft. Toen de boete in de bus viel, heb ik eerlijk gezegd niet naar de datum gekeken en ik stelde me er geen vragen bij. Ik verrichtte de betaling op mijn computer omdat ik daar het beste mee kan werken. En ik heb de gegevens meteen gewist omdat ik bang ben voor virussen en hackers. Terecht, want er gaat bijna geen dag voorbij of ik vind spam in mijn mailbox.'

'Ook dat had u meteen kunnen vertellen.' Bracke klonk koel en zelfs lichtjes geërgerd.

'Ik ben in paniek geraakt toen ik van de moord hoorde. En ja, het flitste toen door mijn hoofd dat Jan weleens verdacht zou kunnen worden. Ik kan u echt niet zeggen of hij het gedaan heeft, commissaris. Noem het een misplaatste vorm van trouw, maar ik heb toen gelogen over die boete. Ik zei het al, ik raakte in paniek. En voor ik het wist, zat ik in mijn eigen leugens verstrikt. Wat kan ik er nog aan toevoegen? Het spijt me dat ik zo stom gedaan heb, commissaris. Maar blijkbaar hou ik toch nog ergens een beetje van Jan. Noem het voor mijn part misplaatste loyauteit.'

Bracke wist niet wat hij ervan moest denken. En hij had ook niet meteen verdere vragen.

'Is er nog iets dat u me vergat te vertellen, mevrouw Daens?'

Ze keek even naar haar advocaat, die er nog altijd verongelijkt bij zat.

'Nee, dat is alles.'

*

Vrijdag 27 mei, 14.11 u.

Danny de Laet was allang alle gevoel voor tijd kwijt en hij wist nog amper waar hij zich bevond. Op automatische piloot slofte hij met de inspecteur door de gangen, lusteloos en verslagen.

Hoe was het ook zo ver kunnen komen? En dat voor een jongen die zoveel in zijn mars had, bedacht hij bitter. Al begon hij zich af te vragen of dat geen zelfbedrog was geweest. Nu hij erover nadacht, zijn schoolresultaten waren nooit schitterend geweest, belabberd zelfs. En die rotzak van scheikunde die hem ooit het jaar had laten overdoen, zou hij wat graag eens in handen krijgen.

Alleen tijdens dat jaar legerdienst was hij echt gelukkig geweest. Links, rechts, marcheren, opstaan om halfzes en de hele dag die voor hem gepland werd, hij werd er alleen maar weemoedig van. Van zijn sergeant, een freak inzake springstoffen, had hij het een en het ander opgestoken.

'Opschieten', knorde inspecteur Daeninck, boos omdat zijn kies pijn deed. Het laatste wat hij nu kon gebruiken, was verzet. Alleen rottig dat hij alles volgens het boekje moest doen en dit verdachte sujet niet even met de vuisten mocht aanporren.

Danny de Laet zag de irritatie op het gezicht van de agent en versnelde wijselijk zijn pas. Hij had de beelden van een bloederige B-film voor ogen en zag zichzelf al door nukkige agenten in elkaar worden getimmerd.

Hij maakte zich zorgen dat hij een hele tijd niet meer terug naar zijn appartement zou kunnen. De ijskast stond nog vol fruityoghurt, een speciale aanbieding: twintig halen, tien betalen. Het pakket was nog niet aangebroken maar al over tijd. Even twijfelde hij of hij er iets van zou zeggen, maar die ene agent met zijn kortgeschoren kop zag er bijzonder dreigend uit.

'Opschieten', knorde Daeninck. Verdomme, waarom was hij ook met dat wicht getrouwd.

De Laet was helemaal versuft. Hij vroeg zich niet eens af hoe ze hem gevonden hadden. Hij had twee dagen geleden opnieuw een dreigbrief naar de politie verstuurd, maar was zo dom geweest deze keer wel een gave vingerafdruk op de envelop na te laten. Twee minuten zoeken op de computer en al zijn gegevens stonden op het scherm. Met als belangrijkste wapenfeit dat hij beroepsmilitair was geweest, maar uit het leger was gezet wegens het smokkelen van wapens die hij voor een prikje verkocht. Met vijf maanden voorwaardelijk en een geldboete tot gevolg. Zijn sergeant bevestigde meteen dat De Laet altijd een grote interesse voor springtuigen aan de dag had gelegd, maar te weinig technisch vernuft bezat om een kenner te worden.

Nog voor inspecteur Mario Clevers een vraag had gesteld, begon De Laet al te bekennen. Ja, hij had een bommetje binnengegooid bij de NVP en ook de socialisten op een rookgordijn getrakteerd.

'Waarom?' stelde Clevers de ene juiste vraag.

De Laet keek hem met grote ogen aan.

'Waarom niet?' stelde hij een tegenvraag, die Clevers verbaasd deed opkijken.

Danny de Laet gaf bereidwillig alle details over hoe hij beide bommen had gemaakt, maar telkens als Clevers naar zijn motieven polste, bleef het akelig stil.

'Verzin zelf maar iets', zei De Laet uiteindelijk.

'Kent u Raymond Deweert?' Clevers sloofde zich uit, blij dat hij eindelijk eens echt politiewerk mocht doen.

'Raymond wie?'

*

Vrijdag 27 mei, 15.19 u.

Voor de officiële persmededeling de wereld werd ingestuurd, was premier Welckenraeth zo tactvol om Van Aken eerst over de inhoud in te lichten. Zo zei hij het woordelijk en de politiechef wist dat er stront aan de knikker was.

'Het is met spijt dat ik u moet zeggen dat we ernstige vermoedens aan het adres van Paul Slootmans hebben', probeerde de eerste minister het evenwicht te vinden tussen vormelijk en familiair.

Van Aken spitste de oren. Als de premier hem persoonlijk met dergelijk nieuws belde, moest het wel iets bijzonders zijn.

Welckenraeth begon hem nu te tutoyeren.

'Ik zou het op prijs stellen als je meteen wou langskomen. We hebben duidelijke bewijzen tegen hem in verband met een onverkwikkelijke omkoopzaak die wellicht verstrekkende gevolgen heeft. Maar de rest zou ik liever niet over de telefoon bespreken.'

Van Aken knikte en besefte dan dat de eerste minister hem niet kon zien.

'O.k., je bent op het partijbestuur, veronderstel ik? Geef me tien minuten en we kunnen deze zaak verder uitdiepen. En wacht in godsnaam nog wat met die persmededeling, Jean-Luc.' Als hij gaat jouwen, mag ik dat ook, vond Van Aken.

De hoorn knalde met een klap neer.

In zijn schommelstoel zat Jean-Luc Welckenraeth genietend te wippen. De eerste burger van het land voelde zich uitgelaten. Hij had zijn voornemen om het nieuws van het bedrog van Slootmans en zijn baas Deweert eerst naar de pers te lekken nog eens goed doordacht en was impulsief met een ander plan op de proppen gekomen. Zijn woordvoerder Etienne Bruggeman wist er nog niets van en kreeg misschien wel een hartaanval als hij het hoorde. De eerste minister had een heimelijk binnenpretje. God, wat genoot hij van zijn macht!

Welckenraeth zag in gedachten al een combi bij Saint-Camille stoppen. Hopelijk stribbelde de secretaris van Deweert tegen. Kwestie van een paar leuke plaatjes. De eerste minister was namelijk van plan de meest verkochte liberale krant te laten tippen en dat kon weleens voor spraakmakende voorpaginabeeldjes zorgen. En nog vóór de foto's op de redactie waren beland, zou hij al uitpakken met zijn politieke biecht waarin hij aankondigde het eigen nest grondig en zonder genade uit te mesten. Zijn dikbetaalde campagneleider had hem geleerd hoe hij berouwvol maar toch wilskrachtig in de camera moest kijken en die investering zou eindelijk vruchten afwerpen.

Maar nu moest hij zijn kaarten juist spelen. Daar was Van Aken al, meldde zijn secretaresse verveeld langs de intercom. De politieoverste had ongetwijfeld alle snelheidsrecords gebroken.

Kwiek stond de premier op en ging in de spiegel nog snel even zijn gelaatsuitdrukking bestuderen. Hij was een ongeneeslijke ijdeltuit en met een gebaar dat routine verried, legde hij een weerbarstige haarlok in de juiste plooi.

Vooral zorgelijk kijken, als schaamde hij zich voor wat hij had ontdekt maar anderzijds ook vastberaden om het kwaad in eigen partij met wortel en tak uit te roeien.

Van Aken klopte krachtdadig aan.

'Kom binnen, Werner.' De eerste minister klonk al even zelfbewust.

20.

Vrijdag 27 mei, 15.33 u.

De premier stond erop Van Aken eigenhandig een kopje koffie in te schenken, wat wellicht als een grote eer moest worden opgevat, want Welckenraeth was gewoon zich te laten bedienen.

'Bedankt voor je snelheid, dat apprecieer ik echt. Melk en suiker?'

Zonder naar het antwoord te luisteren had hij de koffie al rijkelijk gesuikerd en met een flinke geut melk afgekoeld.

'Wat ik je te zeggen heb, is allerminst fraai, maar ik heb geen andere keuze.'

De premier plaatste zijn keurig verzorgde vingertoppen tegen elkaar en wist de juiste getormenteerde blik te voorschijn te toveren. Een niet-onverdienstelijk soapacteur was aan hem verloren gegaan.

Hij boog wat dichterbij om intimiteit te suggereren. In zijn schaarse vrije tijd las hij graag handleidingen over assertiviteit.

'We zitten met enkele rotte appels in de mand. Ik heb de hele toestand grondig overwogen en zie geen andere oplossing dan in de openbaarheid te treden.'

Van Aken wachtte geduldig af. De premier zat al zodanig lang in de politiek dat hij zichzelf erg graag hoorde praten. Verdorie, die koffie was nog slechter dan die op het politiehoofdkwartier.

*

Vrijdag 27 mei, 16.29 u.

Nog nooit had André Cornelis een man van ogenschijnlijk aanzien zo snel als een doorprikte pudding in elkaar zien zakken. Van de eens zo keurige heer die wel met zijn maatpak vergroeid leek, bleef niets meer over.

Paul Slootmans trilde als een espenblad. Zijn bloeddoorlopen ogen verrieden dat hij in geen nachten geslapen had. Het was bijna niet te geloven dat deze man de persoonlijke secretaris van een van de opkomende politieke sterren van het land was en op een verkiesbare plaats bij de verkiezingen stond. Met een briljante carrière in het vooruitzicht.

Slootmans merkte niet dat hij door het glas in de deur in de gaten gehouden werd. Maar dat wou niets zeggen. Zelfs een stel paraderende blote vrouwen zou op dat ogenblik zijn aandacht niet getrokken hebben.

Stormvogel keek op uit een medisch dossier en schudde ongelovig het hoofd.

'Ze hebben hem zo op de Graslei aangetroffen nadat hij uit Saint-Camille ontsnapt was, prevelend tegen zichzelf dat hij nu aan de beurt was', zei hij meewarig. 'Verbazingwekkend hoe iemand met zijn capaciteiten zo diep kan vallen. Blijkbaar heeft de dood van Deweert hem diep geraakt.'

'Of zit hij met schuldgevoelens', merkte Cornelis op. 'Uit wat ik al gehoord heb, kan ik alleen maar afleiden dat de liberale partij een krabbenmand is.'

Het was op ogenblikken als deze dat Staelens begreep waarom hij telkens weer met Cornelis botste. Ze waren gewoon geboren om afwijkende meningen te hebben.

'Je vergeet natuurlijk wel dat Slootmans bij de moord op Deweert zelf aanwezig was', lachte hij fijntjes. 'En we hebben genoeg getuigen die kunnen bevestigen dat hij naast Deweert zat op het ogenblik dat de pijl werd afgevuurd.'

Een ijzersterk alibi, dat zeker, maar nog was Cornelis niet overtuigd.

'Hij kan ook achter de schermen bij de moord betrokken zijn. *Remember* de aanslag op veearts Van Noppen. Die zou ook niet vermoord zijn als niet iemand daartoe de opdracht gegeven had.'

'Uit het medisch rapport blijkt anders wel dat Slootmans het goed te pakken heeft.'

Cornelis haalde meewarig de schouders op.

'Ik vertrouw hem gewoon niet. Misschien is hij een van die kantoorgangsters die moegetergd achter zijn bureau de moord op zijn baas beraamt maar doorslaat omdat hij geen bloed kan zien.'

Kantoorgangsters, een mooi woord, vond Staelens. Maar dat zou hij om de dooie dood niet toegeven. Hij beet nog liever zijn tong af.

'Volgens de dokter is hij niet in staat om verhoord te worden', wist Stormvogel. 'Maar hij staat bij mij in het krijt en daarom is hij bereid een oogje dicht te knijpen. Nu ja, verwacht er niet te veel van.'

Cornelis grinnikte.

'Wees gerust, ik zal hem fluweelzacht behandelen.'

Slootmans keek amper op toen de commissaris de kamer betrad. Het rillen was opgehouden, maar zijn handen wilden nog altijd niet mee. Hij ging er uit pure wanhoop dan maar op zitten.

'Meneer Slootmans, ik zou u graag enkele vragen stellen', begon Cornelis voorzichtig.

21.

Zaterdag 28 mei, 9.15 u.

Werner van Aken zat handenwrijvend te wachten in verhoorkamer drie. Hij masseerde zijn polsen, die de laatste tijd vaak stijf aanvoelden. Die lamme poten van me, dacht hij bitter.

Nog even en het verhoor van Carmen Daens werd vervolgd. Van Aken zuchtte en het kwam van diep. Hij had het gevoel dat ze altijd maar in dezelfde cirkels bleven ronddraaien zonder zicht op de uitgang.

Hij had zo pas tijdens een ontbijtinterview tegenover een journalist van *Knack* nog de schijn hooggehouden en met een uitgestreken gezicht beweerd dat binnenkort een doorbraak in de zaak-Deweert mocht worden verwacht, maar dat was blufpoker van het hoogste niveau.

Trouwens, poker, was dat niet een van de grote hobby's van advocaat Jan Daens? Van Aken had het intussen lijvige dossier zodanig vaak gelezen dat hij alle mogelijke details met een vingerknip foutloos kon opnoemen. Maar helaas was er nergens een samenhang tussen te ontdekken.

Zelf had hij Daens ook nog eens grondig ondervraagd, maar de advocaat gaf geen krimp. Hij bleef hardnekkig bij zijn verklaring dat hij met de moord op Deweert niets te maken had en de nacht van zaterdag 14 mei op zondag 15 mei in zijn buitenverblijf als een blok geslapen had. De politiechef had de advocaat aandachtig bestudeerd maar kon op diens uitgestreken gezicht geen greintje emotie ontdekken.

Ook het verhoor van zijn vriendin Ann Redant had niets opgeleverd. Ze bevestigde zakelijk dat ze inderdaad een relatie hadden. En ze gaf ook toe dat Jan nog andere vrouwen zag, overigens met haar toestemming.

'We leven tenslotte niet meer in de Middeleeuwen, meneer Van Aken.'

De politiechef vroeg zich af of hij niet langzaam te oud voor zijn baan werd. Ze had hem onbeschaamd aangekeken met een koelheid die bijna opwindend werd.

Niet meer aan denken nu. Hij bladerde in zijn dossier snel door naar het laatste mapje, het verhoor van Slootmans door Cornelis. Al was 'verhoor' een eufemisme, want de secretaris had helemaal niets gezegd. Alleen al het vernoemen van de naam Raymond Deweert was voldoende geweest om hem in tranen te laten uitbarsten, een hysterische huilbui die de inderhaast opgetrommelde politiedokter alleen maar met een fikse spuit in het achterwerk tot bedaren kon brengen.

*

Zaterdag 28 mei, 9.33 u.

George Bracke wandelde schijnbaar achteloos heen en weer in de verhoorkamer. Hij lette er zorgvuldig op dat zijn voeten geen geluid maakten. Automatisch bracht hij zijn vingertoppen naar zijn lippen, een gewoonte die hij als voormalig hardnekkig roker aan talloze nachtelijke wachtbeurten overgehouden had.

Carmen Daens koos net dat ogenblik om er eentje op te steken. Er was een tijd dat Bracke het ongelooflijk prikkelend zou gevonden hebben om met een mooie vrouw als Carmen een sigaret te delen. Annemie had dat altijd geweigerd en daar kon hij nu alleen maar gelukkig om zijn. Net zoals zijn drie kinderen nog steeds niet rookten. Wellicht zelfs niet stiekem, kon hij alleen maar hopen.

Van Aken maakte zich aan de hoek van de tafel zo onopvallend mogelijk. Hij woonde niet vaak een verhoor bij, maar iets zei hem dat hij dit niet mocht missen.

'Laten we de kwestie of u al dan niet kunt rijden voorlopig nog even rusten', zei Bracke uiteindelijk, toen hij het gevoel had dat het wachten lang genoeg geduurd had. 'Zoals u wellicht ook denkt, we kunnen niet bewijzen dat u die nacht inderdaad aan het stuur van de wagen van uw man gezeten heeft. En zo ja, dan bewijst ook dat nog niets.'

Advocaat Sam de Graeve zat ongemakkelijk op zijn stoel te draaien. Wat George Bracke nu vertelde, waren eigenlijk allemaal argumenten in het voordeel van zijn cliënte en dat kon toch niet de bedoeling van deze ondervraging zijn. Uit zijn eerdere ervaringen met de commissaris wist hij dat deze meestal nog wel een troef achter de hand hield om op het juiste ogenblik op tafel te gooien.

Bracke merkte tot zijn groot genoegen dat de advocaat niet goed wist waar hij het had. Ook Van Aken hield van spanning zijn adem in.

'Ik ga niet in op de kwestie of liegen tegen de politie illegaal is of niet, dat moet u maar eens aan uw advocaat vragen. Laten we even aannemen dat u om een of andere reden die nacht inderdaad de wagen bestuurde. Tenslotte gaat uw privéleven ons niets aan, zolang het niets met deze zaak te maken heeft tenminste. Al blijft er natuurlijk het feit dat u zonder rijbewijs een voertuig bestuurde. Maar dat is een kwestie voor de verkeerspolitie, die u hierover later ongetwijfeld nog zal ondervragen.'

Carmen Daens kon de diepe denkrimpel die op haar voorhoofd verscheen niet verbergen. Ik heb haar waar ik haar wilde, dacht Bracke. Zowel de advocaat als zijn cliënte waren nu vol aandacht. Een gevoel van macht waar hij van genoot. Ook Van Aken hing aan zijn lippen.

'Ik denk nog even hardop verder. U rijdt dus om de een of andere reden naar de stad en dan hoort u van de moord op Raymond Deweert. U vertelt het aan uw echtgenoot zodra die wakker is en u keert terug naar de stad. Niets aan de hand, want u heeft er beiden uiteraard niets mee te maken. En dan komt die boete in de bus gevallen. U betaalt die omdat u niet wilt dat uw man weet dat u naar de stad gereden bent. Is het zo gegaan?'

Ze keek hem verrast aan, blij met de voorzet voor open doel. Ze knikte, dankbaar voor de geboden kans.

'Inderdaad. Zo is het gebeurd. Ik had in de stad een afspraak, een blind date via een internetsite. Helaas kan ik u de identiteit van de man niet geven. We hebben elkaar eh, intiem ontmoet.'

Sam de Graeve slikte. Deze ontwikkeling had hij niet verwacht. Wellicht had hij zijn cliënte nu het liefste aangeraden om eerst met hem te overleggen, maar Carmen gaf hem daar geen kans toe.

'Ik weet wat u van mij denkt. Een kerel die een avontuurtje zoekt, dat wordt door de vingers gezien en het bevestigt alleen maar zijn mannelijkheid. Maar vrouwen voelen ook weleens de vlinders in de buik, commissaris.'

Bracke keek haar stilzwijgend aan. Ze werd er ongemakkelijk van.

'Waarom zegt u niets?'

Hij schudde het hoofd. Dat was niet de reactie die ze had verwacht.

'Gelooft u me niet?'

'Gaat u vooral verder', zei hij droog.

Haar blik vermeed de zijne zorgvuldig.

'Dit is niet gemakkelijk om te vertellen. Ik had het gevoel te stikken, commissaris. Ik zat vast in een uitzichtloos huwelijk, ik had minnaars maar ook dat was geen oplossing. Ik ben een vrouw van vlees en bloed, meneer Bracke.'

De zoveelste sigaret bracht even verstrooiing. De aansteker weigerde dienst en ze zocht met haar ogen naar een nieuwe. De advocaat stak haar na enige aarzeling zijn Zippo toe. Sam de Graeve was een kettingroker, al probeerde hij zich tijdens het werk in te houden.

'Ik ben niet trots op de voorbije jaren', ging Carmen verder. 'Elke nieuwe relatie gaf me tijdelijk nieuwe zuurstof, maar het was altijd weer hetzelfde liedje. De mannen willen me voor mijn lijf, maar zijn algauw weer op zoek naar een nieuw speeltje. En ik, dwaze trien, ik liet me telkens weer vangen. Toen nam ik een fundamentele beslissing. Waarom zou ik de rollen niet omdraaien?'

Nu keek ze hem wel aan. En was het de beurt aan Bracke om zich onbehaaglijk te voelen. Hij kon heel goed begrijpen waarom al die mannen voor haar charmes gevallen waren. Ook Van Aken zat op zijn stoel te drentelen.

'Ja, ik beken, ik ga soms naar bed met een man die ik van haar noch pluim ken. Ik kies ze zorgvuldig uit en gebruik ze. Schrijf dat zo maar in uw rapport. Ze laten zich overigens graag gebruiken. U zou er versteld van staan hoeveel mannen zich voor een eenmalig nummertje willen engageren. De eerste keer ging het moeilijk en voelde ik me een goedkope sloerie, maar ik doe alleen maar wat het sterke geslacht al zo lang doet. Tot ieders bevrediging, mag ik zeggen. Niets zo prettig als geheime en anonieme seks. Schokt u dat, commissaris?'

Bracke verkoos niet te antwoorden.

'Of breng ik u in verlegenheid?'

'Mijn persoonlijke mening doet hier niet ter zake', zei Bracke op neutrale toon. 'Kunnen we even doorgaan met die eh, ontmoeting zaterdagnacht 14 mei?'

De grijns op Carmens gezicht maakte duidelijk dat ze de touwtjes weer in handen had.

'Veel valt er niet over te vertellen. Ik vertoef nogal eens in de chatroom op de website www.anoniemeseks.be en daar heb je als vrouw maar te kiezen. Vaak zijn het fakers die doen alsof, maar er zitten toch ook heel wat serieuze kandidaten tussen. En zo had ik dus zaterdagnacht beet, met een vurige Spanjaard die me alle hoeken van de kamer heeft laten zien.'

'En u weet natuurlijk niet hoe die don Juan heet?'

'Dat is precies de essentie van anonieme seks, meneer Bracke.'

'Mag ik dan vragen waar die ontmoeting plaatsvond?' Hij klonk vormelijk.

'Op de camping van de Blaarmeersen', zei ze. 'Vraag me nu niet waar zijn kampeerwagen precies stond. We hadden afgesproken in de Trollekelder en mijn blind date was keurig op tijd. Dat is voor mij trouwens meteen de lakmoesproef. Als zo een kerel te laat is, betekent dat meestal dat hij niet komt opdagen. Geloof me vrij, iemand die op dit soort van seks kickt, houdt de klok in het oog.'

'U begrijpt uiteraard dat we moeten checken of u die avond inderdaad in de Trollekelder was.'

'Uiteraard', knikte Carmen. 'Ik weet niet of iemand ons opgemerkt heeft. Het was behoorlijk druk.'

'Dat zoeken we wel even uit.' Bracke wreef langs zijn neus. Hij was vooral nieuwsgierig naar de rest van haar verhaal.

'We zijn trouwens niet lang op de Vrijdagmarkt gebleven. Het klikte goed met mijn Spaanse date. Niet dat dit voor mij iets uitmaakte, maar het doet me toch altijd wat als een mooie man hete Spaanse zinnetjes in mijn oor fluistert. Kort en bondig gezegd, we dronken ons glas leeg en konden intussen al niet meer van elkaar blijven. Hij stelde me voor mee naar zijn kampeerwagen te gaan en dat vond ik best. Om uw vraag voor te zijn of iemand ons op de Blaarmeersen gezien heeft: het was pikdonker toen we op de camping aankwamen.'

Sam de Graeve kuchte even, als wilde hij zijn cliënte onderbreken. Ze keek hem geërgerd aan en hij kroop opnieuw in zijn schulp.

'Hij pakte me aan zoals ik dat van een man verwacht', genoot ze nog na. 'Teder, maar toch ook onversaagd, iemand die weet wat hij wil en tezelfdertijd een vrouw kan geven wat ze verlangt.'

'Kwam u dan niet in de verleiding om achteraf zijn naam en telefoonnummer te vragen? Als het dan toch zo goed geweest was?'

'Ik zie dat u het romantische type bent, commissaris', lachte ze spottend. 'Maar voor de zoveelste keer: ik wou seks zonder meer. *No strings attached*. En zo ging het ook. We deden het onstuimig in die rommelige camper van hem, twee keer zelfs. De goedkope witte wijn die hij ontkurkt had, was niet te drinken, maar dat kon me niet schelen. En als u zich dat mocht afvragen: de lengte doet er voor een vrouw wel degelijk toe, voor mij in ieder geval toch. Vergeleken met mijn minnaar van die nacht is Jan maar een rozenlulletje.'

Carmen was de enige die het grappig vond. Bracke keek sip, maar ook voor Sam de Graeve was dit blijkbaar een gevoelig punt. Van Aken bleef opvallend stil.

'Ik begrijp dat u mijn verhaal zult willen controleren. Dat is nu eenmaal eigen aan uw beroep', vervolgde Carmen. 'Geeft niets hoor, ik neem het u niet kwalijk. Wat zaterdagnacht betreft, heb ik eerlijk gezegd geen flauw idee of iemand ons op de Blaarmeersen heeft zien aankomen. Maar ik weet wel dat we vlak bij een Italiaan stonden. Dat kan ik me herinneren omdat ik Italiaans hoorde toen we uitstapten.'

Bracke dacht na. Een Italiaan en een Spanjaard naast elkaar op de Blaarmeersen, dat moest controleerbaar zijn. Een geschikt werkje voor Hassim, als Van Aken hem tenminste al niet met andere opdrachten opgezadeld had. Hij zag dat de chef wellicht hetzelfde dacht.

'U moet uw gelegenheidsminnaar toch kunnen beschrijven?' vroeg de commissaris. 'Ik bedoel, behalve het feit dat hij eh, goed voorzien was.'

Weer verscheen die genietende glimlach op haar lippen. Ze veegde een krullende lok uit haar gezichtsveld en stak een nieuwe sigaret op. De asbak dreigde uit te puilen, merkte Bracke. Maar hij had geen zin om er wat aan te doen.

'O.k., ik zal eerlijk zijn. Ik ken zijn voornaam wel. Miguel. Ik zou hem tussen de veertig en vijftig schatten, de ideale leeftijd voor een man. Ze beseffen dan dat ze het eeuwige leven niet hebben en ze zijn vastbesloten het onderste uit de kan te halen. Ze hebben natuurlijk de ervaring om een vrouw te plezieren en doen er wat langer over om hun hoogtepunt te bereiken. Waar wij alleen maar ons voordeel uit halen.'

De commissaris noteerde onopvallend. Het gesprek werd weliswaar opgenomen, maar die notities bespaarden hem heel wat tijd. Ook Van Aken schreef af en toe iets op in zijn blauwe boekje dat hij altijd op zak had.

'Ik zou zeggen, gemiddelde lichaamsbouw, licht grijzend en behoorlijk sterk. Meer details kan ik helaas niet geven. U zult me ongetwijfeld een slet vinden, maar ik heb hem nooit echt bij goed licht gezien. In de Trollekelder is het behoorlijk donker en het glas trappist dat ik daar gedronken heb, steeg snel naar mijn hoofd. Onderweg naar de Blaarmeersen heb ik zelfs wat zitten suffen, vrees ik. En dan die witte wijn er nog bovenop, ik was er niet helemaal meer met mijn volle verstand bij.'

De advocaat vond het blijkbaar tijd om te tonen dat hij zijn dure vraagprijs waard was.

'Ik zou toch graag aanstippen dat mevrouw Daens dit alles uit vrije wil vertelt en dat terwijl ze niet formeel in beschuldiging gesteld werd.'

'Vanzelfsprekend', zei Bracke verveeld, op een toon van wat kom jij daar nu vertellen. De Graeve kromp ineen, in het besef dat zijn tussenkomst volledig overbodig was geweest en de commissaris alleen maar op stang joeg.

Carmen maakte een verveeld gebaar, als sloeg ze loom een lastige vlieg uit haar buurt.

'Ik begrijp dat u naar Miguel op zoek zult gaan, maar er is één ding dat ik u moet vertellen', wist Carmen.

Bracke keek er al niet meer van op. Die vrouw had al meerdere konijnen uit haar hoge hoed getoverd.

'Ik luister met volle aandacht.' Hij probeerde te glimlachen, maar het ging hem niet goed af. Zijn lach verwaterde tot een pijnlijke grijns.

'Miguel is getrouwd', zei ze. 'Dat zag ik aan zijn trouwring en hij had behoorlijke haast om me na onze amoureuze ontmoeting zo snel mogelijk uit de camper te werken. Nu ja, ik kan nu niet echt de moralist uithangen, nietwaar? Al is mijn situatie natuurlijk anders. Jan en ik weten van elkaar dat we de huwelijkstrouw niet bepaald hoog in het vaandel voeren, maar ik had het gevoel dat Miguel zijn escapades wel nog voor zijn vrouw verborgen houdt.'

Bracke wou haar vragen hoe ze dat zo zeker wist, maar ze was hem alweer een stapje voor.

'Een vrouw vóélt zoiets, commissaris. De gretigheid waarmee hij me beminde, verried dat het met zijn vrouw tussen de lakens niet bepaald veel soeps was. Maar ik denk niet dat hij zijn huwelijk op het spel wil zetten. Het smaakte veeleer naar heimelijk, verboden genot. Dat, zoals u weet, oneindig opwindender is dan al wat mag. Als u eerlijk tegenover uzelf bent, moet u toegeven dat mannen altijd wel een beetje kind blijven en graag eens naast de pot plassen.'

De commissaris besloot hier niet op in te gaan en dat vond hij erg wijs van zichzelf.

'U bedoelt dat *loverboy* Miguel dus niet bepaald happig zal zijn om van uw wederzijds avontuurtje te getuigen.' Bracke probeerde weer te lachen en nu hield hij het wat langer vol.

'U slaat de spijker op de kop, commissaris.'

'Wees gerust, we zullen hem met de nodige voorzichtigheid benaderen', verzekerde Bracke. 'Als we hem tenminste vinden natuurlijk.'

'Ik dank u voor uw discretie', zuchtte Carmen opgelucht. 'Tenslotte moeten we iemands huwelijk niet nodeloos opblazen omwille van een slippertje, nietwaar?'

Daar kon Bracke inkomen. Het was de algemene politiek van de politie zich niet in iemands privéleven te mengen zolang dat het onderzoek niet belemmerde. Het zou dus van Miguel zelf afhangen of zijn liefdesperikelen openbaar zouden worden gemaakt. Als ze hem konden opsporen.

'Meer valt er niet te vertellen', zei Carmen kortaf. 'Ik hoop dat ik u hiermee van dienst ben geweest, commissaris.'

Bracke schroefde de dop op zijn Parkerpen en pulkte aan zijn oorlel. Hij besefte dat hij dat deed en had er behoorlijk de pest in. Ooit had hij in een studie van een professor wiens naam hij allang weer vergeten was, gelezen dat het gefrunnik aan delen van het hoofd tijdens een gesprek op twijfels wees. De persoon in kwestie probeerde tijd te winnen of wist zichzelf geen houding te geven.

De commissaris had een gezond wantrouwen in professoren, want die moesten natuurlijk hun vorstelijke salaris met allerlei opmerkelijke resultaten zien te verdienen. Maar de eerlijkheid gebood hem tegenover zichzelf toe te geven dat hij inderdaad nog steeds in het duister tastte. Die Carmen was een behoorlijk pientere dame die niet in haar kaarten liet kijken. Telkens als hij het gevoel had enigszins hoogte van haar te krijgen, gleed ze weer als zand tussen zijn vingers.

De advocaat was blijkbaar van oordeel dat ook hij zijn duit in het zakje moest doen.

'Uiteraard houdt mijn cliënte zich graag ter beschikking in het kader van de positieve ontwikkeling van het onderzoek.' Hij klonk net iets te slijmerig om de indruk te maken oprecht te zijn.

Bracke had zin om hem als een kronkelend insect onder zijn hak te verpletteren, maar hij besefte dat hij onredelijk was. Sam de Graeve probeerde ook maar op een eerlijke manier zijn kost te verdienen. Toevallig wist de commissaris dat de advocaat een pijnlijke echtscheiding achter de rug had en op zijn eentje voor de opvoeding van zijn twee zoontjes instond. Zijn ex-vrouw had een hoge functie bij de provincie en liet geen gelegenheid voorbijgaan om hem met allerlei kleine pesterijen te bestoken. Oude rekeningen van de stomerij die ze nog voor hun scheiding had betaald en waarvan ze nu de helft terugeiste en dat soort dingen. Aan de balie werd behoorlijk gelachen met de advocaat die zich door zijn eigen vrouw in de doeken liet doen, want ze had zich wettelijk behoorlijk ingedekt en deed niets wat volgens de codex niet mocht. Wat overigens niet moeilijk was, want ze had intussen een relatie aangeknoopt met een gereputeerde strafpleiter, die desgewenst zijn voltallige kantoor kon inschakelen om voor zijn nieuwste verovering alle legale binnenwegjes uit te zoeken.

Bracke had dit verhaal tijdens een ongedwongen uitje tussen officieren en advocaten gehoord en kon niet anders dan sympathie voor de advocaat opbrengen. Maar dat zou hij nooit openlijk toegeven, want dat verzwakte zijn positie alleen maar. Misschien voelde De Graeve het onbewust toen ze afscheid namen, want de handdruk van de commissaris was net iets langer en hartelijker dan anders.

'Geef me wel even vooraf een seintje als u binnenkort van plan zou zijn het land te verlaten', zei Bracke en toen hij deze woorden uitsprak, besefte hij dat ze ongelooflijk cliché moesten klinken.

Hij stak zijn hand uit naar Carmen Daens, maar die was daar niet tevreden mee. Eerst keerde ze hem haar wang toe en toen ze zag dat hij aarzelde, kuste ze hem dan maar zelf. Niet zomaar op de wang, maar net naast zijn lippen zodat ze heel even zijn mondhoek beroerde. Van Aken keek geschokt.

Bracke deed alsof hij het niet merkte. Hij wou vooral niet de indruk wekken dat er een zekere intimiteit tussen hen bestond, want als Van Aken het hard speelde, kon dat voldoende reden zijn om hem van de zaak te halen.

Carmen bleef veel langer in zijn buurt hangen dan strikt noodzakelijk.

'Tot ziens', fluisterde ze en hij voelde haar warme adem zijn oor strelen.

De advocaat en zijn cliënte hadden de verhoorkamer allang verlaten toen de commissaris nog voor zich uit zat te staren, de notities machteloos op zijn schoot rustend.

Verman je, Bracke, in hemelsnaam, flitste het door zijn hoofd. Hij voelde zich als van de hand Gods geslagen. En dan was er ineens weer dat beeld van zijn vader, fietsend op de dijk, de haren wapperend in de wind. Ze stopten bij de herberg in de bocht bij de molen, vader dronk een export en zijn zoontje George een heerlijk koele limonade. Het heerlijkste wat het jongetje ooit had gedronken, beter dan de beste maltwhisky die hij later als volwassene aan zijn lippen zou zetten.

Van Aken verliet de verhoorkamer, discreet kuchend.

*

Zaterdag 28 mei, 11.25 u.

Stormvogel was de enige die voor de teamvergadering nog even informeerde hoe het met Bracke ging. Het was de voorbije dagen ook zo hectisch geweest en het grote verlies van de commissaris leek alweer lang geleden.

'Het lukt wel', zei hij enigszins ontroerd door de oprecht bezorgde vraag van zijn collega, die de naam had een brombeer te zijn, maar een peperkoeken hartje had.

Voor Van Aken was de dood van vader Bracke een feit dat intussen alweer tot het verleden behoorde. Hij had net een zoveelste telefoongesprek met de eerste minister achter de rug en voelde zich pisnijdig. De premier had duidelijk laten blijken dat hij zich steeds meer vragen over het onderzoek naar de zaak-Deweert stelde en de politiechef besefte dat de politicus het in deze preverkiezingstijden hard zou durven spelen. Resultaten waren nodig en zo snel mogelijk.

Wel was de premier tevreden met hoe hij in de weekendkranten werd geportretteerd in de zaak-Slootmans. Overal kwam hij naar voren als een krachtdadig politicus die niet aarzelde om de hand in eigen boezem te steken en dat vleide zijn gevoel van eigenwaarde. Een snel uitgevoerde geheime peiling die ochtend gaf alweer een stijging met zes procent aan, hoopgevende cijfers waarop ze de campagne konden voortbouwen.

Ook de arrestatie van De Laet kwam de eerste minister goed uit. De persmededeling waarin hij openlijk een bloemetje wierp naar de grotendeels door hem samengestelde top van de eenheidspolitie had in de kranten weliswaar slechts een bescheiden weerklank gevonden, maar het hielp om wat druk van de ketel te laten. Al mochten resultaten niet lang meer uitblijven en moest de moordenaar zeker voor de verkiezingen worden gevonden.

Zorgvuldig namen de speurders de verklaring van Carmen Daens door.

'Er zit een reukje aan', snoof Cornelis. Hij was eindelijk van zijn maagpijn verlost, maar wou geen risico nemen. Het dieet van beschuit en karnemelk dat hij zichzelf had opgelegd, maakte hem humeuriger dan ooit.

Arme Bart, dacht Bracke.

De politiechef had een map voor zich liggen waaruit hij met gewijde aandacht begon voor te lezen.

'Onze psychiater heeft net het moraliteitsonderzoek van Carmen Daens afgerond, waaraan ze trouwens actief meewerkte. Dat geeft ons een beeld van haar dat aardig met haar verklaringen overeenkomt. Ze had al vroeg vriendjes, op haar zestiende zelfs een oudere heer. Het leek de verkeerde kant met haar op te gaan, tot ze zich blijkbaar herpakte en met de hogere kringen aanpapte. Uiteindelijk huwde ze met Jan Daens.'

'Bijna een sprookje dus', grijnsde Cornelis, maar dan vooral omdat hij eindelijk geen pijn meer voelde. Bart drong er allang op aan dat hij een specialist zou raadplegen, maar dat bleef hij uitstellen. Diep vanbinnen was hij ervan overtuigd dat hij een ernstige aandoening had, maar hij wou het liever niet weten.

'Dat ze het met de huwelijkstrouw niet zo nauw neemt is een grof understatement', ging Van Aken verder. 'Ze heeft van bij het begin minnaars gehad, zoveel is zeker. Onze inspecteurs zijn intussen de tel kwijtgeraakt. Bij een aantal zou je met enige goede wil van een relatie kunnen spreken, bij anderen is het wellicht pure lust. Je zou haar een nymfomane kunnen noemen. Iedereen die over dit heikele onderwerp commentaar wou geven, was het erover eens: mevrouw Daens is verzot op seks.'

'Wat is dat met die vrouwen bij de liberalen', zuchtte Hassim, die vooral aan Lydia Deweert dacht. De lustige weduwe, noemden ze haar intussen op het bureau.

Bracke geloofde de resultaten van het moraliteitsonderzoek onmiddellijk. De manier waarop ze naar hem keek, was die van een roofdier dat de prooi met zijn pronkerige veren dichterbij lokte, alvorens zonder genade toe te slaan.

Van Aken keek over zijn brillenglazen in het rapport. Hij zag dat de nagels van zijn linkerhand vuil waren en stopte zijn hand snel onder tafel weg. Hij had die ochtend haastig wat onkruid voor zijn konijn getrokken en was vergeten zijn handen te wassen.

'Of ze werkelijk op zaterdagnacht 14 mei een ontmoeting met die Spaanse Miguel heeft gehad, zal moeilijk te achterhalen zijn', wist Cornelis. 'Men houdt daar wel een register bij, maar niet fanatiek. Als mensen verkiezen geen naam na te laten, wordt daar niet moeilijk over gedaan. En veel van de namen uit het register zijn niet te lezen. Een ploeg is ter plaatse om dat verder uit te pluizen. Ik ga meteen ook een kijkje nemen.'

'De computerjongens hebben die sites waarop ze gelegenheidsminnaars zocht wat verder uitgeplozen en daaruit blijkt dat ze op die manier inderdaad een aantal eh, seksuele contacten heeft gehad', deed Hassim zijn duit in het zakje. 'Ook hebben we het circuit van de rendez-voushotels onder de loep genomen. De uitbaters van die gelegenheden zijn niet bepaald happig om hun medewerking aan een onderzoek te verlenen, want discretie is hun grootste bestaansrecht. Als uitkomt dat de politie in zo'n tent is binnengevallen, kunnen ze de deuren wel sluiten. Maar enige zachte druk van onze kant bood uitkomst', lachte hij. 'Vooral de dreiging dat we met de combi een paar keer ostentatief voor de deur zouden stoppen, maakte indruk.

Resultaat van deze ondervragingen was de bevestiging dat Carmen Daens geregeld een peeskamer huurt en meestal met een andere man.'

'Conclusie: ze is los van zeden', zei Bracke. 'Maar bewijst dat iets?'

Ze keken naar elkaar. Niemand die een antwoord op die vraag wist.

*

Zaterdag 28 mei, 13.30 u.

Stormvogel pufte zich een weg door de gangen zoals alleen hij dat kon. Bracke durfde er een eed op te doen dat Staelens de voorbije week warempel nog aan gewicht gewonnen had. Zijn gestalte werd steeds imposanter en zijn lijf puilde uit zijn kleren, die nochtans op maat gemaakt waren.

Cornelis was intussen nogmaals op bezoek geweest op de camping van de Blaarmeersen.

'Die Spanjaard, dat zou kunnen kloppen. Er waren inderdaad twee Miguels aanwezig, maar we hebben geen adres. Ook aan Italianen geen gebrek. We proberen dit via Europol verder uit te zoeken. In de Trollekelder wist barman Gil Heuvelmans me te vertellen dat Carmen een vaste klant is, maar of ze zaterdag langs geweest is, kon hij zich niet herinneren.'

Stormvogel had met stijgend ongeduld staan wachten om zijn duit in het zakje te doen.

'Een leuk nieuwtje van de jongens die de huiszoeking bij Deweert nog eens overgedaan hebben', hijgde hij.

Bracke wachtte gelaten tot Stormvogel weer enigszins bij zijn positieven gekomen was. Van Aken had inderdaad gevraagd om een tweede huiszoeking te doen, ditmaal met de grote manoeuvres.

'Ze zijn er dit keer ook met de metaaldetector doorheen gegaan en dat leverde blijkbaar leuke resultaten op. Zo vonden ze in een hoek van zijn bureau achter een valse wand een geheime kluis.'

Bracke floot tussen de tanden. Kluizen, daar zaten doorgaans dingen in die het daglicht niet mochten zien. Hij was er niet helemaal zeker van, maar meende dat er zich volgens de echtgenote van Deweert geen kluis in huis bevond. Hij keek er haar verklaringen op na en zag dat ze dit inderdaad beweerd had. Ofwel loog ze, ofwel wist ze niets van de kluis af. En beide mogelijkheden waren uitermate verdacht.

'De kluis was snel gekraakt en de inhoud wordt momenteel onderzocht', geeuwde Staelens. Hij beweerde zonder slaap te kunnen, maar intussen wist iedereen in het korps dat hij vooral de confrontatie met zijn bedilzuchtige vrouw vermeed. De nachten die hij op kantoor doorbracht, waren talrijker dan die aan de zijde van zijn vrouw, die droog gewogen drie kilo zwaarder was dan hij, ook al was ze een halve kop kleiner.

*

Zaterdag 28 mei, 14.19 u

De speurders keken reikhalzend naar de foto's en de documenten. In een van de enveloppes zat ook een klein kapitaal aan euro's, maar dat was minder belangrijk.

'Analyseren en inventariseren.' Van Aken knikte in de richting van Staelens, die glunderend aan de slag trok. Dit was een kolfje naar zijn hand.

Ook Bracke keek nieuwsgierig in de stapels dossiers. Hij plukt er lukraak een uit dat de titel *Umelco* droeg.

Het duizelde voor zijn ogen toen hij begon te lezen. Deweert hield blijkbaar een gedetailleerd overzicht van alle ontwikkelingen bij. Niet dat hij een expert was, maar Bracke ontdekte al bij een eerste inzage meteen enkele namen die duidelijk in het criminele milieu te situeren waren en met wie Deweert had afgesproken.

De stapel bevatte nog meer dossiers, waaronder dat van Deconinck waar Van Aken in zat te neuzen.

'Sjonge', floot de chef tussen de tanden. Wat hij in handen had, kon voor de regering de doodsteek betekenen. De dossiers bevatten kopieën van uitreksels op buitenlandse rekeningen, die konden bewijzen dat heel wat politici betalingen hadden ontvangen, die allicht niet aan de belastingen waren aangegeven. Steeds via de Trentibank, die volgens een recent verschenen intern rapport een van de grootste witwasbanken van Europa was.

Bij een eerste voorzichtige schatting kwam Van Aken algauw tot een twintigtal politici die bij deze praktijken betrokken was. Daaronder onder meer Bert Steegmans, de enige groene minister van de regering en goede bekende Robert Detaeye, staatssecretaris van de socialisten.

Van Aken klapte in de handen.

'Over een halfuur crisisberaad', zei hij op een toon die geen tegenspraak duldde.

22.

Zaterdag 28 mei, 17.43 u.

Met enige spijt in het hart maar toch ook vervuld van trots keek Van Aken het uitzwermen van de speurdersploeg na. Mijn mannen, dacht hij weemoedig, al waren er ook enkele vrouwen bij.

Het was een huzarenstukje geweest om in iets meer dan twee uur tijd eerst een teamvergadering met de hoogste officieren te houden en dan iedereen die hij beschikbaar had, te mobiliseren, te briefen en naar alle kanten van het land uit te sturen.

Twee personen moest hij heel speciaal danken, wist hij. John Staelens had weer eens getoond dat hij onder hoogspanning de beste prestaties leverde. Zijn analytische geest had razendsnel de vele dossiers en foto's uit de kluis van Deweert bestudeerd, gerangschikt en kort samengevat. Resultaat was een bondig document dat een weinig fraai overzicht bood van wanpraktijken waaraan het kruim van de politici zich schuldig had gemaakt.

Ook Omer Verlinden was van goudwaarde gebleken. De zonechef had zich na de zoveelste inzinking die ochtend spontaan op kantoor aangeboden. Van Aken reageerde onverschillig, maar was achteraf wat blij met de hulp van zijn zonechef. Vooral bij de praktische samenstelling van het werkrooster toonde Verlinden zich van onschatbare waarde. Hij kende als geen ander de kwaliteiten van de korpsleden en Van Aken kon hem alleen maar oprecht bedanken. Maar dat zou voor een andere keer zijn, want Verlinden had zich alweer stiekem teruggetrokken om thuis te gaan rusten.

Ook Annemie stond stand-by om de gebeurtenissen op de voet te volgen. Het was al enkele dagen windstil in het dossier-Deweert, maar het viel te verwachten dat de pers snel op de hoogte zou zijn van de grootscheepse actie die nu uitgevoerd werd.

Van Aken keek op zijn horloge. Ongeveer op dit tijdstip zou een eerste interventieploeg bij de premier op diens privéadres in Mariakerke binnenvallen. Met het oog op zijn veiligheid gaf de eerste minister steeds door waar hij zich bevond, wat Van Aken nu bijzonder goed uitkwam. Om de premier de juiste heikele vragen inzake de schatten uit Deweerts kluis te stellen, was Cornelis de juiste persoon, vond Van Aken. Hij had zijn commissaris gesmeekt om alsjeblieft een deftig pak aan te trekken, een raad die Cornelis uiteraard in de wind sloeg.

De bel had amper gerinkeld of de butler kwam al opendoen. Cornelis merkte nu dat zijn vrijetijdsbroek bevlekt was en kon amper een vloek onderdrukken.

'Welkom', zei de premier zonder het te menen.

Cornelis glipte mee naar binnen. De deur viel achter hem in het slot.

*

Zaterdag 28 mei, 17.59 u.

De blik van Danny de Laet had iets griezeligs wat inspecteur Nestor Degryse niet goed kon vatten. Al een halfuur stelde hij geduldig dezelfde vraag die de bommenlegger al zo vaak voorgeschoteld gekregen had.

'Vertel het nu maar, Danny. Waarom heb je die bommen gegooid?'

De Laet was suf van het piekeren. Niet over het antwoord, want dat wist hij zelf niet. Maar wel hoe hij die idioot kon doen ophouden.

'Hoe vaak moet ik het nog herhalen, zomaar', snikte hij. 'Het was iets wat ik gewoon móést doen.'

Degryse krabde in zijn aardig uitdunnende haardos. Daar hadden ze hem in de politieschool niets over geleerd. Hij maakte een vruchteloos gebaar in de richting van zijn collega Eddy Daeninck, die verveeld zijn nagels zat te reinigen.

'Goed, dan nemen we nog eens door hoe je die bommen gemaakt hebt', ging Degryse ijverig verder. Voor de zoveelste keer vertelde De Laet hetzelfde verhaal, namelijk hoe hij in een winkeltje op de

Groentemarkt zonder veel moeite een hoop illegaal vuurwerk gekocht had en met het kruid een explosief in elkaar stak.

'En die rookbom?' vroeg Daeninck, die voor het eerst enig initiatief toonde. Maar dan wel omdat hij binnenkort een feestje hield en de aanwezigen graag wou verrassen.

'Heel eenvoudig. Je hebt enkel wat KAS[13] nodig en verder suiker, water, keukenpapier, aluminiumfolie en *ducktape*. Wat mengen, laten drogen en klaar is kees', zei De Laet met duidelijke trots in de stem. 'Maar het viel wat tegen. Volgende keer beter misschien.'

Degryse fronste de wenkbrauwen. Dat zou niet bepaald goed staan in het dossier van De Laet.

'Hoeveel KAS zei je ook alweer?' vroeg Daeninck met de balpen in de aanslag.

*

Zaterdag 28 mei, 18.13 u.

Het aanhoudende gerommel van zijn maag deed Van Aken beseffen dat hij sinds het ontbijt niets meer gegeten had, maar dat moest nu even wachten. Hij had net zelf persoonlijk de ondervraging geleid van Robert Detaeye en toonde zich behoorlijk tevreden met het resultaat.

De socialistische staatssecretaris zat er als een hoopje ellende bij. Toen hij geconfronteerd werd met de rekeninguittreksels die Deweert in zijn kluis bewaarde, bleef er niets van zijn waardigheid over. Prompt bekende Detaeye dat hij in de loop der jaren een klein fortuin naar het buitenland versast had.

Van Aken kon alleen maar het hoofd schudden. Detaeye was een van de vurigste pleitbezorgers geweest van de zogenaamde Eenmalige Bevrijdende Aangifte, die de Belgen ervan moest overtuigen om hun tegoeden uit het buitenland mits een beperkte bijdrage weer legaal te maken.

Wat de moord op Deweert betrof, bleef Detaeye bij zijn standpunt: daar had hij niets mee te maken.

'Mag ik u vragen u voor verder verhoor ter beschikking te stellen?' zei Van Aken koel en hij schrok zelf hoeveel hij hiervan genoot.

Detaeye verliet als een geslagen hond het gebouw. Hij kruiste in de gang een opvallend goedgeluimde Cornelis, die zijn erg korte gesprek met de premier afgerond had.

Van Aken zag de commissaris in de gang en wachtte hem op.

'Een behoorlijk gladde jongen, die Welckenraeth', siste Cornelis. 'Ik zag in zijn ogen niet eens paniek toen ik hem met de uittreksels van de Trentibank aan zijn NV confronteerde. Hij deed zelfs geen moeite om naar een verklaring te zoeken en zei staalhard dat zijn advocaten die zaak wel verder zouden regelen. Vervolgens had hij het lef me te vragen hoe het met het onderzoek in de zaak-Deweert stond, want dat hij wel heel binnenkort de definitieve oplossing verwachtte. En ik was nog niet buiten of hij begon al druk te telefoneren.'

Van Aken kon zich het tafereel maar al te goed voorstellen. Hij zou het nooit toegeven, maar op de premier had hij geen grip.

'Onze ploegen op het veld doen schitterend werk', wist Van Aken. 'Die kluis van Deweert is een ware goudmijn, toch al zeker voor de cel Fraude en de jongens die zich met witwaspraktijken bezighouden. Ook Europol heeft een dubbel van alle documenten gekregen en daar wrijven ze zich nu in de handen. Afwachten maar of we die documenten in verband kunnen brengen met de moord op Deweert.'

De politiechef keek op zijn horloge. Hij aarzelde even, maar vond dan dat hij een hartig hapje wel verdiend had.

Twee deuren verder zat George Bracke nog eens rustig alle dossiers van deze moordzaak door te nemen. Een karwei waar hij al een tijdje mee bezig was, maar hij had het gevoel dat het in deze fase van het onderzoek nuttig kon zijn.

Hij hield halt bij de verklaring van voorzitter Christian Lentz van de kruisboogclub. In zijn achterhoofd hoorde hij weer dat zeurderige stemmetje dat zich niet zomaar liet afschepen. Hij besefte dat hij zelf niet met deze man gesproken had en wie weet hadden ze iets over het hoofd gezien.

Hij voerde een kort telefoongesprek met Lentz, die keurig op zijn vragen antwoordde. Bracke nam vlug enkele notities, voor hij het vergat.

De commissaris werd in zijn werkzaamheden gestoord toen iemand op de deur klopte.

'Kom binnen, Stormvogel', gokte Bracke, die meende dat hij het forse ritme herkend had.

'Kun je nu ook al door de deur kijken?' zei Staelens, deels lacherig en niet-begrijpend.

'Alleen als ik een goede dag heb', grijnsde Bracke terug. 'Maar zeg het eens, wat voor goed nieuws?'

'Ik ben nog maar pas klaar met het inventariseren van de brandkast van de senator. Mijn rapport moet ik nog schrijven, maar ik heb in een van de laatste mappen iets leuks gevonden.'

'Van jou had ik niets anders verwacht', vleide Bracke een van zijn meest competente medewerkers.

Staelens grijnsde zijn tanden bloot en toonde een cd-rom, die Bracke meteen in zijn computer liet glijden.

Op de cd-rom stonden tientallen mappen, op het eerste gezicht allemaal vrouwennamen.

'Wat hebben we hier?' Bracke fronste de wenkbrauwen. Hij opende lukraak een map met de naam Linda en die zat vol foto's.

Bracke koos voor de optie *Als diavoorstelling weergeven*. Ze kregen een reeks foto's te zien van een knappe, jonge, blonde vrouw die glimlachend in de lens keek.

'Klik eens op dat onderste bestand', zei Staelens. Bracke scrolde met de muis naar beneden en vond een tekstbestand. Het bevatte een korte levensschets van de bewuste dame.

'Kijk nu helemaal onderaan de tekst.'

Bracke kneep zijn ogen tot spleetjes samen. Hij was dringend aan een andere bril toe.

'Ik zal het wel even lezen', zei Staelens behulpzaam. 'Er staat: "eerste keer: 16 mei 1991" en vervolgens de aanvulling "zestien keer". Ik heb de cd al verder bekeken en elke map is goed voor een andere vrouw of ander meisje, telkens met een gelijkaardige begeleidende tekst over wie ze is, een korte beschrijving van haar leven, de datum van hun eerste eh, fysieke ontmoeting en het aantal keren dat ze, je weet wel.'

'Met andere woorden, de heer Raymond Deweert hield een overzicht van zijn liefdesleven bij', dacht Bracke hardop na. 'De snoeper.'

'Dat kan kloppen, want in de kluis vonden we ook een professionele foto-uitrusting. Ieder zijn hobby, zeker?'

'Hier zijn we nog wel even zoet mee', zuchtte Bracke, die lukraak door de foto's zat te bladeren. Het viel hem op dat Deweert, zoals al uit allerlei verklaringen was gebleken, geen specifieke voorkeur voor een bepaald type of leeftijd leek gehad te hebben.

'Ik nam me de vrijheid om de verschillende mappen even te bestuderen. Ik heb alvast drie vrouwen gevonden die je bijzonder zullen interesseren', zei Staelens. 'Mag ik even?'

Hij tastte naar de muis en selecteerde drie namen, die hij naar het bureaublad sleepte. Toen klikte hij op *Openen*. Bracke knipperde met de ogen, want hij kende de drie vrouwen maar al te goed.

23.

Zaterdag 28 mei, 19.57 u.

André Cornelis merkte tot zijn eigen verbazing dat hij de afstand naar het huis van Jan Daens in een recordtempo had afgelegd, minstens vijf minuten sneller dan de vorige keer. Wellicht de adrenaline die door zijn lijf joeg, meende hij.

Samen met Bracke en Van Aken had hij de beelden op de cd-rom bekeken. Van Aken had niet lang getwijfeld: zijn twee beste speurders wisten meteen wat ze moesten doen. Bracke kreeg Hassim mee, Cornelis moest het met Daeninck stellen. En nee, het kon niet wachten, want het zou weleens erg belangrijk kunnen zijn.

'En nu opschieten', zei Van Aken, nog altijd uitgehongerd. Hij had in een taverne naast het hoofdkwartier een broodje besteld maar was niet verder dan twee happen gekomen. De ploeg die bij de NVP was binnengevallen met de vraag naar verdere uitleg over bezwarende documenten uit Deweerts kluis, waarbij Vandenbegin een kwalijke rol speelde, hadden daar voor de nodige commotie gezorgd. Vandenbegin was de waarnemende inspecteur te lijf gegaan en zat nu in een cel af te koelen.

Een telefoontje vooraf had hem de zekerheid opgeleverd dat Daens inderdaad thuis was. Hij moest weliswaar 's avonds nog gaan eten, zeurde de advocaat, maar daar trok de commissaris zich niets van aan.

Daens kwam in zijn wellicht beste pak opendoen.

'Tien minuutjes dan.' Hij keek zorgelijk naar de grote pendule. 'Ik moet vanavond spreken voor de Rotary. Ik verwacht mijn vriendin en dan moeten we echt weg.'

'Ann Redant? Dat treft!' Cornelis deed overdreven joviaal. 'Ik heb haar eigenlijk ook een paar vraagjes te stellen of eigenlijk maar een.'

'Zullen we?' Daens deed zijn best om beleefd te blijven. Hij wees Cornelis de weg naar het salon en ging de twee speurders voor. Hij had nog steeds een kruk nodig.

'Wat was het wat u me eigenlijk wou vragen?' zuchtte Daens, die zijn das zat te schikken.

'Of u iets van dit afweet.' Cornelis tastte in zijn zak.

Op dat ogenblik werd er gebeld.

'Dat zal Ann zijn', zei Daens, verheugd om de nakende redding. Hij wilde opstaan, maar Cornelis maakte een afwerend gebaar.

'Blijf gerust zitten, meester Daens. Eddy, wil jij de juffrouw even binnenlaten?'

*

Zaterdag 28 mei, 20.09 u.

Het was met enig tegenzin dat George Bracke aanbelde bij de statige villa in de Sint-Denijslaan. Hij hoopte vooral dat de moeder van Carmen niet thuis was, want wat er nu verteld zou worden, was ongetwijfeld onprettig voor haar oren. En maar duimen dat Joyce in de instelling zat, want hij zag tegen een confrontatie op.

Carmen stond in de deuropening, een ogenblik lang diep gedecolleteerd oogverblindend mooi te wezen, maar dat was niets meer dan een bestudeerde pose. In een flits doorzag Bracke haar en hij wist meteen hoe hij het zou aanpakken.

Ze gingen zonder te spreken naar binnen, Carmen voorop, gevolgd door Bracke en een paar passen verder Hassim, die de commissaris als een schoothondje volgde.

'Ik dacht toen u me daarnet opbelde, het is weekend en dan lust de commissaris wel een hapje', lachte Carmen. Ze wees met een loom gebaar naar een bijzettafeltje van Royal Arrow waarop een aantal schaaltjes stonden uitgestald. Bracke herkende olijven met allerlei exotische vullingen, kaviaar, *moules parqués*, langoustines en nog meer lekkers.

'En daar hoort natuurlijk een glaasje bij', zei ze terwijl ze drie glazen gekoelde Riesling uitschonk.

Hassim keek hulpeloos naar Bracke, die hem met een knipoogje geruststelde.

'Het feestje zal voor een andere keer zijn, mevrouw Daens.'

'Oei, is het zo erg?' deed ze lacherig, maar het klonk niet overtuigend. Snel ledigde ze haar glas voor meer dan de helft. 'Vuur maar af, commissaris. Ik ben geheel en al oor. Is het nodig dat ik mijn advocaat bel?'

'Dat hangt geheel en al van u af, mevrouw Daens. Of verkiest u dat ik u bij uw meisjesnaam noem? Carmen Pizarro?'

Carmen gaf geen krimp.

'Om het even. Al heb ik die naam afgezworen. Het doet me te veel denken aan een verleden dat ik wilde vergeten.'

'Toch wou ik het daar even over hebben', zei Bracke onverstoorbaar. Carmen Pizarro keek hem in de ogen en besefte ineens dat ze van hem geen medelijden mocht verwachten. Het decolleté, de hapjes en de wijn, het zou allemaal geen verschil uitmaken.

Bracke legde een mapje op de salontafel maar bedekte zorgvuldig het etiket.

'Het is beter dat u ons de waarheid vertelt', zei hij, en na enige aarzeling: 'Carmen.'

*

Zaterdag 28 mei, 20.11 u.

André Cornelis haatte zichzelf en vooral zijn beroep omwille van de vraag die hij nu moest stellen. Beter de korte dan de lange pijn, al wachtte hij ongeduldig tot Ann Redant was gaan zitten.

'Klopt het dat u op 27 april 2000 met Raymond Deweert naar bed bent geweest, wat nadien nog vier keer gebeurd is?'

Een bominslag had geen groter effect kunnen hebben. Daens werd ineens lijkbleek en Cornelis vreesde even dat diens hart het zou begeven.

Ook Eddy Daeninck, die tot dan toe ongeïnteresseerd in zijn neus had zitten peuteren, was als van de hand Gods geslagen.

Alleen Ann Redant bleef kalm. Ze focuste haar blik op een onbestemd punt in de verte en haalde diep adem.

'Hoe komt u daarbij?'

Cornelis toonde haar een afdruk van het tekstbestand en de foto's die ze op de cd-rom van Deweert gevonden hadden. Ze wierp er amper een blik op.

'Uw minnaar van weleer hield blijkbaar een archief van zijn minnaressen bij, noem het een uit de hand gelopen hobby. Op zich niet onwettig, dacht ik.'

De advocate slikte even, amper merkbaar.

'Is dat relevant?' vroeg ze op fluistertoon.

'U hoeft natuurlijk niet te antwoorden als u dat niet wilt. Maar als advocate moet u beseffen dat u zichzelf door te zwijgen misschien in een lastig parket plaatst.'

Eddy Daeninck bestudeerde Daens, die zat te beven. Hij leek niet meer van deze wereld.

'Goed dan. O.k., ik ben inderdaad met Deweert naar bed geweest. Als hij "vijf keer" schrijft, zal dat ook wel zo zijn, ik heb het niet geteld. Maar het had niets te betekenen. Ik was toen vrijgezel en hoef me voor mijn privéleven niet te verantwoorden. Ik heb er trouwens meteen een einde aan gemaakt toen ik merkte dat hij me alleen maar als de zoveelste trofee beschouwde. Ik ging trouwens nog niet met Jan, dat is maar een jaar later gekomen.'

'Wist u van de verhouding van Ann met Deweert af, meester Daens?'

De advocaat keek hem hoofdschuddend aan.

Cornelis was niet overtuigd. Dit was voor hem een cruciale vraag. Hoe vaak was een moord niet terug te brengen tot eenvoudige jaloezie? En Daens had al de schijn tegen zich, want de affaire met zijn wagen die op de nacht van de moord in de buurt van de misdaadscène was gesignaleerd, had nog altijd geen afdoende verklaring gekregen. Carmen had weliswaar toegegeven dat ze naar de stad gereden was, maar in dit dossier was ze niet van haar eerste leugen gestorven.

'Mag ik u beiden vragen me naar het hoofdkwartier te volgen?' zei Cornelis. 'Het diner met de Rotary zal voor een andere keer zijn, vrees ik.'

*

Zaterdag 28 mei, 20.19 u.

'Waarover?' vroeg Carmen Daens, geboren Pizarro, met een uitgestreken gezicht.

Bracke opende het dossier. Hij las de tekst door op zoek naar de bewuste passage.

'Hier heb ik het. Carmen Pizarro, geboren in Madrid. Verhuisd naar België op tweejarige leeftijd, was vanaf haar achttiende dienstmeisje. Twee jaar later een abortus. Je raadt nooit bij wie ze in dienst was.'

Carmen kreeg een droge mond die met slikken niet natter werd. Ze bedwong zichzelf om rechtstreeks een teug van de wijnfles te nemen.

'Ik weet niet wat u bedoelt', piepte ze.

Bracke ging onverstoorbaar verder.

'Ik heb het hier allemaal keurig voor me liggen.'

Hij gooide een reeks foto's op haar schoot. Ze keek naar de eerste en schrok. Ze herkende zichzelf op twintigjarige leeftijd.

'U diende ten huize Michel Deweert en zijn enige zoon Raymond maakte u zwanger', klonk Bracke overdreven vormelijk. 'Michel Deweert liet in Nederland een abortus uitvoeren en u werd met een afkoopsom op straat gezet.'

'Ik weet niet waar u het over heeft', stamelde Carmen, van wiens branie niets meer overbleef.

'U weet dat maar al te goed.' Bracke liet niet los. 'Die Nederlandse ziekenhuizen hadden zoveel succes omdat ze anoniem waren, dus daar heeft u inderdaad niets van te vrezen. Alleen maar jammer dat Deweert een archief van zijn persoonlijke amoureuze leven bijhield. In de begeleidende tekst die hij aan u wijdde, kon hij het blijkbaar niet laten naar die zwangerschap te verwijzen en er staat zelfs bij hoeveel papa Deweert voor die abortus heeft betaald. Vijftigduizend oude Belgische frank.'

'En wat dan nog!' vloog ze uit.

'Laten we het even over iets anders hebben', zei Bracke. 'De schuttersclub Sint-Rochus kent u uiteraard, aangezien uw man daar lid is.'

'Nauwelijks', zei Carmen Pizarro. 'Vrouwen mogen daar niet binnen.'

'Wel om de bar te doen', wist Bracke. 'Dat heeft Christian Lentz me vandaag nog bevestigd. En hij wist nog meer te vertellen. U heeft daar enkele maanden geleden ook een paar weken de bar gedaan, toen de vaste bardame in het ziekenhuis lag.'

'Om die stomme club uit de nood te helpen', zuchtte Carmen. 'En ik geef toe, om te zien of er geen leuke mannen waren. Maar die kerels schieten alleen met hun boog.'

'Meneer Lentz had nog meer interessant nieuws. Zo heeft hij u eens zonder dat u het zelf wist, zien schieten. Normaal bleef u na de schuttersbijeenkomsten nog even om de bar op te ruimen. Hij was al naar huis, maar merkte dat hij zijn leesbril had laten liggen. Hij zag u drie pijlen afvuren, telkens in de roos.'

'Toeval zeker.' Carmen maakte een onhandig handgebaar.

'Dat denk ik niet', zei Bracke beslist. 'Lees hier maar.'

Hij toonde haar een passage in de tekst van Deweert. Zijn vinger wees naar het tussentiteltje 'hobby's'.

'Deweert deed zijn huiswerk grondig.' Bracke kon een zekere bewondering in zijn stem niet wegstoppen. 'U heeft in uw jeugd blijkbaar aan karabijnschieten gedaan. En schutters verzekerden mij dat je dat, zoals zwemmen en fietsen, nooit helemaal verleert.'

Bracke vreesde dat ze elk ogenblik om haar advocaat zou vragen, maar zolang dat niet gebeurde, ging hij door.

'Goed, u vindt allerlei feiten en probeert die aan elkaar te knopen. Want u wilt blijkbaar van me horen dat ik Deweert vermoord heb. Wat enigszins ridicuul is. O.k., Deweert heeft mij inderdaad zwanger gemaakt toen ik twintig was. Maar is dat een reden om hem te doden? Ik ga al sinds mijn veertiende met jongens en mannen naar bed. Die abortus was het beste wat mij op die leeftijd kon overkomen, want ik was toen niet in staat een kind op te voeden.'

Bracke ging daar niet op in.

'Mijn verhaal is nog niet helemaal af. Op de cd-rom van Deweert vonden we nog een ander mapje dat deze zaak in een nieuw daglicht stelt.'

Hassim zag hoe Carmen Pizarro haar adem inhield. Ze vermoedde wellicht al wat nu ging komen.

Bracke opende de map en haalde er enkele foto's uit.

'Een van de recenste veroveringen van Deweert is iemand die u heel goed kent, mevrouw Pizarro.'

'Joyce', prevelde Carmen, zonder naar de foto's te kijken.

Hassim keek zijn de ogen uit. Hij had nog nooit iemand zo compleet zien ineenstorten. Van haar natuurlijke charme bleef niets meer over.

'Net voor ik aanbelde, kreeg ik het verslag van onze kinderpsycholoog. Die heeft in de instelling een gesprek gehad met Joyce. Ze begon meteen te schreien toen ze een foto van Deweert zag. Ze mag dan wel mentaal gestoord zijn, maar ze is zeker niet zwakzinnig. Ze beseft heel goed wat er gebeurd is.'

Bracke pauzeerde even en stak Carmen een zakdoek toe, die ze aannam zonder hem te gebruiken.

'Haar verhaal is kort, maar vernietigend. Deweert wist haar sympathie te winnen met lieve praatjes en snoepjes en hij zei dat hij haar kamer wou zien. Daar heeft hij haar aan zijn lust onderworpen. Hij wist haar bang te maken door te dreigen u "veel pijn te doen", zoals ze het zei. Hij is nog enkele keren naar haar kamer geweest en daar heeft u ze dan betrapt.'

Bracke liet een zorgvuldig getimede stilte vallen. Hassim hapte stilletjes naar adem. Zijn bloed raasde door zijn aderen.

'Het waarom weten we dus al, nu nog het hoe. Ik denk dat ik dat wel voor u kan vertellen, mevrouw Pizarro. U heeft alles goed voorbereid. Dat die vrouw van de bar in het ziekenhuis moest worden opgenomen, kwam u goed uit. U kon op die manier een boog stelen en wellicht ook stiekem nog wat oefenen. En ik moet toegeven, het was een duivels plan om de schuld in de schoenen van uw echtgenoot te schuiven.'

Carmen keek hem voor het eerst aan. Ofwel ontkent ze glashard, ofwel breekt ze, dacht Bracke.

'Wij zouden er uiteraard achterkomen dat hij ook lid van de schuttersclub was, zonder dat dit hem daarom natuurlijk meteen verdacht zou maken. Dat de wagen door een inspecteur wegens overdreven snelheid opgeschreven zou worden, kon u uiteraard niet plannen, maar door die boete te betalen, heeft u wel een meesterlijke zet gedaan. Net zoals de ingeving om bij de aanslag te manken. Knap hoor', moest Bracke toegeven.

'Een leuk verhaal.' Carmen leek zich te herstellen. 'Er is echter één zwak punt.'

'En dat is?'

Hassim voelde zijn hemd aan zijn rug plakken. Hij besefte dat hij nog heel wat te leren had.

'Jan heeft de hele avond liggen slapen. Ik heb hem toch niet buiten westen geklopt of zo?'

Bracke kraakte zijn vingers tegen de tafelrand. Hij nam nu toch een slok van de wijn en propte een lepel kaviaar naar binnen.

'Juist opgemerkt, ik heb daar ook mijn hoofd over gebroken. Tot ik zopas de analyse van het bloed van meester Daens in handen kreeg, dat na zijn instorting in Sint-Jan onderzocht werd. Hij zei al een tijdje aan opkomende slaapaanvallen te leiden en dat kan ik best begrijpen. In zijn bloed waren namelijk sporen van Normison te vinden, een geneesmiddel dat behoort tot de groep van zogenaamde benzodiazepinen', las Bracke voor uit zijn notitieboekje. 'Het werkt rustgevend, spierontspannend en helpt bij slapeloosheid. Op zich niets uitzonderlijks, maar Jans arts heeft hem dat nooit voorgeschreven. Specialist Michel Galet, tot wie u zich een half jaar geleden met deze klachten wendde, wel en het lab kon achterhalen dat het precies deze pillen waren die in het bloed van uw echtgenoot werden aangetroffen. U heeft ze hem blijkbaar een tijd lang stiekem toegediend. Waarom, vraag ik me af.'

Het laatste restje branie was verdwenen. Carmen Pizarro was niet meer in staat ook maar iets te zeggen.

‘Ik stel voor dat u ons vergezelt, mevrouw Pizarro. Hassim, als je de dame even wilt assisteren?’

*

Zaterdag 28 mei, 21.30 u.

Eens de woordenvloed begon, was er geen stoppen meer aan. De inderhaast opgetrommelde advocaat Sam de Graeve wou nog met zijn cliënte overleggen om tot een verklaring met verzachtende omstandigheden te komen, maar daar had Carmen Pizarro geen oren naar.

Ze vroeg of de recorder aanstond en vertelde alles. Van Aken had even de neiging om verdere details te vragen, maar Cornelis wenkte hem dat de punten en komma’s later wel zouden volgen.

Haar woordenvloed was niet meer te stoppen. Een eerste kind geaborteerd, een tweede gehandicapt en toen kon ze er geen meer krijgen.

Ja, ze had Raymond Deweert vermoord en ja, het was met voorbedachten rade. Toen ze hem met Joyce in haar kamer betrapt had en hij haar grijnslachend had uitgenodigd om *for old times’ sake* lekker mee te doen, wist ze dat ze hem zou kapotmaken. En nee, ze had er geen spijt van.

Sam de Graeve maakt machteloze gebaren om haar af te remmen, maar er hielp geen lievemoederen aan. Ze had Jan verteld wat Deweert met hun dochter uitgespookt had, maar die weigerde haar te steunen. Ze konden er toch niets aan doen, want het zou het woord van Deweert tegen het hare zijn. Voor die lankmoedigheid zou ze hem straffen, en hoe.

Ze had de moord grondig voorbereid, zei ze. Ze diende Jan al een tijdje de medicijnen toe zodat het niet zou opvallen dat hij op de avond van de moord in slaap sukkelde. Zogezegd of niet, de speurders zouden alleen zijn woord hebben en aan het twijfelen slaan. En zijn zwarte hoed had ze al een tijdje verstopt, zonder eerst goed te weten wat ze ermee moest beginnen. De pijlpunten had ze op de werkbank van haar echtgenoot extra aangescherpt.

Woorden die op het proces alleen maar vernietigend voor haar zouden zijn. Maar wat gaf het nog, haar leven en dat van haar dochter waren toch al vernietigd.

Carmen had net voor de moordaanslag in de lege winkelgalerij vlak bij het restaurant de kapmantel aangetrokken die ze in Brussel gekocht had en was resoluut naar binnen gegaan.

Toen ze aan het vertellen was hoe ze de moord had uitgevoerd – recht voor zich uitkijkend, erop lettend dat ze mankte om de verdenking op haar man te werpen en zich focussend op de keel van Deweert – kwam een telefoontje binnen van een inspecteur. Hij belde triomfantelijk dat ze een kruisboog uit de binnenwateren hadden opgevist. Een Barnett, wist hij te melden.

Na het dodelijke schot was ze ogenschijnlijk kalm weer naar buiten gewandeld om zich in de gaanderij van de mantel te ontdoen. Maar toen hadden haar zenuwen het begeven. De kruisboog, die ze in een plastic zak had meegebracht, had ze verzwaard met enkele stenen in het water geslingerd. Met gierende banden was ze weggereden zonder de inspecteur op te merken. De zwarte hoed van Jan had ze opgezet om onderweg niet herkend te worden.

Bracke verkoos het verhoor vanuit de aanpalende kamer door het glas te volgen. Anderen zou de zaak nu wel afronden.

Een ding had hij Carmen niet verteld. Deweert had aan elke verovering ook een score gegeven. Carmen scoorde een matige 6-, Joyce 9+.

EPILOOG

Dinsdag 31 mei, 20.04 u.

Abdel Hassim glom als een pas opgeblonken rode appel. Terecht, vond Bracke, die hem samen met vrouw en kinderen op een etentje had uitgenodigd.

Op het menu stond victoriabaarsfilet onder een kruidige korst 'gantoise' met Scapa, een whiskygerecht van chef Stef Roesbeke van restaurant De Cluysenaer uit het laatste boek van Bob Minnekeer, dat intussen al aan de derde druk toe was.

Bracke hoorde op de radio een verslag van de zoveelste dag van het proces-Botero, dat erg moeizaam verliep, en snel schakelde hij het toestel uit.

'Trouwens, commissaris...'

Bracke stak zijn hand op, bij wijze van stopteken.

'Hola! We zitten hier niet op kantoor. Je bent vanavond mijn gast en ik wil dat je me bij de voornaam aanspreekt.'

'O.k. comm... George.'

De naam kwam er maar moeilijk uit, als had hij iets onbetamelijks gezegd.

'Je wou iets vertellen?'

Hassim moest even nadenken. Met de mond vol frambozenbavarois, die hij verdomd lekker vond. Bracke had maar niet verteld dat er een scheutje Brora in zat, verheven whisky van een gesloten distilleerderij. Principieel geheelonthouder als Hassim was, zou hij er anders wellicht niet eens van geproefd hebben.

'Wel eh, George,' zei Hassim ietwat onwennig, 'ik had vandaag vijf minuutjes tijd en ik heb nog eens gezocht naar die poetsvrouw van je. Je weet wel, die juffrouw Breulet die beweert dat ze bevallen is van het kind van minister De Ceuleer.'

Bracke moest even diep in zijn geheugen tasten om zich het geval opnieuw te herinneren.

'Ja, natuurlijk, nu heb ik het weer. En?'

'Het enige wat van haar in onze computers zit, is een aangifte van mishandeling door haar echtgenoot Robert Kuypers, intussen zes jaar geleden. En nu overigens al vier jaar ex-echtgenoot.'

'Dus toch iets', knikte Bracke.

'Via de gewone kanalen was er over Sandra Breulet verder niets meer te vinden. Niets via de burgerlijke stand, ziekenfonds, vakbond, alsof ze van de aardbol verdwenen was. Alleen de bevalling staat geregistreerd, maar het adres dat in dat dossier staat klopt niet meer.'

Bracke begon steeds meer plezier in dit geval te krijgen. Al zei het natuurlijk ook veel over de administratie. Wellicht was Sandra gewoon verhuisd en had ze verzuimd haar nieuwe adres aan de burgerlijke stand door te geven.

'Maar ik heb hier en daar wat voortgezocht', zei Hassim. Op zijn gezicht viel af te lezen dat hij in zijn speurtocht was geslaagd.

Bracke wachtte geduldig. Hassim had het soms moeilijk om *to the point* te komen, maar het stoorde hem niet. Toch niet nu hij hier zo gezellig zat te eten.

'Uiteindelijk kwam ik al surfend in de centrale database van de verhuurkantoren terecht. Daar vond ik een archief van huurcontracten en op eentje staat klaar en duidelijk te lezen dat Sandra Breulet, voordien zonder adres, sinds vorige week een appartement aan het Zuid huurt. Op het Graaf van Vlaanderenplein. Toen ik nog wat verder zocht, heb ik ontdekt dat ze momenteel als poetsvrouw in Sint-Jan de Deo werkt.'

Hassim keek de commissaris glimlachend aan, klaar om gracieus een complimentje in ontvangst te nemen.

'Goed gedaan!' prees Bracke en in het bijzijn van zijn echtgenote kon je Abdel zo een centimeter zien groeien.

De commissaris stak het papiertje met het adres op zak zonder er verder naar te kijken.

'Genoeg over het werk nu', zei hij, vooral omdat hij Annemies boze blik voelde branden. 'Nog iemand wat bavarois? Jij misschien, Aisha?'

De echtgenote van Hassim knikte dankbaar. Ze had een gelukzalige glimlach om de lippen. Het was de allereerste keer dat Abdel haar meenam naar een collega en dan nog voor zo een feestmaal. Misschien kon die lieve commissaris haar wat tips geven voor haar kookboek.

*

Woensdag 1 juni, 14.15 u.

Met enige tegenzin reed George Bracke in de ondergrondse parkeergarage op het Zuid. Vroeger was hij er met geen stokken in te krijgen, na een kwalijk bezoek aan Amsterdam dat af en toe nog in zijn dromen opdook. Hij was daar samen met Annemie zonder veel nadenken naartoe gereden in de veronderstelling dat het parkeren wel zou meevallen. Annemie had hem gesmeekt de auto buiten de stad achter te laten en met het openbaar vervoer naar het centrum te rijden, maar koppig had hij niet willen luisteren. Met het gevolg dat ze slechts na veel zoeken een ondergrondse parkeerplaats hadden gevonden, op −4. Tot zijn afgrijzen bevond het enige overblijvende plaatsje zich net naast een pilaar en waren de afmetingen duidelijk kleiner dan in eigen land. Het had hem oneindig veel manoeuvreerwerk gekost om de wagen tussen de lijnen te krijgen en intussen stond een dolgedraaide Molukker op de motorkap te bonken: 'Maak dat je weg komt, tyfuslijder!' Tot overmaat van ramp bleek bij het vertrek, zeven uur en een slechte maaltijd in een zogenaamd gastronomisch restaurant later, de automaat geen wisselgeld te kunnen geven, zodat hij weer naar boven moest op zoek naar muntstukken. En dan was hij net voor de uitgang ook nog eens uit de bocht gegaan, met stevige blikschade aan de zijkant tot gevolg. Gelukkig was men in deze ondergrondse niet zo gierig met de parkeerruimte.

Het Zuid lag er verlaten bij. Na de kantooruren leek dit deel van de stad in te dutten en gelukkig kwamen jeugdige rollerskaters voor wat animo zorgen. Vandaag hadden ze blijkbaar wat anders te doen, want het enige levende wezen op het plein was een oude duif die lusteloos wat in een korst van een sandwich zat te pikken.

Alleen in de Capitole brandde nog licht. *Food & beverage manager* Frederic de Backer kende geen uren en was wellicht weer bezig met de voorbereiding van een zoveelste evenement. Bracke kende hem nog uit de tijd dat De Backer in Deurle het café De Zonnedans uitbaatte en hij was daar ooit gaan kijken naar een optreden van de Gentse rocktrots *The Vipers* met als bassist in hun rangen zijn bijna naamgenoot Georges Bracke. De commissaris was enkele weken later ook toevallig in een show van travestie Dille beland, die er met muzikant Luc Callaert een gesmaakte intieme show weggaf. Helaas hadden de twee artiesten te grote ego's om goed te kunnen samenwerken en was dit beloftevolle project snel een stille dood gestorven.

Na een snelle handdruk en een kort gesprekje met de belofte samen eens koffie te gaan drinken – Frederic was intussen geheelonthouder geworden – wandelde Bracke verder.

Pas toen haalde hij het briefje met het adres uit zijn achterzak. Graaf van Vlaanderenplein 13b, dat was net naast het appartement waar vorig jaar Nelly Maes gewoond had, de dame die door Bondeyne, alias Adamo, was ingehuurd om hem in diskrediet te brengen[14]. Fotograaf Johan Martens had dit appartement gekocht, gedeeltelijk met de opbrengst van het fotoboek dat intussen al in veertien landen was uitgebracht.

Beneden opende een oudere bewoonster net de deur om een wandeling te maken. De commissaris knikte haar vriendelijk toe en glipte achter haar rug naar binnen.

Glimlachend nam hij de trap met twee treden tegelijk naar boven, denkend aan Annemie, die hier toen de confrontatie met haar vermeende rivale was aangegaan.

Nummer 13c had intussen een andere huurder en die zag er blijkbaar geen graten in om de gang vol spullen te zetten. Bracke moest zich een weg banen tussen de gevulde plastic zakken en foeterde op de huisbaas die dat allemaal liet gebeuren.

Bij 13b klopt hij krachtig aan. Het duurde niet lang voor een blonde dame aarzelend door de deuropening kwam piepen.

'We kopen niet aan de deur.'

'Daar kan ik inkomen', zei Bracke naar waarheid. 'Mag ik u even spreken, mevrouw Breulet?'

Hij wurmde zijn badge onhandig tussen de deur en voelde zich net een van die televisie-inspecteurs. Daar werkte dat altijd en deed de bewoner verbouwereerd open, maar Sandra Breulet maakte geen aanstalten om hem binnen te laten.

'Waarover?' vroeg ze uiteindelijk.

'Eh, hier buiten kan ik dat moeilijk bespreken. Het gaat over de vader van uw kind', fluisterde hij.

Nu was de interesse van Sandra Breulet ineens wel gewekt. De deur ging dicht en hij hoorde hoe twee stevige grendels weggeschoven werden.

'Een mens kan niet voorzichtig genoeg zijn', zei ze. 'Met al die vreemdelingen die hier rondlopen! Kom binnen.'

Het appartement zag er allerminst verzorgd uit. Op de kast lag een dikke laag stof. Opmerkelijk voor een poetsvrouw, dacht Bracke. Of misschien net niet. Een bakker zal thuis wellicht ook geen taarten bakken.

In de hoek stond een bedje waarin een kind lag te slapen. Ze volgde zijn blik en glimlachte.

'Dat is Kenny. Hij is vandaag, nee gisteren, net tien maanden oud geworden.'

Ze ging zitten en nodigde hem niet uit dat ook te doen. Hij liet zich na enige aarzeling tenslotte toch op de sofa neerzakken.

'Ik kan u helaas niets te drinken aanbieden of het zou chocolademelk moeten zijn. Ik moet me hier nog settelen, vrees ik', lachte ze, maar ze kon haar nervositeit niet verbergen.

Bracke maakte een afwimpelend gebaar.

'Hoeft ook niet. Ik zal het kort maken, mevrouw Breulet.'

'Juffrouw', beklemtoonde ze.

'Juffrouw Breulet', herhaalde hij geduldig. 'Enige tijd geleden kreeg ik van minister De Ceuleer het verzoek om u op te sporen. Schrik niet, het was geen bevel of zo, gewoon een vraag. Hij vertelde me een nogal vreemd verhaal.'

Breulet keek de commissaris schattend aan, niet goed wetend wat ze moest verwachten. Ze probeerde een sigaret aan te steken, maar moest drie keer opnieuw proberen omdat haar handen trilden.

'De minister zei dat u ooit poetsvrouw bij hem geweest bent.'

'Dat klopt', knikte ze. 'Minister of niet, hij was een slechte baas. Altijd te laat met zijn betalingen, vittend op de prijs van de onderhoudsproducten, kritiek op het werk zelf. En hij heeft nooit zijn belofte gehouden om me in dienst te nemen, het bleef altijd zwartwerk. Toen een nichtje van hem een baan zocht, heeft hij mij zonder veel uitleg aan de deur gezet. Zij kreeg wel een officieel statuut. Mijn laatste loon heeft hij trouwens nooit betaald.'

Bracke twijfelde er geen ogenblik aan dat ze de waarheid sprak. De Ceuleer stond er inderdaad om bekend dat hij elke euro twee keer omdraaide alvorens hem uit te geven. Kwatongen beweerden dat hij het met de staatskas niet zo nauw nam, maar dat moest tot nader order nog altijd eerst bewezen worden.

'Tot zover niets vreemds onder de zon, maar volgens de minister stormde je enige tijd terug zijn kantoor binnen met de melding dat hij de vader van je kind is. En hij zweert bij hoog en laag dat dit onmogelijk is omdat hij nooit met je geslapen heeft.'

Ze keek hem met grote, onzekere ogen aan. Het huilen stond haar nader dan het lachen.

Die reactie had Bracke niet verwacht. Na enige aarzeling bood hij haar een zakdoek aan, maar ze schudde het hoofd.

'Het gaat wel', zei ze, duidelijk weer meester over zichzelf.

'Wil je me gewoon eens vertellen wat er aan de hand is?' vroeg Bracke zo rustig mogelijk. 'Is René de Ceuleer de vader van Kenny, of niet? Hijzelf beweert van niet en is bereid een DNA-test te ondergaan.'

Sandra Breulet stak nog een sigaret op.

'Goed dan', zei ze na enig nadenken. 'Die DNA-test zou positief zijn, want hij is inderdaad de vader.'

Bracke geloofde haar meteen. Sandra Breulet was niet het soort vrouw dat met leugens door het leven ging.

Toen begon ze weer te snikken.

'Rustig maar', zei Bracke. Onbeholpen tikte hij zachtjes op haar schouder.

'Het zit zo, meneer eh...'

'Bracke.'

'Ik ben elf jaar getrouwd geweest met een man die geen kinderen wou, terwijl dat mijn grootste wens was. Hij sloeg me, zat aan de drank en voerde uiteindelijk geen klap meer uit. Ik had al veel vroeger moeten weggaan, maar ik heb lang in het sacrament van het huwelijk geloofd. Toen hij me op een dag in de zoveelste zatte bui van de trap schopte, hield het ineens op. Ik ben naar de dokter geweest, heb de verwondingen laten vaststellen en ben naar de politie gestapt.'

Tot zover klopte de uitleg van Sandra Breulet met wat Hassim had gevonden. Bracke knikte ter aanmoediging. Maar de poetsvrouw was te zeer in haar herinneringen verzonken om dat op te merken.

'Toen ik tot het besef kwam dat ik elf jaar van mijn leven aan een bruut had vergooid, ben ik er even onderdoor gegaan. Nu ja, even, uiteindelijk had ik een jaar therapie nodig voor ik tot het besef kwam dat de schuld niet bij mij lag. Maar het was alsof het noodlot mij achtervolgde. Ik leerde een man kennen die op het eerste gezicht te vertrouwen viel. Dieter overstelpte me met bloemen en etentjes, overhaastte niets en ontpopte zich tot de perfecte gentleman. Ik was op dat ogenblik allerminst op zoek naar een nieuwe relatie en voelde me ook niet verliefd, maar na de nodige inspanningen van zijn kant gaf ik uiteindelijk toch toe. Na enige tijd begon ik me steeds beter in mijn vel te voelen. Zou dit dan toch de ware zijn, dacht ik. En langzaam stak de kinderwens weer de kop op.'

Een fijne glimlach verscheen op haar lippen. In tegenlicht zag Sandra Breulet er best appetijtelijk uit, moest Bracke toegeven. Hij kon best begrijpen dat bepaalde mannen voor haar vielen.

'Dieter kwam bij me wonen en er waren zelfs al vage trouwplannen. Maar het zou op een nieuwe ontgoocheling uitlopen. Toen hij goed en wel mijn hart veroverd had, zou Dieter mijn vertrouwen beschamen. Ik was toen poetsvrouw bij een bank en op een dag mochten we onverwacht vroeger naar huis. Ik betrapte hem in bed met

Esmée, mijn beste, wat zeg ik, mijn enige vriendin. Op dat moment is mijn wereld echt ingestort. Van dan af heb ik de mannen nooit meer vertrouwd.'

Bracke had de neiging om woorden van verontschuldiging te mompelen, maar hij besefte dat ze hol en nietszeggend zouden klinken. Hij kon toch niet verantwoordelijk gesteld worden voor de daden van zijn seksegenoten. En nu ze aan het praten was, kon hij maar beter niets zeggen.

'In die periode begon ik voor De Ceuleer te werken. Hij was toen staatssecretaris, maar al erg ambitieus. Wat nog zacht uitgedrukt is, want hij zag me nog niet eens staan. Eén enkele keer waagde hij een lompe toenaderingspoging toen hij zijn hand op mijn bil legde, maar ik heb hem snel duidelijk gemaakt dat ik niet dat soort meisje was.'

De commissaris schrok daar allerminst van. De Ceuleer was er nog een van de oude stempel die van de veronderstelling uitging dat een politicus zich meer mocht veroorloven dan een gewone sterveling. Ooit had een stagiaire klacht wegens ongewenste intimiteiten tegen hem ingediend, maar die zaak was achteraf in der minne geregeld.

'Na het ontslag heb ik een moeilijke periode doorgemaakt', ging Sandra Breulet verder. 'Mijn vertrouwen in mannen was tot een dieptepunt gedaald en ik had het moeilijk om de eindjes aan elkaar te knopen. Een vaste betrekking als poetsvrouw vinden lukte niet en tussen de interims door werkte ik dan maar zo veel mogelijk in het zwart om mijn karige uitkering wat aan te vullen. Allerminst een prettige situatie, maar ik had geen keus. En al die tijd bleef het verlangen naar een kind aan me knagen. Van mannen had ik voorlopig mijn bekomst, dus dat was een probleem. Ik had net besloten op zoek te gaan naar een donor tot zich plotseling een buitenkansje aandiende.'

Sandra schudde met haar pakje sigaretten, maar het was leeg. Ook gescharrel in haar handtas leverde niets op. Ze keek Bracke vragend aan.

'Rookt u, meneer Bracke?'

Hij moest altijd even nadenken wat hij daarop moest antwoorden.

'Ik zeg meestal "voorlopig even niet". Dat houd ik nu toch al acht jaar vol.'

'Goed zo', knikte ze prijzend. 'Het is een smerige gewoonte. Tijdens mijn zwangerschap heb ik niet één sigaret gerookt en evenmin zolang ik Kenny de borst gaf. Maar de dag dat hij op vast voedsel overschakelde, ben ik weer begonnen.'

Met al dat praten over roken kreeg Bracke weer zin. Dat overkwam hem nog bijna dagelijks en hij wist dat hij de rest van zijn leven tegen die drang zou moeten vechten. Hij kon genieten van iemand die een sigaret opstak en liever nog een sigaar.

'Maar we dwalen af. Waar was ik gebleven?'

'Bij je kinderwens', zei Bracke geduldig. 'En dat buitenkansje dat ineens uit de lucht viel.'

'Inderdaad. Ik had een tijdje een interim in Sint-Jan de Deo en er was sprake van dat ik daar full time zou mogen beginnen zodra de oudste poetsvrouw met pensioen was. Ik had er een goede verstandhouding met een verpleegster op de fertiliteitsafdeling en die vertelde me hoe relatief eenvoudig een kunstmatige bevruchting is. Je hebt eigenlijk alleen het zaad van een vruchtbare man nodig, meer niet.'

Bracke sloot de ogen. Hij zag taferelen voor zich hoe Sandra Breulet op zoek ging naar mannelijk zaad.

'Na die interim kon ik voor een week in een hotel aan de slag. Dat is best leuk werk, niet overdreven lastig, aardig betaald en je krijgt af en toe een leuke fooi. Toen ik de derde dag de kamers deed, vond ik in een van de badkamers in het vuilnisbakje een dichtgeknoopt, gebruikt condoom. Ja, gevuld met eh...'

Ze giechelde even, om haar zenuwen in bedwang te houden.

'In een opwelling stopte ik het condoom in mijn handtas, zonder goed te beseffen wat ik deed.'

Met ogen groot van verbazing keek Bracke haar aan.

'Je bedoelt dat je...'

Sandra ontweek zijn blik. Haar stem kreeg iets ijzigs.

'Ik moest met mezelf lachen, want ik vond het hele tafereel ook zo onwerkelijk. Toen ik de kamer verliet, kreeg ik echter een schok te verwerken. De klant kwam naar boven, in het gezelschap van een weelderige blondine waar hij maar niet van kon afblijven. Ik herkende de man, maar hij mij niet omdat hij geen aandacht aan me besteedde. Het was René de Ceuleer en die blondine was zeker zijn vrouw niet.'

Bracke schudde het hoofd. Hij zag het tafereel zo voor zich.

'Ik ben naar huis gegaan en heb het condoom in de ijskast gelegd omdat ik alles eerst nog eens goed wou overdenken. 's Avonds ontkurkte ik een wijnfles, dronk die helemaal leeg en ik eh, ging aan de slag. Moeilijk is het eigenlijk niet. Je hebt alleen een spuitje nodig. Je verdunt het in de juiste dosis met glycerol, vriest het geleidelijk in en brengt het na ontdooiing tijdens je vruchtbare dagen vaginaal in. En dan hopen maar dat je geluk hebt.'

'Bespaar me de details', zei Bracke. 'Ik kan het me heus wel voorstellen.'

'Ik heb het zaad in vier porties verdeeld en de drie overige ingevroren. Ik was dan wel in mijn vruchtbare periode, maar wou meer dan één kans kunnen wagen. Al bij de tweede keer had ik prijs.'

Bracke zuchtte.

'Mag ik ook vragen waarom je precies De Ceuleer hebt uitgekozen om eh, de vader van je kind te zijn? Je had toch een beroep kunnen doen op een spermabank?'

Ze knikte instemmend.

'Of desnoods een advertentie zetten, ik weet het. Het was een bevlieging van het moment. Als ik een beroep deed op een donor, zou ik niets van de vader afweten. Je mag van De Ceuleer zeggen wat je wilt, maar je moet toegeven dat het een intelligente kerel is. Toen ik dat condoom in die hotelkamer zag liggen, kon ik niet aan de verleiding weerstaan.'

Hoe gek de situatie ook klonk, Bracke probeerde zijn gedachten te ordenen.

'Was je al meteen van plan om hem op de hoogte te brengen?'

Ze trok even met haar schouders, als wist ze daar niet meteen een antwoord op.

'Eigenlijk niet. Je moet me geloven, commissaris. Ik was niet van plan om geld te vragen. Maar na de geboorte zat ik helemaal in de put. De RVA[15] kwam te weten dat ik in het zwart gewerkt had en vorderde een halfjaar stempelgeld terug. Ik was in paniek en toen rijpte het plan om De Ceuleer te laten boeten. Tenslotte had hij me aan de deur gezet en had ik nog loon van hem te goed. Maar toen ik weer buitenkwam, besefte ik dat ik er niet kon mee doorgaan. Ik wou hem dus niet chanteren of zo.'

Bracke vroeg zich af hoe dit op een jury zou overkomen. Gesteld dat het ooit tot een rechtszaak zou leiden, want hij veronderstelde dat de minister wellicht zijn amoureuze escapades niet met de buitenwereld wou delen.

'Gaat u me nu arresteren?'

Bracke trok zijn onderlip op.

'Daar kan ik u met de beste wil van de wereld nog niets over zeggen. Het valt af te wachten of De Ceuleer klacht zal indienen eens hij de ware toedracht van de zaak kent. U hoort er wellicht nog van, jufrouw Breulet.'

*

Woensdag 1 juni, 17.30 u.

Hoe vlugger de verkiezingen naderbij kwamen, hoe arroganter minister van Justitie De Ceuleer zich in de campagne opstelde. Zeker, er was het onfortuinlijke 'incident' met de vermoorde Raymond Deweert geweest dat de liberale partij wellicht geen goed zou doen.

'Maar de openheid waarmee we in deze zaak met de buitenwereld hebben gecommuniceerd, getuigt dat we bereid zijn de hand in eigen boezem te steken', zei hij zonder verpinken aan Ronny Dellez, journalist van de grootste krant van het land. Dellez liet de minister uitrazen en overliep in gedachten de pittige vragen die hij verderop in het gesprek zou stellen.

George Bracke zat tien meter verder te wachten. Geduldig, want hij had tijd. Hij was ingegaan op de stille wenk van chef Van Aken om eindelijk eens zijn overuren op te nemen. Maar er was nog één ding dat hij graag afgehandeld zag. De Ceuleer had recht op de ware toedracht van zijn vaderschap.

Neuriënd bladerde Bracke in een stapel tijdschriften van allerlei slag. Hij las een half artikel uit *Woef* met de onvolprezen Jaak Pijpen als hoofdredacteur, ploos in *Horeca Magazine* met de nodige nieuwsgierigheid de whiskyproeverij van voor tot achter uit en merkte tot zijn genoegen dat hij ze allemaal al geproefd had. Bob Minnekeer van whiskyclub Glengarry had aan het proefpanel zijn medewerking verleend en werd door de hoofdredacteur uitvoerig voor zijn medewerking bedankt. Een bezoekje aan de club zou deze week zeker op Brackes programma staan en omdat ook Annemie nog wat vakantie te goed had, zou het ongetwijfeld een gezellige avond worden.

Binnen was De Ceuleer het interview aan het afronden. Behendig als hij was, schaatste hij glimlachend om alle vervelende vragen heen en wist de journalist uiteindelijk toch het gevoel te geven dat hij met een paar leuke primeurs naar buiten ging.

Zich bewust van het feit dat hij een goede beurt had gemaakt, stapte de minister zelfvoldaan mee naar de deur.

'Bel me gerust als je nog iets moet weten!' riep hij de journalist na. Het volgende ogenblik was hij Dellez al vergeten.

'Laat de commissaris maar binnen', seinde hij zijn secretaresse via de intercom.

'Zo, George, ik hoor dat je nieuws voor me hebt? In verband met eh...'

Bracke besloot er geen woorden aan vuil te maken.

'Ik heb Sandra Breulet gevonden. Ze heeft me uw zoon getoond. Een flinke knaap, hij heet Kenny.'

De Ceuleer zette niet-begrijpende ogen op. Dan begon hij luidkeels te lachen, maar het kwam vooral kunstmatig over.

'Je probeert me in de maling te nemen! Je bent er me wel eentje, George! Maar genoeg gelachen nu. Geef me dat adres, dan los ik de kwestie zelf wel verder op. Met de verkiezingen in het vooruitzicht moeten we voorzichtig zijn, nietwaar?'

‘U begrijpt het niet, minister’, klonk Bracke erg gedecideerd. ‘U bent wel degelijk de vader.’

De lach verstijfde op De Ceuleers gezicht om plaats te maken voor oprechte verontwaardiging.

‘Maar dat kan helemaal niet! Ik heb die vrouw nooit aangeraakt, snap je dat dan niet! Of geloof je haar leugens misschien? Goed dan, als het echt zo moet. Maak alles in orde voor een DNA-test.’

De Ceuleer keek zo waardig als hij maar kon en dat was niet gering.

‘En toch bent u de vader.’

Hij zag hoe de minister hard met zijn nagels in zijn handpalm kneep. De Ceuleer bonsde met zijn vuist op zijn bureau, zodanig furieus dat zijn pennenhouder omviel.

‘Het moet uit zijn met die nonsens! Hier met dat adres, Bracke!’

George Bracke keek de minister aan met een ijzige blik waarvoor zelfs De Ceuleer niet onverschillig kon blijven. De minister zat ongemakkelijk op zijn nochtans comfortabele directeursstoel te draaien.

‘Een DNA-onderzoek, voor mij niet gelaten. Maar daar zal alleen maar onomstotelijk uit blijken dat u inderdaad de vader van Kenny bent.’

In korte bewoordingen vertelde hij hoe de vork aan de steel zat. Toen de minister hoorde van zijn escapades in het hotel, werd hij lijkbleek. Meteen bleef er van zijn branie niets meer over. Hij was nog hooguit een zielig hoopje ellende.

Bracke vond het niet mooi van zichzelf, maar had leedvermaak. Was dit de minister die hem elke keer opnieuw hooghartig als een ondergeschikte had behandeld?

‘Hoe moet dat nu met die DNA-test? Zal ik de dokter bellen?’

De Ceuleer reageerde niet meer. Hij voelde de grond onder zijn voeten wegzakken. Zijn vrouw had al gedreigd om hem te verlaten en dergelijke toestanden kon hij net voor de verkiezingen missen als kiespijn. Heel wat stof om eens grondig over na te denken vooraleer een beslissing te treffen.

‘Ik laat mezelf wel uit, hoor’, zei Bracke bij het weggaan, net niet grinnikend.

Woensdag 1 juni, 20.31 u.

PERSAGENTSCHAP BELGA / Eigen berichtgeving
Zopas verstuurde minister van Justitie René de Ceuleer een persmededeling waarin hij zijn onmiddellijk ontslag aankondigt. Als motivatie voor dit ontslag haalt de minister persoonlijke redenen aan. 'Het heeft niets te maken met de moord op Raymond Deweert', schrijft De Ceuleer. Deweert werd zeventien dagen geleden vermoord, naar later bleek door een vrouw met wiens minderjarige en mentaal gehandicapte dochter hij een relatie zou hebben gehad. (lees verder pagina 2)

(vervolg van pagina 1) René de Ceuleer is 44, getrouwd en vader van drie dochters. Hij maakte binnen de liberale partij snel carrière en schopte het van jongerenvoorzitter meteen tot volksvertegenwoordiger met een recordaantal stemmen. Eerder was hij Vlaams regeringscommissaris voor Economie en Leefmilieu ad interim, toen zijn voorganger Johan Deprez ondervoorzitter van de Europese Monetaire Unie werd en hij is sinds de vorige verkiezingen minister van Justitie. Dit had hij wellicht te danken aan zijn periode in de oppositie waarbij hij stevige kritiek op de regering had naar aanleiding van de stijgende criminaliteitscijfers.

In de wandelgangen werd De Ceuleer steeds vaker genoemd als mogelijk opvolger voor de premier, die naar verluidt zijn oog heeft laten vallen op de functie van voorzitter van de Europese Commissie.

De Ceuleers ontslag komt bij vriend en tegenstander als een donderslag bij heldere hemel, zelfs de partijvoorzitter was niet op de hoogte. Zelf is de ex-minister voorlopig niet bereikbaar voor commentaar. Volgens de woordvoerder van de partij is hij na het doorgeven van het nieuws aan de partijtop meteen vertrokken naar zijn geheime vakantieadres in Toscane. De Ceuleer kondigde een persconferentie na de verkiezingen aan.

Ook socialistisch staatssecretaris Robert Detaeye diende onverwacht zijn ontslag in. De staatssecretaris kreeg naar verluidt een aanbod om deel uit te maken van de raad van bestuur van Umelco en achtte deze functie niet verenigbaar met zijn politieke loopbaan.

UITSMIJTER

Donderdag 2 juni, 8.49 u.

In zijn cel zat kindermoordenaar Juan Botero wezenloos voor zich uit te staren, verslagen door het leven en suf van de kalmeringsmiddelen. Hij had nog altijd de tegenstrijdige indrukken van het proces niet verwerkt. Gevoelens van trots wegens al die aandacht, verwarring door de duidelijke haat van het publiek en onbegrip omdat hij toch alleen maar de kinderen voor de eeuwigheid had willen redden, vochten met elkaar om de bovenhand. Uiteindelijk verviel hij in een toestand van lethargie en dagdroomde over de schilderijen die hij nooit zou maken.

Veroordeeld tot levenslange opsluiting, zoals zijn advocaat voorspelde. Hij kon zich daar geen voorstelling bij maken. Voorlopig kon hij toch niet weg, niet zolang hij die lieve commissaris niet geschilderd had. De enige man die hem begreep, hij kreeg er tranen van in de ogen. Op een dag, als zijn vleugels sterk genoeg waren, zou hij door de muur vliegen en de politieman zijn meesterwerk tonen. Samen zouden ze het schilderij bewonderen en huilen om al het onrecht in de wereld.

Een cipier slofte door de gangen en keurde de kindermoordenaar geen blik waardig. Hij was zelf vader van twee zoontjes, die nu ongeveer even oud waren als de slachtoffers van Botero. Ik zou de cel moeten openen en hem laten ontsnappen, dacht de cipier. En overleveren aan de volkswoede.

Op datzelfde ogenblik zat George Bracke aan de ontbijttafel grinnikend *De Morgen* te lezen. Annemie deed hetzelfde met *De Standaard* en ze zouden zoals altijd ongeveer tezelfdertijd klaar zijn en dagbladen ruilen.

'Beloof me dat je me laat opsluiten, als ik ooit zo gek zou zijn om in de politiek te gaan.' Bracke schudde het hoofd.

'Is genoteerd', zei Annemie monter. 'In dat milieu zou je nooit aarden. Je bent te rechtuit, beste George. Een goed politicus moet koud en warm tegelijkertijd kunnen blazen.'

Er lag een lange, rustige dag in het verschiet, een lome dag van nietsdoen en een lekker etentje in een restaurant dat ze nog moesten uitkiezen. Keuze genoeg in de stad en allemaal zouden ze hem ongetwijfeld bevallen.

Maar eerlijk gezegd had hij er nu vooral behoefte aan om alleen met zijn vrouw te zijn. Ergens in een hoekje van een niet te drukke zaak te kunnen zitten en met haar praten. Of beter nog, de ogen halfdicht en gewoon naar haar luisteren, terwijl zij het had over de triviale dingen van elke dag.

Van haar hele betoog over de kinderen die dringend aan nieuwe kleren toe waren, had hij geen woord gehoord. Dat voelde ze feilloos aan, maar ze vertelde het vooral om geen stilte te laten vallen.

En Bracke wist nu al dat hij over tien dagen blanco zou stemmen.

NOTEN

1 Zie *Tango Mortale*
2 Zie *Tango Mortale*
3 Zie *Tango Mortale*
4 Zie *Tango Mortale*
5 Zie *Botero*
6 Klopt niet helemaal. In België is er binnen de vrijmetselarij ook plaats voor vrouwen binnen de Vrouwengrootloge van België (een uitsluitend vrouwelijke obediëntie) en de Belgische Federatie van *Le Droit Humain*, een orde toegankelijk voor mannen en vrouwen.
7 Op 18 augustus 1950 werd de communistenleider Julien Lahaut vermoord, nadat hij de verantwoordelijkheid op zich had genomen voor de kreet 'Leve de republiek', die tijdens de eedaflegging van Boudewijn in het Belgische parlement vanuit de banken van de communisten had weerklonken.
8 'O, Gij, die het heelal onderhoudt, uit wie alles voortkomt en tot wie alles moet wederkeren, ontsluier het gelaat van de Ware Zon, dat nu verborgen wordt door een vaas vol gouden licht opdat wij de Waarheid mogen zien en onze gehele plicht volbrengen op onze reis naar uw heilige troon.'
9 'Ik beloof, ten overstaan van de aanwezige broeders, dat ik de wetten en bepalingen van de Grootloge van Nederland en België zal gehoorzamen en handhaven en het Charter zal gebruiken voor de doeleinden waarvoor het nu wordt verleend en zoals deze daarin zijn omschreven.

   Bovendien beloof ik, indien het welzijn en het belang van de Orde dit eisen en de Grootloge zulks gelast, dat ik het Charter onmiddellijk aan de Grootmeester of aan een gemachtigde van de Grootloge terug zal geven.'
10 'Toetreding kan het lid helpen zichzelf beter te leren kennen en zijn antwoord te vinden op vragen naar het "Waarom?" en "Waartoe?" van zijn bestaan. In zijn loge vindt hij mannen van uiteenlopende opleiding, maatschappelijke positie, politieke en godsdienstige overtuiging. Twistgesprekken over politiek of godsdienst zijn niet toegestaan. Niemand heeft de pretentie de Waarheid te bezitten. Vrijmetselaren zijn vrije mannen die, in het besef van hun eigen beperkingen, zelfstandig en zonder door dogma's te worden gehinderd, naar waarheid willen zoeken.

   Totalitaire regeringssystemen van links en rechts zien de maçonnerie als een bedreiging. Waar de eigen leer als de enige waarheid dwingend wordt opgelegd is men beducht voor een persoonlijke benadering van eeuwigheidswaarden. Bij alle persoonlijke vrijheid in denken is er in elk geval één opvatting die alle vrijmetselaren gemeen hebben: ze zien leven en wereld niet als een vrijblijvende aangelegenheid, maar als een te voltooien bouwwerk. Ze voelen zich nauw verbonden met oorsprong en bestemming van al het bestaande en aanvaarden daarmee de leiding van de Opperbouwmeester des Heelals. Iedere vrijmetselaar, ongeacht welk geloof hij belijdt, kan aan deze symbolische verwijzing naar een alles-ordenend Beginsel zijn eigen inhoud geven.'

11 Zie *Tango Mortale*

12 Zie *Tango Mortale*

13 Kalkammonsalpeter wordt bij ieder tuincentrum verkocht als meststof.

14 Zie *Tango Mortale*

15 Rijksdienst voor Arbeidsvoorziening